U0064470

財經企管BCB190C

封面設計／張議文

競爭優勢

（上）

Competitive Advantage

Creating and Sustaining Superior Performance

By Michael E. Porter

麥可・波特　著

李明軒、邱如美　譯

作者簡介

麥可・波特（Michael E. Porter）

　　二十六歲任教於哈佛商學院（Harvard Business School），為該學院有史以來最年輕的教授。波特專精於競爭策略，自一九八〇年起陸續出版了《競爭策略》（*Competitive Strategy*）、《競爭優勢》（*Competitive Advantage*）、《國家競爭優勢》（*The Competitive Advantage of Nations*）、《競爭論》（*On Competition*）等書（以上各書中文版均由天下文化出版），被譽為當代經營策略大師，他所提出的競爭策略理論更是商學院的必修課程。波特曾於美國雷根總統任內被延攬為白宮「產業競爭力委員會」（Commission on Industrial Competitiveness）委員，同時也是世界各國政府與企業爭相諮詢的知名顧問。

譯者簡介

李明軒

　　美國密蘇里州立中央大學大眾傳播碩士、台灣師範大學三民主義研究所法學博士。曾任《中央日報》記者、《天下》雜誌資深編輯、《遠見》雜誌副主編、世新大學與實踐大學高雄分校講師。現任教於慈濟大學傳播學系。

邱如美

　　東海大學政治系畢業，美國密蘇里州立中央大學大眾傳播碩士。曾任《自立晚報》記者，目前為專職譯者。

為誰辛苦，為誰忙

麥可‧波特

在競爭激烈的商場中，競爭優勢是企業表現好壞的精髓。然而，很多企業幾十年奮鬥擴張下來，卻忽略了它在追求成長和多角化經營過程中的重要性。今天，競爭優勢的重要性不減反增；在國際上，企業則不但要面臨成長趨緩問題，還要應付國內外競爭者競逐僧多粥少的市場。

本書探討的是企業競爭優勢的創造和維持。有關論點則是過去十年來，作者研究競爭策略與實務的心得。本書反應了一個我篤信不疑的看法：許多企業之所以失敗，是因為它們無法將競爭策略的概念轉化為具體的行動步驟。這本書與坊間論著不同，因為它的目的在於架起策略擬訂與實際履行之間的橋樑，而不是將兩者分別論述。

在早先出版的《競爭策略》（*Competitive Strategy*）一書中，我提出了一個基本架構來分析產業和競爭對手，並說明成本領導、差異化，以及焦點化等獲得優勢的三種一般性策略。本書則強調「如何將一般性策略付諸行動」。課題包括：企業的成

本優勢如何持續？如何形成自己與競爭對手之間的差異？如何選擇市場區段，由焦點化策略創造競爭優勢？在何種時機、以何種方法，才能以共同策略獲得相關產業中的競爭優勢？過程中的不確定性有哪些？競爭地位如何才能維持？

牛肉在哪裡？

基本上，競爭優勢源自企業為客戶所創造的價值——可能是具有相同效益、但價格較低的產品，也可能是足以抵消其較高價格的獨特效益。所用的分析工具則是「價值鏈」，將客戶、供應商與企業本身劃分為彼此分立、卻又相互關聯的各類活動。而企業創造的價值就是來自「價值鏈」，這個概念會在書中一再出現，並反覆探討形成競爭優勢的種種特定來源，以及它們與客戶價值有何種關聯。

競爭優勢是個老問題，很多企業著作都會直接或間接觸及。如成本控制、差異化，以及市場區隔這類問題，都持續受到學界重視。而本書內容將涵蓋企業行銷、生產、控制、財務及其他多種活動，因為這些專業領域都對企業競爭優勢產生影響。另外，這個主題也離不開傳統的「企業政策」和「產業經濟」。但如果不能把這些領域鏈結起來，進而對整個企業作出全盤認識，就無法真正理解競爭優勢的精髓。因此我要以一套大範圍的綜合性作法，檢視所有競爭優勢的來源，並根據過去的研究，引申出一個新（但並非取而代之）的觀點。

　　本書的目標讀者是那些負責制定企業策略，並決定公司應如何取得競爭優勢的實務工作者，以及希望更認識企業和企業績效的人士。企業裡，到處都有潛在的競爭優勢來源。每個部門、設施、分公司、辦事處，以及其他組織單位，都必須界定清楚，並認清自己的角色。在策略擬定的過程中，參與程度或深或淺的員工，仍應認清自己在協助公司爭取與持續競爭優勢上，應扮演何種角色。探討其餘相關競爭課題的學者們，則需對競爭優勢研究提出整體概念。希望這些讀者認為本書值得一讀。

得之於人者太多

　　我在撰寫本書的過程中，幸獲各方鼎力協助。哈佛商學院提供了一個極為有利的環境探索此一主題；我也因其學科周延、講求研究與實務緊密結合的傳統，受益良多。多年來，麥克阿瑟（John McArthur）院長不僅是一位摯友，給予我精神鼓勵，慷慨提供各種資源，還讓我得以將研究與教學相互結合。研究部主任柯瑞（Raymond Corey）也始終衷心支持這項計畫。此外，哈佛企業政策教學研究小組，讓我汲取無數智識，形成我對這項主題的主要看法——在此特別感謝克里斯坦森（C. Roland Christensen）的支持，他和安祖斯（Kenneth Andrews）的睿智使我受益匪淺。不斷啟發我在產業經濟方面研究的克福斯（Richard Caves），則同樣讓我獲益甚多。

　　本書的完成有賴於多位過去數年與我共事的同僚和朋友啟

發。哈佛助理教授威爾斯（John R. Wells）不僅與我共同授課，也對第三章和第九章的諸多論點貢獻甚多。在競爭策略研究方面，他本身就有成就卓越。另一位與我共同講授策略、擬定課程的助理教授葛馬萬（Pankaj Ghemawat），不但在這個領域進行重要研究，對本書也提供了許多寶貴意見。與我在學術和實務方面共事多年、目前任職於莫尼特公司（Moniter）的前哈佛助理教授馬克．傅勒（Mark B. Fuller），則對第十一章內容影響頗大，並擴及全書思考脈絡。同樣任職於莫尼特公司的海度（Catherine Haydew），一直給我寶貴意見與鼓勵，使我在撰寫第四章時受益匪淺。

與我共同規劃課程教材、也一起從事策略實務研究的約瑟．傅勒（Joseph B. Fuller），在本書撰寫之際，提供無數精闢的見解和清晰的概念思辨。哈佛副研究員羅林生（Richard Rawlinson）不但參與我的研究，對全書也提出精闢見解。其他不吝賜教的哈佛同事還包括了：愛爾賓（Mark Al bion）、艾柯雷（Robert Eccles）、安得森（Douglas Anderson）、柯堡（Elon Kohlberg）、梅爾（Richard Meyer）等。貝爾（Michael Bell）、葛瑞格（Thomas Craig）、凱若尼（Mary Keraney）、湯瑪斯（Mark Thomas）等人，也讓本書論點得以從實務中獲得驗證，並對我的思考過程幫助甚巨。奧斯汀（Jane Kenney Austin）對一些重要問題的評論或探討，尤有助益。其他學校同濟也惠我良多〔包括舒馬希（Richard Schmalensee）和斯德格雷維克（John Stergrevics）的評論〕。

當然，若非我的助理史溫生（Kathleen Svensson）協助，本書的編寫勢難推動。她不僅負責安排各項活動，還負責督促文稿進度。我也非常感謝自由出版公司（The Free Press）編輯華勒斯（Robert Wallace）和其他工作人員，感謝他們對一位不免固執己見的作者，付出耐心與支持。同時許多哈佛MBA和博士班研究生也觸動了我的思考，使我從這些想法中，獲得研究樂趣。契爾波堡（Deborah Zylberberg）長久以來不斷給我鼓勵。最後，對於許多不吝與我共同探討關注事物和難題的睿智實務界人士，我也要深致謝忱。

從策略到執行

波特

一九八五年出版的《競爭優勢》（*Competitive Advantage*）是《競爭策略》的姊妹作。《競爭策略》討論產業問題，《競爭優勢》則鎖定企業。我的重點在於分析企業競爭優勢及其持續力的相關要素。

本書的核心概念是，以價值活動為本的企業理論。無論在哪個產業競爭，企業必然包含如訂貨流程、客戶服務、組裝產品、員工訓練等一系列分工明確的活動。這些活動的範圍比傳統的行銷或研發更窄，也是形成成本與創造客戶價值的關鍵。它們是發展競爭優勢的基本單位。

《競爭優勢》提出價值鏈的觀念，這也是策略性思考企業內部各項價值活動，以及評估它們對成本和差異化影響的基本架構。一項產品或服務吸引客戶購買的價值，與創造這項價值的活動成本之間的落差，關係到利潤的多寡。價值鏈也是一套嚴謹的分析方法，幫助我們了解產品溢價的價值來源，以及為什麼一項產品或服務會取代另一項產品。所謂策略，其實就是

由一套彼此一致，並能使企業形成差異的活動所構成。

將企業視為一套價值活動的組合，也是思考跨事業策略的重要基礎。《競爭優勢》探索輔助產品或服務在市場競爭的角色，以及在一些產業的競爭優勢。在檢驗多角化的競爭優勢或劣勢上，價值活動提供了最基本的工具。從共用活動或技術移轉來看，企業確實可以在多重產業中競爭而增加價值。這將使原本捉摸不定的綜效概念更具體且嚴謹。此外，《競爭優勢》還論及跨事業合作的組織問題。當購併的競爭功用尚無定論，但又蔚為風潮之際，這些問題也是我重視與討論的重心。

最後，價值活動也是一個檢驗跨國策略，或說得更廣義些，跨越地理位置競爭的有力架構。在國際間競爭，企業可以將活動延伸到幾個不同的地點（我稱之為活動設計），並藉由全球性網絡協調，讓不同地點的活動產生潛在的競爭優勢。由於《競爭優勢》篇幅已經太長，這個國際化的議題將改在另一本著作中討論，思考方向也著重於地理位置在競爭優勢中的角色。競爭優勢三部曲的第三本書，《國家競爭優勢》（*Competitive Advantage of Nations*）就在討論這個問題。

優勢來自於價值活動

《競爭優勢》出版於十三年前，如今回頭思考，最令我欣慰的是，書中的重要概念已被廣泛採用。「競爭優勢」、「持續的競爭優勢」等用語也已經普遍流行。價值活動的概念不僅在

診斷競爭與策略上變得很重要，而且更深入到服務管理和資訊科技等更實際的課題。以價值活動為基礎的成本分析已經是會計管理的新標準，但是它作為策略工具的潛在功能仍待發揮。

即使從學者角度回顧，《競爭優勢》也很令我滿意。《競爭策略》延續熱門的產業經濟傳統，而《競爭優勢》則是綜合經濟與管理的創見。事實上，它是我企圖解答謎團時的產物。我關切的是，如何從成本和差異化的角度，找出一套診斷競爭優勢來源的系統性方法，並能清楚顯示出企業之間的真正區別。如今，我更肯定價值活動就是最重要的工具。隨著我的工作進展，這些概念又比預期更有力。

為什麼呢？因為《競爭優勢》不再只是空泛或片面地解釋競爭優勢。早期這方面著作將競爭優勢歸因於企業規模或市場占有率。這種論點失於簡陋的理由有好幾點。首先，規模和占有率對成本或差異化的重要性，有些產業就是大過其他產業。此外，在大多數產業中，中小企業往往是產業主力。最後，即使規模和占有率攸關企業的卓越表現，它們通常是競爭優勢帶來的結果，而非原因。

其他對競爭優勢的解釋，例如長處與弱點、關鍵性成功因素、或特殊競爭條件等，雖然都點出企業的成功因素很複雜，卻沒有提供一個系統性探索優勢來源的途徑，或未能將它們與獲利能力連結起來。《競爭優勢》則揭櫫一個前提，競爭優勢可以來自企業內許多活動，而這些優勢又如何與特定活動產生關連，進而探索企業內部活動之間，甚至與供應商或客戶的活

動之間的關連性，如何影響競爭優勢。這本書也說明價值活動形成優勢的原因：為什麼企業能降低成本，價值活動又如何創造有形的客戶價值等。它強調一個事實，最具競爭力的地位往往是由許多價值活動累積而成。建立在少數價值活動上的優勢，既容易診斷，也很容易被模仿。最後，價值活動與價值鏈的觀點顯示，企業其實是一個交互依賴的系統，系統中的各部分必須維持內部一致性。

更廣泛的看，《競爭優勢》有助於制定出更具體、也更可行的策略。價值活動既然是企業行動的具體表現，它們是有形、可觀察、並可掌控的事務。因此策略不再只是一個概略的願景，而是一套有別於競爭對手、特定的活動設計。一個低成本策略就需要一套特有的活動組合。

價值活動是策略與執行間的橋梁。當策略界定得很廣泛時，企業必須清楚區隔策略與結構。「是什麼」與「如何做」畢竟大不相同。而且，根據企業是個別活動集合體的概念，原先對策略、戰術和組織的區分就模糊掉了。策略變成企業提供特定客戶、特定價值的一套特定活動。每項活動設計各自的運作方式，包括所運用的人力與物力形態，以及相關的組織安排。如此一來，競爭條件也變成特定活動的一部分，而非抽象、無關乎成本與客戶價值的口號。

獎勵制度、訓練系統或整個決策結構等組織功能，也是價值活動——我將這類活動稱為支援性活動，以區隔那些直接涉及產品生產、交貨、行銷、或服務的活動。支援性活動也是競

爭優勢的來源之一。針對特定競爭方式的活動設計，也能增強企業與其他廠商，以及本身員工間適當的緊密關係。價值活動也是劃定適當組織界限的一個參考架構。

因此，價值活動讓策略變為可行。換言之，將企業視為一套活動的集合體，每位員工也因此清楚地成為策略的一部分。這也解釋了為什麼員工必須了解公司策略，好讓他們明瞭所負責活動的作用，以及活動彼此間的關係。

在付諸行動上，《競爭優勢》的挑戰性可能比《競爭策略》還要高，因為《競爭優勢》要求針對企業所有作為，進行深入、結構性的分析。在經理人傾向化繁為簡的世界裡，鉅細靡遺的活動分析是很有挑戰性的。以案例說明價值鏈的作用，也有實際的限制。企業的複雜性更無法從簡略的事例中看出。問題是，有深度的個案研究很難做到，因為這需要相關企業提供更進一步的細部資料。成功的企業往往將價值活動的細部設計視為專屬技術。事實上，對企業而言，讓外界難以了解其細部活動設計，也是持續競爭優勢的一項重要條件。

歷久彌新

在《競爭優勢》出版超過十年後的今天，這本書的想法仍然廣泛適用。一般研究競爭與策略，一直強烈傾向將內部因素（核心競爭力、重要資源）與外部因素（產業結構與定位）一分為二，有些人甚至辯稱，內部因素比較重要。事實上，拿

《競爭策略》與重要資源／核心競爭力做對比既不恰當，也是一種錯誤的二分法。

乍看之下，企業地位（產品在市場的競爭力）與較具持續力的內部技能、聲譽、乃至於組織競爭力之間是不相干的。現實中，價值活動將這兩類貫穿起來。企業並非只是價值活動的集合體，或一套完整的資源與能力。很明顯的，企業兼具這兩者。因為價值活動是企業的所作所為，它們會影響相關的資源與能力，也使生產因素和產品市場地位相連結。價值活動是可以觀察的，可以操作的，而且直接關連到成本與差異性。如果區隔資源或能力與價值活動、策略乃至於產業的關係，企業就會開始內向發展。資源和能力是因特定策略而變得有價值，一旦策略生變，這些價值也就不復存在。因此，企業資產固然有很多值得學習之處，但絕不能單獨看待。

《競爭優勢》提供描繪與評估策略的基本架構，使企業行為能與策略連結，並理解競爭優勢的各種來源。這些都是深入研擬策略的基礎。回顧過去，《競爭優勢》確實引導我進入更高層次的問題，也就是目前我正在研究的：為什麼價值活動的差異會導致不同的市場地位？不同的市場地位在何時產生抵消作用？什麼因素使得價值活動難以模仿？價值活動如何搭配？獨特的地位如何能歷久不衰？

可以肯定的是，我們對企業表現差異的原由還有很多要學習的。而企業發現獨特策略的過程，如何發動策略，以及一旦條件改變時，策略如何修正，更隱含豐富的研究空間。這些

問題的答案絕對是錯綜複雜的，透過整合性思考才能得到好答
案。

競爭優勢

目錄

Competitive Advantage

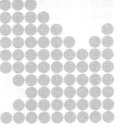

Competitive Advantage

Competitive Advantage

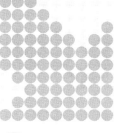

圖表目錄

Competitive Advantage

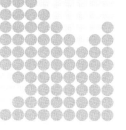

Competitive Advantage

第一章

競爭策略：核心概念

　　本章說明《競爭策略》的重要概念，並指出實際運用時的
主要相關問題，做為討論競爭優勢的基礎。

　　「競爭」是企業成敗的核心，它決定了企業的創新、文化凝聚力、執行效率等，與整體表現息息相關的各種活動。「競爭策略」則是要使企業在最基本的戰場（產業）上，找出有利的競爭位置。因此，競爭策略的目的就在於：針對產業競爭的決定因素，建立起能獲利、又能持續的競爭位置。

　　競爭策略的選擇，涉及兩個中心議題。首先是，「如何由長期獲利能力觀點，以及決定長期獲利能力的關鍵因素，來了解產業吸引力（attractiveness of industry）」。產業先天的獲利能力是決定企業獲利能力的一項要素，產業不同，企業持續獲利的機會就不相同。其次，「產業中，決定相對競爭位置的因素有哪些」。雖然產業的平均獲利能力有高有低，但在大多數產業中總有某些企業比其他企業賺錢。

　　這兩個問題都不足以單獨指引企業有效選擇自己的競爭策略。如果競爭位置選擇不當，即使置身於高吸引力產業中，可能企業的利潤仍然有限。反之，選對競爭位置，企業仍然可能因產業整體表現不佳，而無法獲利（縱使努力提升，獲利仍然有限）。這兩個重點都是變易不居的；產業吸引力和競爭位置都會不斷變化——產業吸引力會隨時間而消長；競爭位置則是企業間永無休止的戰爭。長期的穩定情勢也可能因種種競爭舉措而驟然結束。

　　既然產業吸引力和競爭位置會受企業影響，「如何選擇競爭策略」就成了刺激而富挑戰性的任務。儘管形成產業吸引力的因素，不全由企業主控，競爭策略的影響還是很可觀的。同樣的，策略選擇的好壞，也會明顯提升或傷害企業自身在產業

中的競爭位置。因此，競爭策略不僅要因「環境」而制宜，還要從有利於企業的角度來改造環境。

這兩個中心議題一直是我的研究重心。在《競爭策略》（*Competitive Strategy*）一書中，我提出了一個分析架構，用以了解產業和競爭者，並建構起整體競爭策略。它說明了決定產業吸引力的五種競爭力、及其箇中緣由，以及這些作用力如何隨時間而改變、如何受策略影響。該書也指出三種取得競爭優勢的一般性策略，以及如何分析競爭者、並預測與影響競爭者的行動、將之納入各種策略群組，取得產業中最具吸引力的競爭位置。這套架構也援引到多個重要的產業環境類型，我稱它們為「結構性布局」（structural settings），如零散產業、新興產業、趨於成熟產業、式微產業，以及全球產業等。最後，透過個案研究，我也檢驗了垂直整合、產能擴充、和進入新產業等重要的策略決定。

本書以《競爭策略》的架構為起點，探討企業如何創造和維持產業競爭優勢，也就是如何將廣泛的一般性策略具體化。我的目標是為策略面與執行面間搭起一座橋樑，而不像先前許多相關研究一樣——不是將兩者分別處理，就是漠視策略執行問題。

基本上，企業的競爭優勢源自於「它能為客戶創造的價值」，並且此一價值高於其創造成本。而「價值」也就是客戶願意付出的價格。優異的價值則來自於「以較低的價格，提供和競爭者相當的效益，或提供足以抵消其價差的獨特效益」。競爭優勢的兩種基本形態就是，成本領導（cost leadership）和

差異化（differentiation）。本書描述企業如何建立成本優勢，或使自己與眾不同；並解釋，競爭或企業活動的範疇選擇，如何對競爭優勢產生舉足輕重的影響。最後，再將這些概念與《競爭策略》的概念相結合，轉化為綜覽全局的攻擊和防禦性競爭策略，並處理選擇策略時的不確定性問題。同時不僅討論個別產業中的競爭策略，也考慮多角化企業所需的整體性策略。如果某企業在關聯產業中競爭的各個經營單位（business unit），彼此能夠建立交互關係，這層交互關係極有助於提升它在個別產業的競爭優勢。因此，經營單位之間的交互關係是多角化企業創造價值的重要手段，也是整體策略的運作基礎。我也將說明，經營單位間的交互關係應如何界定，並轉化為整體策略，以及如何在現實環境中，避開多角化企業的種種組織障礙，建立此一交互關係。

本書與《競爭策略》重點迥異，但有相輔相成之功。《競爭策略》雖然涵蓋多種競爭優勢的概念，重點卻在分析產業結構和競爭對手。本書則假設讀者對產業結構和競爭對手的行為已有所了解，而進一步討論如何將這些認識轉化為企業的競爭優勢。此外，我也將反覆討論「取得競爭優勢」的諸多行動對產業結構和競爭反應可能造成的重大影響。

沒有讀過《競爭策略》的讀者，閱讀本書不會有障礙，但為避免讀者因不熟悉《競爭策略》所闡述的概念，而較難理解本書對於擬定策略的實務討論，我將在這一章裡，詳盡說明《競爭策略》的重要概念，同時指出實際運用時的主要相關問題。因此，即使已熟讀《競爭策略》的讀者，閱讀本章也將有

新收穫。

產業結構分析

決定企業獲利能力的首要因素是「產業吸引力」。在擬定競爭策略時，務必要深入了解決定產業吸引力的競爭法則。競爭策略的最終目的是：因應這些競爭法則，進而影響這些法則使它們對企業有利。無論國內或國際的任何產業，生產商品或提供服務，競爭法則都可以運用五種競爭力來具體描述。這五種競爭力包括：新競爭對手的加入、替代的威脅、客戶的議價實力、供應商的議價實力，以及既有競爭者間的競爭（見圖1.1）。

這五種競爭力的整體強度，會決定企業在產業中的平均獲利能力。這五種競爭力量的強度不僅因產業而異，也會隨產業的發展而改變，因而使得不同產業先天具有不同的獲利能力。在五種競爭力都呈現良好狀態的產業，如製藥、軟性飲料，以及資料庫出版業等，廠商大多能夠賺取可觀的利潤。但是在一種或多種競爭力表現不佳的產業，如橡膠、鋼鐵、和電動玩具業方面，企業即使在經營管理方面下盡功夫，回收仍然不理想。畢竟，產業的獲利能力並非取決於產品外觀或技術層次的高低，而是由產業結構決定。像郵資計算器和糧食貿易等通俗產業，依然獲利豐厚；相反的，個人電腦和有線電視等新興高科技產業中，大多數廠商都不怎麼賺錢。

這五種競爭力能夠決定產業的獲利能力，是因為它們影

圖1.1　決定產業獲利能力的五種競爭力

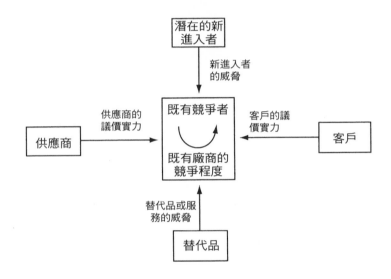

響了產品價格、成本、與必要的投資，這些都是影響投資報
酬率的因素。譬如，客戶實力會影響廠商能夠要求的產品價
格，替代品的威脅也一樣。客戶實力也會影響企業的成本與投
資——當客戶強勢時，往往要求高成本的服務。供應商的議價
能力則關係到原料和元件的成本。激烈的競爭既影響產品價
格，也牽動廠房設施、產品研發、廣告和銷售等方面的競爭成
本。新進廠商的威脅不但限制了產品價格，並造成了為阻絕新
競爭者而必須增加的投資。

　　每一種競爭力的強弱，決定於產業的結構或經濟與技術等

特質。圖1.2是一些比較重要的元素。一般說來，產業結構相對較為穩定，但仍會隨產業發展而改變。產業結構一旦變動，又將改變競爭力的整體與相對強弱，進而對產業獲利能力產生正面或負面影響。因此，就策略而言，會影響產業結構的趨勢最為重要。

如果這五種競爭力和其中的結構性決定因素，只是產業內在特質的作用，那企業的競爭策略不過是選對產業，以及比對手更了解其中的五種競爭力而已。然而，企業通常不必然受限於產業結構；而且這五種競爭力和其中的結構性決定因素，不僅是任何企業的重要課題，更是某些產業競爭策略的本質要素，企業可以透過策略來影響這五種力量。一旦企業能夠改變產業結構，它將從根本上強化或削弱產業吸引力。很多成功的策略正是以這種方式改變了競爭法則。

圖1.2列出產業結構中，可能驅動競爭的所有元素。產業不同，這五種競爭力的重要性也有所不同，產業的結構因素也不相同。每種產業都有它獨特的結構。因此，對企業而言，這五種力量的架構有助於釐清企業所處競爭環境，點出產業中競爭的關鍵因素，並界定最能改善產業和企業本身獲利能力的策略性創新。產業架構不是壓抑企業另闢競爭途徑創造獲利的障礙（exit barrier），相反地，它會將經理人的創造力引導到攸關長期獲利力的結構層面，提高策略創新的機會。

改變產業結構的策略是柄雙刃的利劍，它能使企業改善或摧毀產業結構和獲利能力。比方說，一項新的產品設計可能降低產業進入障礙、或升高市場競爭的難度，廠商的獲利雖然

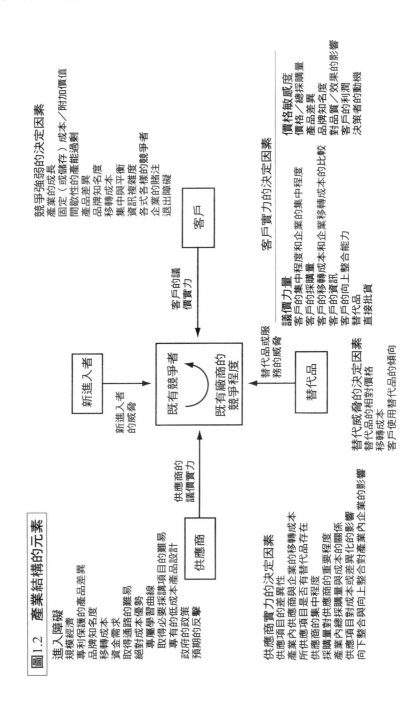

圖1.2 產業結構的元素

可能因而暫時高於同業，但同時也可能破壞產業的長期獲利能力。另外，持續的削價也會破壞產品的差異化。以菸草業為例，雜牌菸對產業結構就有潛在的重大威脅，使消費者對價格更敏感，引發業者間的價格競爭，並侵蝕以高額廣告宣傳成本造成的進入障礙。鋁製品大廠以合資方式分散風險降低資金成本的作法，同樣可能削弱產業結構。因為重量級業者不但可能引進具有潛在威脅的新競爭者，還可能協助它們克服進入的主要障礙。合資也會升高退出障礙，因為關閉一家工廠勢必得先徵得所有合資者的同意。

企業進行策略決定時，往往忽略了決定本身對產業結構所造成的長期後果。它只看到一戰成功時競爭位置提升，卻未考慮競爭對手的反應對產業整體所造成的影響。當重量級競爭廠商模仿跟進，進一步破壞產業結構時，所有業者的情況只會每況愈下。產業「殺手」通常是一些次級企業，它們千方百計地努力突破主要的競爭劣勢；但也可能是遭遇重大難關，不惜冒險一搏的企業；或是不計成本、或對未來抱持不切實際幻想的「愚蠢」競爭者。譬如菸草業裡羽翼未豐的利各特集團（Liggett Group），就鼓動雜牌菸趨勢。

企業有能力塑造產業結構的事實，也凸顯出產業龍頭的特殊責任。產業龍頭的規模較大，對消費者、供應商、和其他競爭對手的影響力也大，一舉一動都將對產業結構造成程度不等的影響。同時，龐大的市場占有率，也使得它很難獨善其身，不能自外於改變產業整體結構的影響，因此必須不斷在爭取自己的競爭位置、與維持整體產業體質的健康之間保持平衡。一

般說來，居領導地位的企業最好採取改善或保護產業結構的行動，而非自求多福。可口可樂（Coca-Cola）和康寶湯公司（Campbell's Soup），就屬於奉行此項圭臬的領導廠商。

產業結構與客戶需求

一般認為，「滿足客戶需求」是企業成功的關鍵。但是，這與產業結構分析有何關係呢？滿足客戶需求確實是使產業和所屬企業得以生存的前提。客戶必須願意以超過成本的價錢來購買一項產品，否則產業將無以為繼。（第四章將詳細說明企業如何能比競爭對手更有效滿足客戶需求，進而使自己有別於其他業者。）

滿足客戶需求可能是產業獲利的先決條件，但是單靠這點還不夠。決定獲利能力的主要關鍵在於：企業能否掌握它為客戶創造的價值？或者說，此一價值是否會落入其他競爭者手中？產業結構將決定誰能夠掌握此一價值。例如，「新進入者的威脅」：左右新廠商加入此一產業，導致產品降價、直接將價值轉讓給客戶，或是因競爭成本增加，導致價值無法創造利潤的可能性。「客戶的議價實力」：則決定客戶享有這項價值所付出的代價，也就影響到廠商回收的好壞。「替代品的威脅」：則決定類似產品滿足同樣客戶需要的程度，以及客戶購買產品的價格上限。「供應商的議價實力」：會決定它分割企業為客戶創造的價值的程度。另外，類似進入威脅，「既有廠商的競爭程度」：會決定同一產業中其他企業參與競爭，並導致產品降價直接將價值轉讓給客戶，或是因競爭成本增加導致價值無法

創造利潤的可能性。

因此，產業結構會決定誰能夠掌握為客戶創造的價值，以及所掌握的比例。如果產品提供的價值不高，撇開其他結構元素不談，企業能掌握的價值也微乎其微。如果產品的價值高，產業結構就舉足輕重。在汽車和重型卡車等產業中，廠商雖然為客戶創造了極高的價值，但是一般而言業者的平均獲利並不高。在債券評比服務、醫療器材、油田服務與設備等產業，企業為客戶創造很高的價值，獲利也相當可觀。以油田服務和設備產業為例，許多產品都具有大幅降低客戶鑽探成本的價值，加上產業結構相當有利，這個行業的許多企業都有高收益。但近年來，由於需求萎縮、新進業者增加、產品差異性減少，以及客戶對價格的敏感度增強，使得這個產業逐漸喪失產業結構吸引力。儘管這個產業的產品仍為客戶創造可觀的價值，但是個別企業和整個產業的利潤都在大幅滑落。

產業結構與供需平衡

另一種對於產業獲利能力的一般看法是：利潤是供需平衡的產物。當需求高過供給，獲利能力就會提高，然而就如同供需之間的改變，對於企業獲利能力的影響一樣，長期的供需平衡仍然受到產業結構的巨大影響。因此，即使供給需求的短期波動會影響短期獲利能力，長期獲利的基礎仍在於產業結構。

供需關係是不斷變動、互相調整的。而競爭廠商增加供給的速度則是由產業結構決定。進入障礙的高低影響新進業者加入並削價競爭的可能性。競爭的激烈程度對於既有競爭廠商選

擇積極擴充產能或維持獲利能力，具有舉足輕重的作用。產業結構也決定了競爭廠商撤回超額供給的速度。退出障礙高時，即使產能過剩，企業也無法立即退出產業，甚至還會延長產能過剩的時間。以油輪運輸業為例，由於資產的專業化造成撤出障礙極高，導致油輪運輸價格的高峰期短，谷底期長。因此，產業結構將影響供需平衡和失調時間的長短。

產業結構不同，因供需失調對產業獲利能力產生的影響也有差異。在某些產業中，些微的產能過剩就足以引發價格戰、並降低獲利能力，因為這些產業具有激烈競爭、或強勢客戶的結構性壓力，反過來說，有些產業則因產業結構有利，即使一段時間的產能過剩，對獲利能力的影響也很有限。例如：探油工具、球閥、和其他許多油田設備業，就在產業低迷時期出現密集的削價行動，但是鑽探鑽頭產業卻幾乎沒有減價跡象。休斯工具公司（Hughes Tool）、史密斯國際公司（Smith International），以及貝克國際公司（Baker International）都是有利產業結構中，表現優異的競爭廠商（見第六章）。產業結構也決定了需求過剩時的獲利能力。景氣良好時，有利的產業結構能夠使企業獲取巨額利潤；相對的，不利的產業結構，也會降低企業的獲利能力。此外當供應商強勢，或者替代品存在時，景氣帶來的果實也可能落到他人手中。因此，無論對供給滿足需求的速度、或產能利用與獲利能力的關係，產業結構都是重要的影響因素。

一般性競爭策略

競爭策略的第二個中心問題是：企業在產業中的相對位置。競爭位置會決定企業獲利能力高出或低於產業平均水準。企業的競爭位置適當，即使所屬產業的結構不佳、平均獲利能力差，它們仍能享有較高的回收率。

企業表現長期維持在平均水準以上的重要基礎是「持續的競爭優勢」。縱使每個企業相對於其他企業而言都具有許多的優點或缺點，但是企業能夠獲得的兩種基本競爭優勢仍然是低成本或差異化。換言之，任何重要的優點或缺點，最終都可以歸因於相對成本優勢或差異化所產生的作用。如何追求成本優勢和差異化，源頭仍在產業結構。成本優勢和差異化都是企業比競爭對手更擅長因應五種競爭力的結果。

將這兩種基本競爭優勢，與企業為爭取這兩種優勢所採取的行動範疇相結合，就導出獲得水準以上表現的三種「一般性策略」：成本領導、差異化和焦點化（focus）。焦點化又包含兩種類型，即焦點成本（cost focus）和焦點差異（differentiation focus）。圖1.3標示出這三種一般性策略。

在爭取競爭優勢上，由於所選擇的競爭優勢類別、與希望獲得此一優勢的策略目標範疇的組合，而涉及不同的途徑。成本領導和差異化是在許多產業區段（industry segments）中尋求競爭優勢，而焦點化則是在一個小區段中發展成本優勢（焦點成本）或差異化（焦點差異）。任何一般性策略的具體行動，

圖1.3　三種一般性策略

競爭優勢

	低成本	差異化
目標廣泛	1.成本領導	2.差異化
目標狹窄	3A.焦點成本	3B.焦點差異

競爭範疇

會因產業不同而有極大差異。同樣的，也沒有那種一般性策略必然適用某個特定產業。選擇和執行一般性策略雖不容易，卻是在任何產業取得競爭優勢的必經途徑。

　　一般性策略的基本概念是，競爭優勢是任何策略的核心，企業要獲得競爭優勢就必須作出選擇。換句話說，企業必須決定它所追求的競爭優勢類型，以及希望在哪個範疇取得此一優勢。全面出擊的想法既無策略特色，還會導致低於水準的表現，因為它意味著企業毫無競爭優勢可言。

成本領導

　　在三種一般性策略中，成本領導或許最容易了解。企業選擇這種策略的目的，是要成為所處產業的最低成本製造商。在此，企業的經營範疇廣大，供應許多產業區段的需要，甚至

可能跨越其他關聯產業。換句話說，企業經營範圍的大小對成本優勢影響重大。形成成本優勢的來源很多，而且因個別產業的結構而有所不同。這些來源包括規模經濟（economies of scale）、技術專利、優先取得原料，以及將在第三章討論的其他因素。

以電視機產業為例，取得成本領導地位需要具備映像管方面的生產與設備規模、低成本產品設計、自動化裝配、和足以支持研發經費的全球性規模。在保全服務業方面，成本優勢要靠非常低的管理費用、充沛的廉價勞力，以及因應人員流動率高所需的高效率培訓流程。製造商追求低成本時，不僅要降低學習曲線，還必須尋找並利用一切成本優勢來源。典型的低成本製造商會以標準形式或基本功能的產品為主，並仰賴從所有來源中取得經濟規模或絕對的成本優勢。

只要企業能取得並維持整體的成本領導地位，同時控制產品價格等於或接近產業平均水準，它就能在產業中擁有水準以上的表現。只有在等於或低於競爭對手的價格上，成本領導廠商才能將低成本轉換為較高的收益。但是，成本領導者不可忽視差異化這個基礎。如果客戶不覺得它的產品可與其他廠牌相比、或是可以接受，成本領導者將被迫以遠低於對手的價格，爭取銷售業績，可能使原先有利的成本優勢化為烏有。德州儀器（Texas Instruments）在鐘錶業方面、和西北航空（Northwest Airlines）的航空運輸業務，就是掉進此一陷阱的兩家低成本企業。德州儀器因無法克服它在差異化方面的劣勢，最後退出鐘錶業。西北航空則因及時醒悟，設法加強行銷與旅客服務，以

及與旅行社之間的關係，才使得它的產品能繼續與對手抗衡。

　　成本領導者必須在差異化的基礎上，取得與競爭對手等同或近似的程度，才能達到水準以上的表現（即使它的競爭優勢是成本領導）。在等同的差異化程度之下，才能讓成本領導者將成本優勢直接轉換為比競爭者更好的利潤，差異化的等同，可能是與競爭者完全相同的產品；或是具有不同特性，但是對客戶同樣具有吸引力的產品。近似的差異化程度表示：為取得可接受的市場占有率必須付出的價格折扣，不會抵消成本領導者的成本優勢、因而仍保有超過產業平均值的收益。

　　成本領導策略的邏輯是：必須成為唯一的成本領導者，而不是許多爭奪者中的一員。很多企業因為不了解這點，而出現嚴重的策略錯誤。一旦追求成本領導地位的企業不只一家，競爭將極為慘烈，一分一毫的市場占有率都被視為成敗的關鍵。除非其中某一家能夠在成本上獨占鰲頭，並「說服」其他業者放棄既定策略，否則將嚴重傷害產業獲利能力，以及長期的產業結構。（許多石化業者就是活生生的例子。）因此，追求成本領導權，本身就是一種特別仰賴「先發制人」的策略——除非有重大的技術變革，能夠讓企業急遽改變成本結構。

　　雖然成本領導者具有最大的獲利能力。在不容易建立產能規模的一般產業中，企業不必成為成本領導者，也可以獲得高於產業平均值的回收。從最低成本算起，只要躋身於前四分之一的企業，即使不是成本領導者，通常也會有高於產業平均值的回收。煉鋁業由於低價能源、原料，以及基礎建設的限制，降低了建立低成本產能的機會，就呈現出這樣的狀態。

差異化

第二種一般性策略是「差異化」。執行差異化策略，企業必須在產業內客戶廣泛重視的某些領域，設法獨樹一格。選擇一種或數種大多數買主重視的特性，把自己置於獨特的定位，來滿足客戶的需求。而企業也可以因為它的獨特性而取得較佳的產品價格。

對不同產業而言差異化策略具有不同的含意，可以是產品本身的差異、運送系統的差異、市場行銷手法的差異、或其他經營因素的差異。以營建設備產業為例，凱特彼勒曳引機公司（Caterpillar Tractor）的差異化策略是建立在：產品的耐用性、服務、零件供應和優異的行銷網路。化妝品產業則傾向以產品形象、和商店內的陳設位置，做為差異化策略的重點。第四章將詳細說明企業如何創造持續的差異化優勢。

如果產品溢價（price premium）的程度，高於差異化所需的成本，則能夠取得並維持差異化優勢的企業，將獲得高於產業平均值的回收。因此，尋求差異化的企業，必須努力尋找能夠使產品溢價大於差異化成本的方法。而且絕不能忽略它的成本地位，因為明顯的高成本，會抵消產品的溢價效益。所以，尋求差異化的企業，還要在不影響差異化的範圍內，儘可能尋求與競爭對手等同或近似的成本。

差異化策略的邏輯是，企業在眾多特質中選擇與競爭者不同的特質，並且讓自己在這些特質上獨樹一格。如果企業想獲得差異化的溢價效益，就得真的「在某方面」獨一無二，或「被

視為」獨一無二。然而與成本領導策略不同的是，當產業中具有許多客戶所重視的產品特質時，成功的差異化策略就不只一個。

焦點化

第三種一般性策略是「焦點化」。焦點化策略與前兩個策略不同之處在於：它只在產業中，選擇一個狹隘的競爭範圍埋首耕耘。追求焦點化的企業，應該在產業裡選擇一個或數個產業區段，並根據其區段特性擬定適當的策略。這樣做的企業雖然無法擁有整體的競爭優勢，但在策略奏效時，將能在鎖定的產業區段裡取得競爭優勢。

焦點化策略有兩種形式。當重點在於「焦點成本」時，企業追求的是目標區段的成本優勢；如果重點是「焦點差異」，則追求的是特定區段中與眾不同的特質。這兩種焦點化策略的基礎都是：企業選擇的目標區段必須與其他區段有別，不是此一區段中的客戶具有特殊需求，就是能夠為此一區段提供最佳服務的生產或運送系統，與其他區段不同。

「焦點成本」顯示出某些區段中特別的成本關係；而「焦點差異」則顯示出某些區段中客戶的特殊需求。這些差別表示目標廣泛的競爭者，在同時服務許多不同區段時，對這些區段的特殊需求只能點到為止。企業因而能夠專注於這類區段，形成自己的競爭優勢。目標區段的涵蓋面雖然可大可小，但是焦點化策略本質上是在整體產業的一般狀態中，找出狹窄區段的特殊性，形成獨特的競爭優勢。企業在採行焦點化策略時必須

切記，如果焦點化策略的區段範圍過小，將不足以使企業達到產業水準以上的表現。

差異化與焦點差異，也許是最常被混淆的兩種策略。採行差異化策略的企業，是在客戶廣泛重視的特質上，建構自己的獨特性。如電腦業中的IBM。而採行焦點差異策略的企業，則是尋找具有特殊需求的產業區段，並儘可能滿足它。如同樣是電腦業的克雷電腦（Cray Research）。

哈默密爾紙廠（Hammermill Paper）就是一個採用焦點化策略的絕佳例子。它利用生產過程的差異，有效滿足了不同產業區段的需要，逐步將生產線朝向量少、品質高的專業用紙發展。對擁有大型造紙設備的大廠而言，經營這個市場在成本上划不來。哈默密爾紙廠的機器設備則能夠滿足調整頻繁、印製量少的作業要求。

比起廣泛經營的競爭對手來說，追求焦點化的企業，因為不過度擴張，自然形成兩種優點：廣泛經營的競爭者可能因需要照顧許多不同的產業區段，因而對於特定產業區段的需求力有未逮，增加了焦點差異策略的成功可能。另一方面，廣泛經營的競爭對手也可能因相同的原因，在滿足特定產業區段的需求時背負過高的成本，使得焦點成本策略有機會成功。

假如所選定的產業區段與其他區段沒有明顯的差異，企業的焦點化策略也不容易成功。以軟性飲料為例，榮冠公司（Royal Crown）雖然專門生產可樂，但可口可樂和百事可樂（Pepsi）卻擁有較寬廣的產品線，生產不同口味的飲料。不但能滿足榮冠公司所選擇的產業區段，同時還能滿足其他區段。

它們因為產品種類多，經濟效益也較高，因此在可樂區段的競爭優勢優於榮冠公司。

如果企業能夠在具有結構性吸引力的產業區段，持續維持有利的焦點成本、或焦點差異情勢，它就能夠具有產業平均水準以上的表現。每個產業都有部分產業區段的獲利較差，因此產業區段的結構性吸引力就成為一項重要的考慮因素。追求焦點化的企業各自選擇不同的產業區段時，產業就能夠容許多種持久的焦點化策略同時存在。大多數產業都有許多產業區段，每個區段各有不同的客戶需求，最適當的生產或運送系統也會因區段而異。對於採行焦點化策略的企業而言，這些都是可選擇的。至於市場區段如何界定、如何選擇一個能夠維持的焦點化策略，將在第七章中詳細說明。

進退不得

假如企業採用各種一般性策略卻無法達成，將會形成「進退不得」的情勢，毫無競爭優勢可言，而且通常只有產業平均水準以下的表現。在任何市場區段中，因為達成成本領導、差異化、或焦點化的企業都會有較佳的競爭位置，進退不得的企業即使很幸運地發現了有利可圖的產品或客戶，也會很快被擁有持續競爭優勢的對手奪去。在大多數產業裡，很少有企業是進退不得的。

當企業進退不得時，只有在產業結構非常有利、或是競爭對手也陷入相同處境的情況下，才有可能獲利。但是無論如何，與達成某種一般性策略的對手相比，這種進退不得的企業

獲利較差。此外，當產業趨於成熟時，更容易顯現出在產業高成長時期，企業所採行的錯誤策略。因而擴大了進退不得的企業、與達成某種一般性策略的企業之間的差距。

　　企業之所以會進退不得，通常意味著：它不願在「如何競爭」的問題上做出抉擇；試圖以一切方法爭取競爭優勢，卻落得一事無成。原因在於，爭取不同競爭優勢的方法，往往相互牴觸。

　　即使成功的企業，如果為了「成長」或「聲譽」而犧牲原有策略，陷入進退不得的困境時，一樣苦不堪言。湖人航空（Laker Airways）就是一個典型的例子。湖人航空最初在北大西洋市場採取最簡單的服務方式，朝焦點成本策略發展，專注於對價格高度敏感的產業區段。然而，經過一段時間後，湖人航空開始增加了一些花俏的作法，推出新的服務項目、和新的航線。結果反而使得形象模糊不清，服務品質和運輸系統的水準也跟著降低，最後慘不忍睹，難逃破產命運。

　　採取焦點化策略的企業一旦掌控了目標區段之後，很容易陷入策略模糊、進退不得的困境。因為焦點化策略與潛在銷售量的自我設限有關。然而，成功往往使得企業忽視了自己成功的原因，反而為了追求成長而在原有的焦點化策略上退讓。事實上，與其在原有的焦點化策略上退讓，倒不如進入能夠再次運用原有焦點化策略、或能夠與原產業發展交錯關係的新產業來尋求成長。

左右逢源

　　綜合考量企業所追求的競爭優勢類型，以及其策略目標範疇時，每種一般性策略創造並維持競爭優勢的方法都截然不同。通常企業只能擇一而用，否則就會顧此失彼，陷入進退不得的困境。如果企業選擇的產業區段較寬廣（成本領導或差異化），就很難在特定產業區段（焦點化）取得優勢。有時候企業也可能在內部成立兩個各自獨立的經營單位，各自採用不同的一般性策略。英國的旅館業者厝斯豪斯（Trusthouse Forte）旗下就擁有五個獨立的連鎖旅館體系，分別經營不同的市場區段。但是，除非企業能嚴格區分執行不同策略的經營單位，否則將傷害到個別經營單位的競爭優勢。因為企業集團整體的政策和文化都可能對個別經營單位產生牽制作用，使得策略無法徹底執行因而陷入進退不得的窘境。

　　由於差異化會提高成本，必然導致成本領導和差異化兩種策略水火不容。營建設備業的凱特彼勒就採取有意識的提高成本、生產與眾不同產品的作法，進而形成產品的價差。反過來說，當企業追求成本領導地位時，它必須犧牲部分差異，達到產品標準化、降低行銷費用等目標。

　　降低成本不一定要犧牲差異化。很多企業發展出效率更高、效果更佳的作業方式、或採用不同的技術，來降低成本，不僅無損於差異化，甚至還提升了差異化。另一種情況是，以往不重視成本的企業，也可能在成本明顯降低的同時，不影響差異化。然而，降低成本與取得成本優勢畢竟是兩回事。當企

業遇上同樣追求成本領導地位的強勁對手時，還是要面對「再降低成本就得犧牲差異化」的抉擇。在此關鍵點上，企業勢必面對不同策略之間的矛盾並且作出抉擇。

如果企業能同時取得成本領導權和差異化，兩者相乘將使利潤更加驚人。換句話說，企業一方面因成本領導而投入較少的成本，另一方面又因差異化而產生溢價能力。金屬容器業的皇冠瓶塞公司（Crown Cork and Seal），就是在目標產業區段同時取得成本優勢和差異化的例子。皇冠公司的目標是啤酒、軟性飲料和噴霧劑等同業稱為「難以把握」的容器需求。但是它只生產鐵罐，而不同時生產鐵罐與鋁罐。在目標產業區段裡，它的差異化基礎是服務、技術協助、種類齊全的各式鐵罐、瓶蓋和裝罐機等。這種形式的差異化很難在不同需求的其他產業區段中達成。同時它的廠房設備完全投入，僅生產既定產業區段中客戶所需的各種金屬罐，並且大力投資現代化兩段式鐵罐裝罐技術。結果，皇冠公司很可能也在它原先的區段中取得了低成本製造者的優勢。

同時具有成本領導和差異化的情況可能有以下三種：

競爭對手正處於進退不得的局面：當競爭對手都陷入進退不得的困境時，就缺少足夠的力量，來迫使某一企業的成本和差異化相互牴觸。這正是皇冠公司成功的關鍵。當時主要競爭對手們並未投資低成本的鐵罐生產技術，使得皇冠公司在獲得成本領導地位的同時，完全不必犧牲差異化。假如競爭對手堅持積極的成本領導策略，皇冠公司同時嘗試尋求低成本與差異

化，極可能使它陷入進退不得的困境。而不犧牲差異化，同時能降低成本的機會，可能早就落入皇冠公司的競爭者手中。

競爭對手進退不得的時候，能夠讓企業同時達成差異化和低成本目標，但是這種狀況只是暫時的。到頭來總會有競爭對手選擇某種一般性策略，而且認真執行，進而凸顯出成本和差異化間的權衡取捨。因此，企業必須確定自己希望長期擁有的競爭優勢類型。如果競爭對手太弱，企業面臨的危險是，希望同時取得成本領導和差異化，因而在兩者之間妥協，使得自己處於易受攻擊的脆弱狀況，進而遭來更強勁對手的競爭。

市場占有率或產業間的交互關係（interrelationship）對成本產生強力衝擊： 如果決定成本地位的主要因素是市場占有率，而不是產品設計、技術層次、服務、或其他因素時，企業也可能同時取得成本領導和差異化。對擁有龐大市場占有率的企業而言，這些由市場占有率形成的成本優勢，能夠讓它吸收從事其他活動所形成的附加成本，而仍然保持成本領導地位；或者讓它比競爭對手更能夠降低因差異化所產生的成本（詳見第四章）。此外，當它是唯一能利用產業間重要交互關係的企業時，也能夠取得成本領導地位和差異化（詳見第九章）。因為企業所獨有的產業間交互關係，可以減低差異化的成本，或彌補較高的差異化成本。無論如何，如想同時追求成本領導和差異化，企業容易引來選定一種競爭策略，積極投資爭取市場占有率或產業交互關係的強勁競爭對手。

首創重大創新：引進重要的技術創新，可以讓企業同時降低成本、提升差異化，並可能同時達成兩種策略目標。引進最新自動化生產技術，與運用最新資訊科技管理後勤補給、或運用電腦進行產品設計具有同樣的效果。與技術無關的創新作業方式也具有異曲同工之妙。強化與供應商間的合作關係，則不但能夠降低原料成本，也能夠提高原料品質。

「獨家擁有某種創新」雖然能使企業兼具低成本和差異化的能力，一旦對手跟進，它仍將面臨取捨。例如：本身的資訊系統應該比競爭對手更強調成本、或更強調差異化？如果它在運用某種創新以追求低成本和差異化兩極策略時，沒有意識到被模仿的可能性，前景依然危機重重。因為一旦執著於某種一般性策略的競爭對手也跟上該項創新，原本領先的企業可能既無法達到低成本目標，也無法取得差異化。

企業應該積極發掘不犧牲差異化，又能降低成本的方法，同時也要找尋代價不大的各種差異化途徑。除此之外，仍應好好準備，確定自己最後期望取得何種優勢，並根據這項抉擇，解決隨時可能面對的權衡取捨問題。

持續力

雖然，改善產業結構的作法即使被對手仿效，都有助於提升產業的獲利能力。但是，不管哪種一般性策略，如果不能比對手更持久，就無法帶來產業平均水準以上的表現。而唯有企業的競爭優勢，能夠抵擋因競爭對手的行動、或產業變遷所

表1.1 一般性策略的風險

成本領導的風險	差異化的風險	焦點化的風險
成本領導地位無法維持 ·競爭者模仿 ·技術變革 ·成本領導的其他基礎遭受侵蝕	差異化無法維持 ·競爭者模仿 ·形成差異的因素對客戶的重要性降低	競爭者模仿焦點化策略 目標區段失去結構上的吸引力 ·結構被侵蝕 ·需求消失
產品的相似性無法維持	成本的相似性無法維持	廣泛目標的競爭者進佔該區段 ·該區段和其他區段的差異縮小 ·生產多種產品的優勢提昇
焦點成本廠商在產業區段中達到更低的成本	焦點差異廠商在區段中建立更大的差異	新的焦點化廠商進一步細分產業區段

造成的破壞時，前面提到的三種一般性策略才具有持續力。表1-1說明，每種一般性策略都面對不同的風險。因此，企業必須為它的策略建立障礙，使競爭對手難以模仿，才能夠維持策略的持續力。必須注意的是，由於沒有一種障礙是無法突破的，因而企業通常必須持續投資，不斷改善自己的競爭位置。表1.1也顯示出，每一種一般性策略，對其他策略所構成的潛在威脅。例如：採取焦點化策略的企業，就必須留意目標廣泛對手的舉動，反之亦然。（詳見第三、四、七章，對各種一般性策略持續力的詳細討論。）

企業可以根據表1.1，找出對採取某種一般性策略對手的攻擊方式。比方說，企業要對追求全面差異化的對手展開攻擊時，應該擴大成本差距、縮小差異化程度、並把客戶的預期差

異轉換到其他方面，或是使用焦點策略（詳見第十五章）。

　　在某些產業中，產業結構或競爭對手的策略，也可能降低企業執行某種、或多種策略的可能。有時，因為好幾家廠商在經濟規模、原料、或其他成本決定因素方面的條件不分軒輊，以致於企業找不出任何取得重大成本優勢的辦法。同樣的，僅具有少數產業區段、或產業區段間差異不顯著的產業，如低密度聚乙烯產業，企業追求焦點化的機會也同樣微乎其微。因此，一般性策略在個別產業中混合出現的方式各有千秋。

　　儘管如此，大多數產業中，只要同業彼此採用不同的一般性策略，或在不同基礎上發展各自的差異化或焦點策略，這三種策略仍可共存，大家也能同時獲利。如果企業在客戶所重視的價值中，各自選擇不同的差異化基礎時，獲利往往特別高。如此一來，不但產業結構獲得改善，還將形成產業內穩定的競爭局面。但是，當兩家或多家企業以同樣的基礎追逐同一種策略目標時，將會耗時征戰、而又無利可圖。最壞的是幾家企業都在爭奪全面的成本領導地位，在這種情況下，任何一家企業可選擇的策略和試圖改變競爭位置所付出的成本，都將受到其他競爭對手過去與目前策略的影響。

　　競爭策略的概念的前提是：「基於不同的產業結構，企業可以透過許多不同的方法建立競爭優勢」。當某產業的所有企業都按照競爭策略的原則行事，各企業將選擇不同的基礎，來建立競爭優勢，雖然不見得所有企業都能成功，但一般性策略提供了企業達成優異表現的許多可能途徑。有些策略規劃的概念只侷限在單一的成本策略途徑。這類概念既無法解釋許多企

業同時成功的原因，還可能引發同業以同一方式追求同一種競爭優勢，結果之慘烈可想而知。

一般性策略和產業發展

產業結構改變時，一般性策略的基礎也會受到影響，並破壞彼此間的平衡。以影印機產業來說：電子控制和新影像開發系統的出現，就大幅減弱了「服務」在差異化策略中的重要性。結構改變所造成的許多風險可參見表1.1。

產業結構改變會更動一般性策略間的平衡，因為結構改變將影響到策略的持續力，或由策略所產生的競爭優勢強弱。在汽車產業發展早期，主要的汽車廠商遵循差異化策略來生產昂貴的旅行車。科技和市場的改變則為福特（Henry Ford）創造了採取典型的成本領導策略，改變競爭規則的機會，以低成本生產廉價的標準車款，結果迅速主導了全球的汽車產業。然而，到了一九二○年代後期，經濟的成長、對汽車的日漸熟悉、及技術上的變革，又為通用汽車（General Motors）創造了再一次改變競爭規則的機會。通用以寬廣的產品線、功能特性、和較高的產品價格，作為差異化的基礎。同時在整個演化過程中，採取焦點化策略的廠商也陸續獲得成功。

另一個一般性策略的長期戰場則是「百貨業」。K商場（K Mart）和其他折扣店以成本領導策略進入百貨業，並以較低的管理費用和全國性品牌等特點，與西爾斯（Sears）等傳統百貨業者競爭。然而，現在它正面臨沃爾瑪（Wal-Mart）等銷售流行商品、差異化更顯著的折扣商店的競爭。同時，包括銷售

體育用品的賀曼思（Herman's）、保健美容用品的CVS，以及銷售書籍的邦諾連鎖書店（Barnes and Noble）等，採取焦點化策略的折扣商店也加入百貨業的競爭。而且型錄販售業者也將目標鎖定在家庭用品和珠寶，並且在這些區段中採取低成本策略。它們的加入，破壞了K商場的優勢基礎，也使K商場難以獲得產業水準以上的表現。

運用一般性策略相互排擠的例子則是伏特加酒產業。思美洛公司（Smirnoff）很早就以高級品牌的定位、與大量廣告為基礎，採取差異化策略。當市場成長趨緩，競爭日趨激烈之際，雜牌與廉價伏特加酒開始侵蝕思美洛的市場地位。同時，百事可樂公司推出蘇托力（Stolichnaya）牌的伏特加酒也以焦點化策略，建立更明顯的差異化地位。長期擁有優異表現的思美洛處在被夾殺的狀態下，受到極大的威脅。因此思美洛陸續推出幾種新品牌，包括一種專門對抗蘇托力的高級品牌，以因應情勢。

一般性策略和組織結構

不同的一般性策略需要不同的技術和條件才能成功。這些條件又常常關係到組織結構和企業文化的差異。成本領導通常意謂著：嚴格的控制系統、極低的管理費用、追求規模經濟、與重視學習曲線等。但是這些特性，對於透過持續開發新產品以形成差異化的企業，卻會產生反效果。

任何一般性策略都涉及數種不同層面的組織差異。正如同時運用一種以上策略時，常常會出現經濟性的衝突一樣，企

業並不希望因為同時使用相互牴觸的作法，而損害組織結構的最佳狀態。因此，逐漸流行的作法是，將高級主管的挑選、激勵，與經營單位的使命結合。所謂的「經營單位使命」通常意指：建立、維持、或獲取市場占有率。而更重要的是，將高級主管的挑選、激勵與所採取的一般性策略相結合。

選擇一般性策略的概念時，也要考慮企業文化所扮演的角色。企業文化雖然已被視為成功企業的要素，但是如何界定文化中的哪些規範和態度有助於組織發展，卻相當困難。不同的一般性策略，需要不同的企業文化特質。當企業文化鼓勵創新、個人表現、和冒險犯難時，比較容易推動差異化策略，惠普科技（Hewlett Packard）即是很好的例子；而成本領導則比較適用於講求節約、紀律、和注重細節的文化特質，如艾默生電氣（Emerson Electric）。適當的文化特質會增強一般性策略所追求的競爭優勢。但文化本身並無好壞；它只是取得競爭優勢的一種手段，而非目的。

將組織與一般性策略結合的作法，對多角化經營的企業也會產生影響。多角化企業的趨勢是：許多經營單位都遵循相同的一般性策略。因為，它們對於以某種特定方法取得競爭優勢，已經具有必要的技能和信心。更何況高階經理人的經驗養成，往往透過督導某種特定的策略類型而來。例如：艾默生電氣就以旗下經營單位一致追求成本領導而著稱；同樣的，亨氏食品公司（H. J. Heinz）也因此聞名。

不同的經營單位採取相同的一般性策略進行競爭，是多角化企業的各經營單位增加自身價值的一種方法。在第九章討論

經營單位的交互關係時，我會再詳細分析。但採用相同一般性策略的風險同樣不容忽視。最明顯的風險是，多角化企業會強迫旗下某一經營單位，採行它所屬的產業、或競爭位置無法支持的策略。另一種微妙的風險是，由於經營單位所屬的產業情況，與時下流行的一般性策略無法協調一致，導致企業對此一經營單位的誤解。更糟糕的是，這類經營單位的策略還可能被高層經理人在無意中破壞。

　　由於不同的一般性策略需要不同的投資形態、高層主管與文化特質，因此另一個風險是，性質獨特的經營單位，會被迫執行對自己不適當的公司政策和目標。比方說，企業全面性的成本削減目標或人事政策，可能不利於追求品質和服務差異化的經營單位。同樣地，適合差異化策略的經費管理政策，卻將阻礙採取成本領導策略的經營單位。

一般性策略和策略擬定過程

　　如果競爭優勢是「優異表現」的核心，則一般性策略就是企業「策略規劃」的重心所在。一般性策略能夠明確地指出，企業追求競爭優勢的基本途徑，並提供每個基礎環節動作所需的內容。不過實際上，許多策略計畫只列出了行動步驟，而未明確交代企業本身具備、或意圖爭取的競爭優勢是什麼？如何付諸行動？這樣的計畫使得企業在作業過程中忽略了競爭策略的基本目的。同樣地，許多計畫以極不可靠的成本與價格預測為基礎，而未能從根本了解產業結構和競爭優勢。事實上，無論價格和成本如何變動，產業結構和競爭優勢才是企業獲利能

力的關鍵。

許多多角化企業在擬訂策略的過程中，會將旗下經營單位依「新成立」、「維持」、或「收成」的系統來分類，藉以描繪或概述經營單位的策略。這種分法雖然有助於衡量多角化企業的資源分布，但是若將它視為「策略」卻是嚴重的誤解。經營單位的策略是通往競爭優勢的途徑，也將決定該經營單位的表現。而新成立、維持、收成，只是達成某種一般性策略的結果、或是對無力達成任何一般性策略，以及需要收成的體認。同樣地，收購和垂直整合也不是策略，而是達成策略目標的手段。

另一個普遍出現在策略擬訂過程的作法是，以市場占有率描述經營單位的競爭位置。有些企業企圖心旺盛，甚至訂定目標，要求所有經營單位必須成為各該產業的領導者。這種策略作法看似合理，實則非常危險。市場占有率雖然與競爭位置有關，例如規模經濟因素，但是產業中的領導地位並非競爭優勢的「因」，而是競爭優勢的「果」。從競爭的觀點來看，市場占有率本身並不重要，競爭優勢反倒舉足輕重。經營單位的策略性任務應當是取得競爭優勢。如果只顧埋頭追逐領導地位，幾乎可以斷定它永遠無法取得競爭優勢，甚至可能喪失原本的競爭優勢。以領導地位為目標，也會讓經理人捲入應當如何界定產業、並據以計算市場占有率的長期爭論，更加模糊了尋求競爭優勢在策略中的核心地位。

某些產業中，領導市場的企業並未獲得最好的表現，因為產業結構不見得對市場領導者有利，表現也並非最好。例如，

伊利諾大陸銀行（Continental Illinois Bank）以高額放款業務的市場領導地位為目標，確實也成功取得了市場領導地位，但是卻沒有轉換成競爭優勢。相反地，在取得市場領導地位的趨力下，它接下了其他銀行不願接受的貸款，導致成本提高。而領導地位也意謂著，它必須與實力雄厚、而且對價格極為敏感的大型企業客戶打交道，因而讓伊利諾大陸銀行為擁有領導地位而付出不小的代價。這種情況也出現在紡織業的波林頓工業公司（Burlington Industries）、電子業的德州儀器等多家企業身上。它們為了追求領導地位，有時似乎偏離了對「取得和維持競爭優勢」的注意力。

縱覽全書

本書闡述的是企業如何選擇並執行一般性策略，以形成並維持競爭優勢的方法。它說明了競爭優勢的形態——成本和差異化、及其與企業活動範疇間的相互作用。診斷競爭優勢並尋求改善的基本工具就是「價值鏈」（value chain），價值鏈把企業運作的各種活動，劃分為產品設計、生產、行銷和運送等獨立領域。透過對價值鏈的影響，這些企業活動的範疇——就是我所強調的競爭範疇（competitive scope），對競爭優勢產生舉足輕重的效應。本書中，我將說明企業如何在小範疇（焦點化）中，藉著調整價值鏈創造競爭優勢，又如何在廣泛的範疇中，經由服務不同區段、產業、或地理區域的價值鏈間的交互關係，提升競爭優勢。本書除了探討競爭優勢，同時也加強企業

界分析產業和競爭對手的能力，並對《競爭策略》做更多的補充。

本書共分四部。第一部闡述「競爭優勢的形態，以及企業如何獲得這些優勢」。第二部則討論「個別產業的競爭範疇，及其對競爭優勢的影響」。第三部討論「相關產業的競爭範疇，以及如何以企業的整體策略協助不同經營單位提升競爭優勢」。第四部分析「發展競爭策略的整體含意，包括如何因應不確定性、及如何改善或維護競爭位置」。

第二章中，我將提出「價值鏈」的概念，說明如何以價值鏈作為診斷競爭優勢的基礎工具，並描述如何將企業分解成奠定競爭優勢的各項基礎活動，以及如何找出重要活動之間的關聯性。這一章也指出競爭範疇對價值鏈的影響力，以及如何透過與其他企業的合縱連橫，取代在價值鏈內部進行的活動。最後扼要討論價值鏈在規劃組織結構上的用途。

第三章闡述企業如何獲得「持久的成本優勢」。包括如何運用價值鏈了解成本特性（behavior of costs）、及價值鏈對企業策略的意義。了解成本特性不僅是改善企業相對成本地位的要件，也是顯示差異化所需成本的重要關鍵。

第四章闡述企業如何「有別於競爭對手」。在此，價值鏈協助企業，辨認本身進行差異化的資源，以及驅動差異化的基本因素。客戶的價值鏈則能夠讓企業了解支撐差異化策略的基礎——透過降低客戶成本或改善客戶績效，為客戶創造價值。唯有當企業能夠為客戶創造獨特的價值、並引導客戶接受此一價值之後，才能達成差異化的目標。

第五章探討「技術」和競爭優勢的關係。技術因素遍布在價值鏈中，對於成本與差異化兩種競爭優勢，具有重大的影響。本章將指出技術的變革如何影響競爭優勢和產業結構，並說明影響產業技術變革的種種變數。接著分析企業應如何選擇技術策略，以增進競爭優勢，包括是否應成為技術領導廠商，以及策略性運用技術授權等。本章也討論到產業中搶先行動者的優、缺點，可幫助企業了解變革領導者所面對的潛在風險和報酬。

第六章討論「對手的選擇」，或是說：競爭者在增進競爭優勢及產業結構中的角色。讀者將可了解，為何適當的對手有利於企業的競爭位置？如何確認「良性」競爭對手？如何影響競爭對手陣營？以及企業如何決定預期的市場占有率？這是一個重要的議題，因為高市場占有率不見得對企業有利。

第七章是本書第二部的開始，探討的是「產業區段如何區隔」，這一章是第三章與第四章的引申。由於產業區段是因產業內客戶的需求、與成本特性的差異而區段。因而產業區段，成為選擇焦點化策略的核心要素，也是廣泛經營的企業評估風險時的重點。讀者可從此章了解如何訂定能獲利、又易防禦的焦點化策略。

第八章討論「替代品」的決定因素，以及企業應如何以自己的產品取代他人，或防範替代品的威脅。替代品是五種競爭力之一，它的驅動因素是：替代品對應於其本身成本及移轉成本（switching cost）的相對價值，以及個別客戶如何衡量替代品經濟效益，兩者之間的相互影響。替代品的分析，對於找出擴

大產業界線的方法、發現較不受替代品威脅的區段、擬訂推動替代品的策略、或防範替代品的威脅，都是重要的核心要素。因此，了解替代品對擴大和縮小競爭範疇兩方面都非常重要。

第九章是第三部的開始，也是「多角化企業公司策略」相關議題的四章中的第一章。公司策略所關心的重點是：如何運用經營單位間的交互關係創造競爭優勢。第九章檢視這種交互關係間的策略邏輯，描述產業間的三種關係類型，及為何其重要性與日俱增的理由，接著再說明，如何評估交互關係在競爭優勢上的重要性。

第十章則探討交互關係對橫向策略（horizontal strategy）──包含許多涇渭分明經營單位的策略──所具有的意義。當企業在相關產業擁有許多經營單位時，它必須對營運群（group）、事業部（sector），以及企業（corporate）等層級分別制訂策略，以便整合企業整體的策略。本章除了說明處理上述情況的原則外，同時旁及於企業以多角化方式進入新產業時，這種交互關係的含意。

第十一章則闡述「經營單位間的交互關係應如何確立」。在確立交互關係的過程中，從本位主義到同仁動機不強等，許多組織上的障礙都會形成阻礙。本章將會詳細指出這些障礙，並說明如何透過我稱為「橫向組織」的方式來克服。企業在相關產業中競爭時，必須要依靠橫向的組織將經營單位鏈結在一起，用以補充而非取代垂直層級組織在管理和控制上的不足。

第十二章所要探討的是一種「特殊但極重要的交互關係」，通常出現在某種產業的產品必須和附屬產品

（complementary product）同時使用或購買的情況。本章說明在何種情況下，企業必須控制附屬產品的供應，而非放手讓其他業者供應。這一章也檢視了「配套」（bundling）策略——將數個獨立產品組合成單一產品來銷售的情況，以及適用此一方式的狀況。最後本章將討論「交叉補貼」（cross-subsidization）——也就是反應互補品之間關係的定價方式。

第四部則利用本書和《競爭策略》的概念，來發展「攻擊策略與防衛策略的廣泛原則」。第十三章討論企業在面臨重大不確定性時，應如何制訂競爭策略。此章描述產業情境的觀念，並說明我們應如何建構情境，來顯示未來可能發生的產業結構範疇。接著列舉企業在所選擇的策略中，因應不確定性的各種可能方法。如果能更清楚考慮可能產生的企業情境範圍，並認清策略在處理不同情境時，一致或不一致的程度，競爭策略就會更具威力。

本書最後以防禦型和攻擊型策略的討論作為總結。第十四、十五章主要在整合前面各章的概念。第十四章討論「防禦型策略」，描述企業地位被挑戰的過程，以及如何用防禦戰術來制止或阻擋對手。隨後由這些觀點建構出防禦型策略的含意。第十五章說明「攻擊產業龍頭」的方法，包括挑戰領導者必須具備的條件，以及如何成功改變競爭法則以攻擊產業龍頭。形成這些攻擊策略的原則，同樣也適用於對抗競爭者。

第一部

競爭優勢的原則

- 競爭優勢有哪些形態？
- 企業如何獲得這些優勢？

第二章

價值鏈與競爭優勢

競爭優勢來自於企業內部的產品設計、生產、行銷、運輸、支援作業等多項獨立活動。這些活動對於企業的相對成本地位都有相當的貢獻,同時也是構成差異化的基礎。

本章將介紹重要的「價值鏈」觀念,做為分析競爭優勢來源的基本工具。

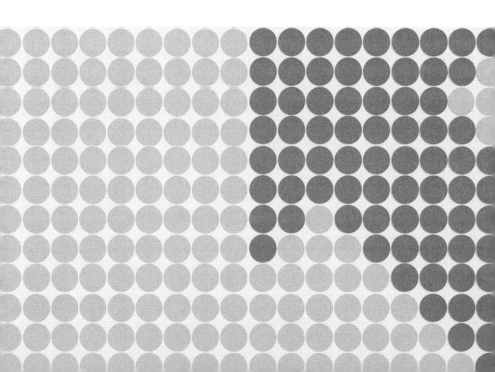

競爭優勢無法以「將整個企業視為一體」的角度來理解。競爭優勢源自於企業內部的產品設計、生產、行銷、運輸、支援作業等多項獨立活動。這些活動對於企業的相對成本地位都有相當的貢獻，同時也可以構成差異化的基礎。以成本優勢為例，它可能來自低成本的配銷系統、高效率的裝配流程、或善用業務人才等。同樣地，差異化也可由多種類似的因素產生，如採購高品質原料、反應迅速的訂單登錄系統、或卓越的產品設計等。

分析競爭優勢的來源時，必須有一套系統化的方法，來檢視企業內所有活動、及活動間的互動關係。本章中，我將介紹「價值鏈」的觀念，做為分析優勢來源的基本工具。價值鏈將企業依其策略性的相關活動分解開來，藉以了解企業的成本特性，以及現有與潛在的差異化來源。企業因為能夠以比對手更低的成本、或更高的效益執行這些策略上舉足輕重的活動，而獲得競爭優勢。

企業的價值鏈其實是包含在一套範圍更廣的「價值體系」（value system）裡面（見圖2.1）。供應商有自己的價值鏈（上游價值），它能夠創造並傳遞使用於企業價值鏈的採購項目（purchased inputs）。供應商不只是提供貨源而已，它還可透過許多其他方式對企業績效產生影響。此外，許多產品還會經由銷售通路的價值鏈（通路價值），送到客戶手上。通路本身，也會產生影響客戶和企業活動的附加活動。最後產品成為客戶價值鏈的一部分，而產品與企業在客戶價值鏈中所扮演的角色，不僅決定了客戶的需求、也正是企業追求差異化的最根本

圖2.1 價值系統

單一產業的企業

供應商的價值鏈 → 企業的價值鏈 → 通路的價值鏈 → 客戶的價值鏈

多角化企業

企業的價值鏈

供應商的價值鏈 → 經營單位的價值鏈 / 經營單位的價值鏈 ↔ 經營單位的價值鏈 → 通路的價值鏈 → 客戶的價值鏈

基礎。競爭優勢的取得與維持，不但倚靠對自身價值鏈的了解，更要了解企業如何與整個價值體系配合。

　　產業中，不同的企業具有不同的價值鏈，分別反映出各自的歷史、策略、與成就。其中一個重要的不同點是，企業的價值鏈可能會在競爭範疇上與競爭者有所差異，這也代表了競爭優勢的一項潛在來源。假如企業只經營某個產業區段，它可以配合這個區段來建構價值鏈，並因此取得優於對手的成本地位或差異化。當所經營市場的地理範圍擴大或縮小時，會影響到競爭優勢。同樣地，各項活動間的整合程度，也在競爭優勢中扮演關鍵性角色。最後，當經營單位以協調一致的價值鏈在相關產業中競爭時，它們可以透過交互關係創造競爭優勢。此一優勢可能因從內部擴大獲益範疇而產生，也可能經由與其他企業的結盟而形成。結盟是企業間未達合併程度的長期夥伴關係，包括合資經營、技術授權和供應協定等不同形式。它涉及結盟夥伴間價值鏈的協調或共享，並因而擴張企業價值鏈的有效範圍。

　　本章主要在說明：價值鏈在辨認競爭優勢來源時的基本作用。首先，我先說明價值鏈與它的組成部分。價值鏈是由企業必備的九項一般性活動所組成，這些活動彼此間都具有獨特的結合方式。一般化的價值鏈可用來了解某一企業的價值鏈如何建構，並反映出該企業所執行的種種特定活動。我將說明企業價值鏈內的活動如何鏈結（linkage），如何銜接到供應商、配銷通路與客戶的活動，以及這些鏈結關係如何影響競爭優勢。接下來再說明企業的活動範疇，如何透過它對價值鏈的影響，

而改變競爭優勢。後面幾章會進一步詳細闡述，如何以價值鏈做為策略工具，分析相對成本地位、差異化、和競爭範疇對取得競爭優勢的影響。

價值鏈

　　每個企業都是包含產品設計、生產、行銷、運輸與相關支援作業等，各種不同活動的集合體，並且可以用一個價值鏈來表示（如圖2.2）。一個企業的價值鏈和其中各種活動的進行方式，反映出它的歷史、策略、執行策略的方法，以及活動本身的經濟效益。

　　對企業而言，比較適合建構價值鏈的層次是：它在特定產業的活動（經營單位）。產業或事業部的活動則因為太過廣泛，可能會讓企業看不出競爭優勢的重要來源。雖然同業間的價值鏈可能類似，企業的價值鏈卻往往不同於它的對手。例如：同樣在航空業競爭的人民航空（People Express）和聯合航空（United Airlines），價值鏈就大不相同，從登機作業、機組人員政策、和飛行作業都有明顯的差異。競爭者價值鏈之間的差異，就是形成競爭優勢的重要來源。企業可能因不同的產品種類、不同的客戶、不同的地理位置，以及不同的銷售通路，而在某產業中具有不同的價值鏈。不過，這些次級價值鏈不但關係密切，並且必須以經營單位的價值鏈為基礎才能了解。

　　從競爭術語來看，「價值」是客戶願意為企業所提供服務付出的金額。價值的多寡則必須以總收益來計算，它反映出產

品的價格和總銷售量。收入超過生產成本，企業就能夠獲利，任何一般性策略的目標，不外是為客戶創造出超過成本的價值。分析競爭地位的時候，必須以價值而非成本為標的，因為企業通常都會有意識地提高成本，以便透過差異化來形成產品的溢價效果。

價值鏈所呈現的總體價值，是由各種「價值活動」（value activities）和「利潤」（margin）所構成。價值活動是企業進行的各種物質上和技術上具體的活動，也是企業為客戶創造有價值產品的基礎。利潤則是總體價值和價值活動總成本間的差額，它可以用很多種方式來衡量。雖然供應商和通路的價值鏈中也包含利潤，由於這部分是客戶承擔的總成本中的一部

圖2.2　一般價值鏈

分——在探討企業成本地位的來源時，必須予以排除。

　　價值活動要發揮功能，就要運用到採購項目、人力資源（勞工和管理人員），以及某些形式的技術。另外，在使用資訊同時，每種價值活動也在創造資訊，如客戶訂單登錄、功能變數測試、不良品統計等。此外，價值活動還可能創造諸如存貨和應收帳款之類金融資產，或是應付帳款之類負債。

　　價值活動可分為「主要活動」和「輔助活動」兩大類。圖2.2中最下面一行是「主要活動」，也就是那些涉及產品實體的生產、銷售、運輸、及售後服務等方面的活動。任何企業的主要活動都可依照圖2.2的作法，分成五個範疇。「輔助活動」則藉由採購、技術、人力資源、及各式整體功能的提供，來支援主要活動、並互相支援。圖中的虛線部分可顯示：採購、技術發展、和人力資源管理，都支援特定的主要活動，同時也支援整個價值鏈。至於公司的基本設施則與特定主要活動無關，它支援的是整個價值鏈。

　　由此看來，價值活動是構成競爭優勢所需要的許多獨立基礎。每一種活動的表現、加上其經濟效益，就決定了企業的相對成本地位。而這些價值活動的表現，也會決定企業滿足客戶需要的程度、並因而形成差異化。因此，只要比較競爭者的價值鏈，企業就能從其中的差異看出決定競爭優勢的關鍵所在。

　　經濟學家認為企業具有：決定如何將輸入（inputs）轉化為輸出（outputs）的生產功能。如果把生產功能定義為活動，則價值鏈視企業為許多各自獨立、卻又互相關聯的生產功能的集合。價值鏈的形成，特別重視這些活動如何創造價值，以及這

些活動的成本受哪些因素影響。以協助企業思考，如何界定、組合各種活動。

　　探討競爭優勢最適當的作法是：分析「價值鏈」，而非分析「附加價值」（Value added）。企業之所以會把附加價值（售價減去採購原料的成本）當作成本分析的重點，是因為它認為附加價值是可控制的成本領域。然而，附加價值並不適合做為成本分析的基礎，因為附加價值把原料從其他許多企業活動所使用的採購項目中分離出來，這是不合理的作法。同樣地，如果不同時檢討價值活動所需的各種成本，價值活動的成本特性也會變得無法理解。此外，附加價值無法顯示企業與供應商之間，能夠使企業降低成本、或增加差異化的鏈結關係。

確認價值活動

　　要確認價值活動，首先就必須先將「技術方面」和「策略方面」的不同活動區隔開來。價值活動與會計分類不同；會計上的分類（如，製造費用、間接費用、直接人工）會把不同技術的活動編在一起，也會把同屬某項活動的各種成本分開。

主要活動

　　圖2.2所顯示五類共通的主要活動，與任何產業的競爭都有關係。而每種活動又可以依據特定產業和企業策略，再分為許多不同的活動：

　　❑ **進料後勤**：這類活動與接收、儲存，以及採購項目的分

配有關。如物料處理、倉儲、庫存控制、車輛調度、退
貨等。

❏ **生產作業**：這類活動與將原料轉化為最終產品有關。
如，機械加工、包裝、裝配、設備維修、測試、印刷、
和廠房作業等。

❏ **出貨後勤**：這類活動與產品收集、儲存、將實體產品運
送給客戶有關。如，成品倉儲、物料處理、送貨車輛調
度、訂貨作業、進度安排等。

❏ **市場行銷**：這類活動與提供客戶購買產品的理由、並吸
引客戶購買有關。如，廣告、促銷、業務人員、報價、
選擇銷售通路、建立通路關係、定價等。

❏ **服務**：這類活動與提供服務以增進或維持產品價值有
關。如，安裝、修護、訓練、零件供應、產品修正等。

這五類活動會隨著產業的性質，分別表現出它對競爭優勢
的重要性。對經銷商而言，進出貨的後勤活動最為重要。餐廳
或零售商店等服務業，雖然可能沒有出貨後勤，但是生產作業
卻攸關經營績效。另外，對從事企業貸款的銀行而言，包括催
收效率、貸款組合設計、到定價等行銷活動，則是形成競爭優
勢的關鍵。高速影印機製造商，則以服務為競爭優勢的重要來
源。不過，任何企業或多或少都具備這五類主要活動，因為它
們都在競爭優勢上扮演了某種角色。

輔助活動

企業的輔助性價值活動也可以分為四種共通的類型（見圖 2.2）。每類輔助活動就像主要活動一樣，可以按產業的特性再細分為更多不同的獨立價值活動。以技術發展為例，其個別活動可能包括零件設計、功能設計、現場測試、製程工程、技術選擇等。同樣地，採購也可再細分為：審核新供應商、購買不同組合的採購項目、長期監督供應商表現等。

採購：「採購」指的是：購買企業價值鏈所使用採購項目的功能，而非所採購的項目本身。這些採購項目包括了原料、零配件和其他消耗品，以及機械、實驗儀器、辦公設備、房屋建築等資產。雖然採購項目通常與主要活動有關，但也常見於各種價值活動（包括輔助活動）。例如，實驗室用品和獨立測試服務等就很常見於技術發展；而選擇會計事務所，則是公司基本設施（infrastructure）中常見的採購項目。採購與所有的價值活動一樣，也需要用到「技術」，如接洽供應商的程序、資格審核原則和資訊系統等。

採購常散布於公司內的各個部門。某些項目如原料等，可能是由傳統的採購部門進行採購，但其他項目則可能分別由廠長（如採購機器）、辦公室經理（如工讀生）、業務員（如三餐和外宿）、甚至總裁（如策略諮詢）進行採購。採購功能的分散會使整體購買量的重要性隱而不顯，以致於許多購買活動幾乎都沒有詳加細究。

　　雖然，採購部門通常為許多價值活動提供服務，而採購政策也常是對整個企業適用的，不過一項既定的採購活動通常都和某一價值活動、或是它所輔助的許多活動有關。企業該注意，採購活動本身的成本在總成本中即使不算無足輕重，也只占了一小部分，但是它卻對企業的「總成本」和「差異化」具有重大影響。另外，改進購買方式，將強烈影響到採購項目的成本與品質，以及接受或使用這些採購項目的價值活動，並影響企業與供應商的互動。比方說，巧克力製造商採購可可豆、電力事業採購燃料，到目前為止，都是決定企業成本地位最重要的因素。

　　技術發展：每種價值活動都會用到「技術」。可以是專業技術（know-how）、作業程序、生產設備所用的技術。大多數企業所應用的技術範圍也很廣泛，從準備文件、運送產品、到產品本身包含的技術等，無一不包。甚至於，大多數價值活動中所使用的技術，都包含了許多不同科學領域的基礎技術（subtechnologies），例如，機械加工就包含了冶金、電子、和機械學等原理。

　　技術發展由很多活動構成，大致可分為「改善產品」和「改善製程」兩種。之所以稱它們為「技術發展」（development）而非「研發」（research and development），是因為多數經理人對「研發」的解釋太過狹隘。基本上，技術發展大多出於工程部門或研發小組。不過，企業內許多部門也都有技術發展的貢獻，只是常常被忽略。技術發展支援各種價值活動所需要的不

同技術，例如需要電子通訊技術的訂單登錄系統、或需要辦公室自動化的會計部門等。技術發展不只針對直接與最終產品相關的技術，它可以有各種形式，從基礎研究、產品設計，到媒體研究、製程設備設計、和服務作業程序等。其中，與產品及產品特徵攸關的技術發展支援整個價值鏈，而其他技術發展則與特定的主要或輔助活動有關。

技術發展對所有產業的競爭優勢都非常重要，在某些產業中，甚至是關鍵因素。以鋼鐵業為例，冶煉技術的優劣，就是取得優勢最重要的單一因素（請見第五章）。

人力資源管理：人力資源管理由涉及人員招募、雇用、培訓、發展、和各種員工福利津貼的不同活動所組成。企業內，人力資源管理不但支援個別的主要和輔助活動（如聘用工程師），也支援整個價值鏈（如勞工協商）。和其他輔助性活動一樣，這類活動散布在企業各部門，也可能因此而導致政策的不一致。甚至於，企業很少認真探討人力資源管理的累計成本，更不用說在不同人力資源管理成本之間權衡輕重。例如，將薪資和人員流動所造成的招募和培訓成本做比較。

由於人力資源管理在員工的工作技能、工作動機，以及雇用與培訓成本方面所扮演的角色，使得它無論在任何企業，都與競爭優勢密不可分。在某些產業中，人力資源管理更是競爭優勢的關鍵。以世界知名的安達信會計師事務所（Arthur Anderson）為例，它就從所屬數萬名專業人員的甄選和培訓中，取得明顯的競爭優勢。安達信公司買下芝加哥附近的一個

舊大學校園，並大量投資於將公司實際作業方式編纂成書、定期召集海外職員回企業大學受訓，藉以熟習整個企業一致的作業方法。深入了解這一套作業方法之後，不但員工效率提高，對於全國和跨國服務也大有幫助。

　　企業基本設施：企業基本設施包含很多活動，例如一般管理、企劃、財務、會計、法務、政府關係、品質管理等。基本設施與其他輔助活動不同之處在於，它通常支援整個價值鏈，而非支援個別價值活動。企業是否多角化經營，也會影響活動的形式，它可能自成一體，也可能分別歸屬於經營單位和母公司。一般多角化的企業，常常將基本設施活動分別歸屬於經營單位層級與企業層級（corporate level），例如：「財務」由企業層級負責，而「品管」則在經營單位層級進行。不過，也有很多基本設施活動在經營單位層級和企業層級同時進行。

　　企業的基本設施雖然常被視為「間接費用」，卻可能也是競爭優勢的有力來源。以電話公司為例，和主管機關協商並維持現有關係的能力，可能就是形成競爭優勢最重要的活動。同樣地，某些產業的高階主管，在與客戶接洽方面扮演重要角色，這時候，適切的管理資訊系統（management information system）對於企業的成本地位就具有重大影響。

活動形式

　　在每一類主要或輔助活動中，都具有三種對競爭優勢產生不同影響的活動類型：

❑ **直接**：直接與「為客戶創造價值」相關的活動，如裝配、零件加工、業務動作、廣告、產品設計、招募等。

❑ **間接**：使得直接活動能夠持續進行的相關活動，如維修、排程、設備的操作、業務管理、研發管理、零售商資料存檔等。

❑ **品質保證**：確保其他活動品質的活動，如督導、監察、測試、檢討、檢查、調校、重製等。但「品質保證」並不是「品質管理」的同義字，因為很多價值活動都會對品質有所貢獻（請見第四章）。

任何企業都會有上述價值活動。而且這三種活動形式都會存在於主要和輔助活動之中。以技術發展為例，「實際上的實驗室團隊」是直接活動，「研發管理」則是間接活動。

企業對間接活動和品質保證活動所扮演的角色，通常都缺少足夠的認識，使得能否清楚辨識這三種形式成了診斷競爭優勢的重點。許多產業裡，間接活動所占的成本比例不但很大，而且在快速增加中，它對直接活動的影響又將決定企業在差異化方面的表現。然而，當經理人思考自己的企業時，雖然此兩者經濟效益大不相同，間接活動卻往往和直接活動混為一談。此兩者之間也經常出現權衡取捨的問題。例如，是否該投入較高的維修費用以降低機器成本等。間接活動常被歸類在管理費用或製造費用的帳目下，導致其成本和對差異化的貢獻很難察覺。

雖然很少被意識到，但是品質保證活動幾乎也存在於企業

的每個部門中。「測試」和「監察」常和許多主要活動相提並論，但生產作業以外的品質保證活動雖然同樣普遍，卻不那麼顯而易見。產業界近來對品質成本的重視已使企業意識到，品質保證活動的累積成本相當可觀。品質保證活動會影響其他活動的成本或效益，其他活動的運作方式又會轉而影響品質保證活動的需求與形式。因此，由於改進其他活動的執行成效，有可能簡化或免除對品質保證活動的需求——這正是有人認為品質可以「免費」的道理所在。

界定價值鏈

　　要診斷競爭優勢，必須針對所屬產業的競爭特性界定價值鏈。至於企業內各種價值活動如何界定，則可以先從共通的價值鏈著手。圖2.3顯示，在共通的價值鏈中，每一類活動都可再分解成許多獨立運作的活動。圖2.4就是一家影印機製造商的完整價值鏈。

　　界定適當的價值活動時，企業應先區隔屬於不同「技術」和「經濟效益」的活動。生產或行銷等功能廣泛的活動，必須再做細分。至於如何細分，則可依產品流程、訂貨流程、或文書流程安排。活動被細分時，它的範圍也不斷窄化，直到多少能夠各自獨立。例如，工廠裡的每一部機器都可被視為一個單獨的活動。這也正是為什麼企業內可能的活動數量往往相當龐大。

　　價值活動到底要分解到何種程度才算恰當？這個問題會依活動本身的經濟效益和分析價值鏈的目的而定。一般說來，區

圖2.3 一般價值鏈的細分

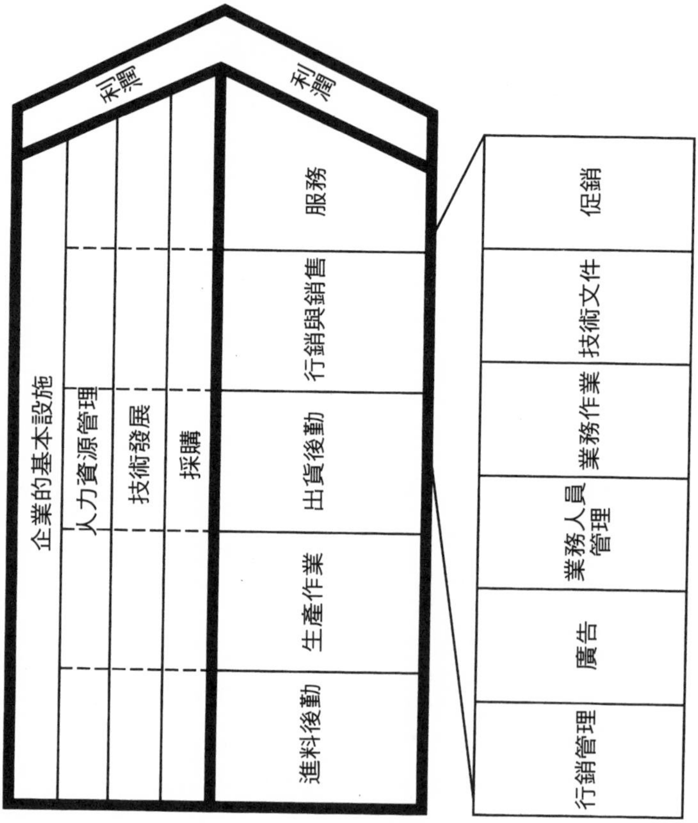

企業的基本設施				
人力資源管理				
技術發展				
採購				
進料後勤	生產作業	出貨後勤	行銷與銷售	服務

利潤

利潤

行銷管理	廣告	業務人員管理	業務作業	技術文件	促銷

圖2.4　影印機製造商的價值鏈

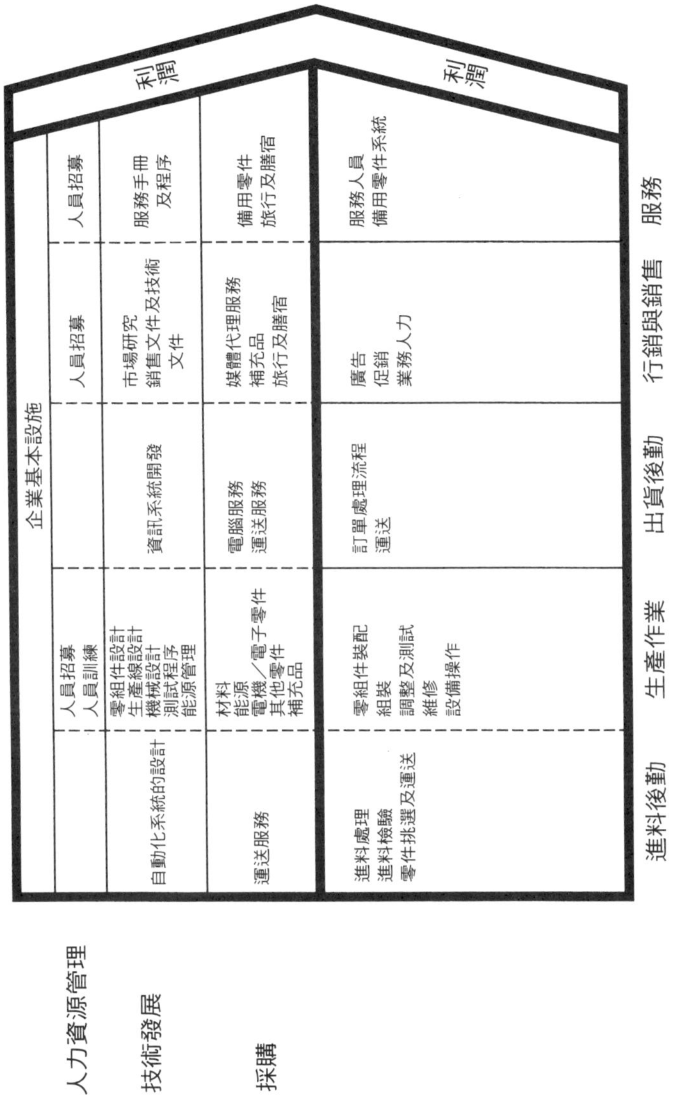

	進料後勤	生產作業	出貨後勤	行銷與銷售	服務	
企業基本設施						利潤
人力資源管理	人員招募 人員訓練	人員招募		人員招募	人員招募	
技術發展	自動化系統的設計	零組件設計 生產線設計 測試程序 能源管理	資訊系統開發	市場研究 銷售文件及技術文件	服務手冊及程序	
採購	運送服務	材料 能源 電機／電子零件 其他零件 補充品	電腦服務 運送服務	媒體代理服務 補充品 旅行及膳宿	備用零件 旅行及膳宿	
	進料處理 進料檢驗 零件挑選及運送	零組件裝配 組裝 調整及測試 維修 設備操作	訂單處理流程 運送	廣告 促銷 業務人力	服務人員 備用零件系統	利潤

隔價值活動的基本原則如下：價值活動本身（一）具備不同的經濟效益；（二）對差異化的潛在影響很大；或（三）占相當大的成本比例、或會持續增加其成本比例。只要價值鏈分析顯示某些價值活動的細分與否攸關競爭優勢，那些活動就必須不斷細分下去；至於無關緊要或經濟效益類似的價值活動，則應該結合起來。

　　要找出一項價值活動的正確類別，可依主觀判斷，或依活動本身決定。以訂貨流程為例，它可被歸類到出貨後勤或市場行銷——完全因需要而定。對經銷商而言，訂貨流程扮演的角色，可能比較接近市場行銷。同樣地，業務人員也常兼具服務的功能。因此，價值活動應該選擇對競爭優勢最有貢獻的類別來歸類。以訂貨流程為例，如果它是企業與客戶互動的重要途徑，就該歸類到「市場行銷」。同樣地，如果進貨的物料處理和出貨的物料處理使用相同的設備和人員時，就應該考慮將兩者合而為一，並劃歸它能夠對競爭優勢產生最大效應的類別。重新界定傳統價值活動的角色，經常會形成企業的競爭優勢，油田設備供應廠商維特可公司（Vetco），就反傳統地將客戶訓練當成行銷手段，並藉此建立移轉成本。

　　企業的每一個活動都該歸入主要活動或輔助活動。歸類的方式並非一成不變，最重要的是找出能夠「清楚呈現企業運作」的方式。服務業的價值活動應如何歸類就經常引起混淆，因為服務業的生產、行銷和售後服務等活動往往緊密相連。一般說來，價值活動的先後次序是依工作流程排定的，即使如此，仍免不了主觀判斷。企業內部往往有些同時進行的價值活動，如

何決定先後次序，就要考慮如何安排最能夠幫助經理人了解價
值鏈。

價值鏈內部的鏈結

雖然價值活動是建構競爭優勢的基石，但價值鏈並非許
多獨立價值活動的集合體；許多價值活動是相互依存的系統，
藉著價值鏈內的各種鏈結互相聯繫。這些鏈結也就是：一項活
動的進行方式，與另一項活動的成本或表現之間的關係。比方
說，購買高品質、預先切割的鋼板可以簡化製程，並且減少廢
料。速食連鎖店進行促銷活動的時機，則會影響到它對設備的
運用。價值活動之間的鏈結與個別的價值活動，都是企業獲得
競爭優勢的來源。

經由鏈結創造競爭優勢的方式有兩種，即「最佳化」
（optimization）和「協調」（coordination）。鏈結通常反映出企
業取得整體性成效時，在個別價值活動之間的權衡取捨。當企
業採用較高成本的產品設計、較嚴格的原料規格、或較嚴密的
生產過程檢查時，都可能降低服務成本。所以，要取得競爭優
勢，就必須讓能反映企業策略的鏈結產生最佳效果。

鏈結也會反映出企業協調各種活動的需求，如果希望準時
交貨，就要協調生產、出貨後勤，以及服務（如產品安裝）等
活動。協調各鏈結的能力通常能夠降低成本或提升差異化。例
如：較佳的協調能力能夠減少整個企業所需的庫存。鏈結也
意謂著，企業的成本高低與差異化程度，不全然是針對個別價
值活動降低成本、或提高績效的結果。近來，管理哲學深受日

本式管理影響，重視生產過程和品質，這種轉變也就是對鏈結重要性的體認。

價值鏈中包含有許多的鏈結，某些鏈結是許多企業普遍擁有的。最明顯的是介於輔助活動和主要活動間的鏈結。在一般價值鏈中，這類鏈結以虛線表示。例如：產品設計通常會影響到製造成本，而採購方式不但關係到採購項目的品質，也因而影響到生產成本、檢驗成本，以及產品品質。比較微妙的鏈結則存在主要活動之間。例如：加強檢驗購入零件，可以降低生產過程中的品質成本，較佳的維修水準會減少機器停機的時間。採用互動式訂單登錄系統，能夠減少業務員服務每一位客戶的平均時間，因為業務人員可以加快處理訂單的速度，並降低後續查詢和解決問題的需求。產品出廠前的徹底檢驗有助於提高實際使用時的可靠性，並降低服務成本。最後，出貨的頻率增加則有助於減少庫存和應收帳款。至於最難以辨認的鏈結，通常都涉及不同類別或不同形式的價值活動。

價值活動間的鏈結，往往是由幾種普遍性因素形成，包括：

❑ 以不同方式執行同一功能：例如，採購高品質的原料、嚴格限制製造過程的誤差值、或全面性的成品檢驗等，都有達成統一產品規格要求的效果。

❑ 間接活動的強化，可以改善直接活動的成本或績效：例如，改進行程安排（間接活動），可以減少業務人員的差旅時間或交貨的運送時間（直接活動）；或以較好的

維修作業提高機器精確度。

❑ 加強企業內部活動，能夠減少產品示範、說明或現場服務的需求：全面性的產品檢驗能夠有效降低現場服務的成本。

❑ 品質保證的功能能夠以不同方式達成：例如，以進貨檢驗替代成品檢驗。

價值鏈內部的鏈結雖然對競爭優勢的形成舉足輕重，卻常常是微妙而不易辨識的。比方說，採購活動對製造成本和品質重要性可能不明顯。同樣地，訂貨流程、生產進度安排，以及業務人力運用等價值活動間的鏈結也很難察覺。在辨認鏈結的過程中，企業會了解每項價值活動如何與其他價值活動互相影響。這個探索過程可以從上述形成鏈結的普遍性原因開始。此外，將採購和技術發展分別聯繫到特定的主要活動，也有助於凸顯輔助活動和主要活動間的鏈結。

企業應用鏈結的基本條件是：能夠讓價值活動彼此協調一致、或取得最佳化的資訊與資訊流程。因此，資訊系統往往是企業能否經由鏈結取得競爭優勢的關鍵。近年來，資訊系統科技的發達不但創造了新鏈結，也使企業運用既有鏈結的能力愈來愈強。鏈結的應用，也常需要跨越傳統的組織界限，以獲取價值活動之間的最佳化或協調。例如，提高生產部門的成本，可能降低銷售或服務部門的成本。但是這種權衡取捨可能無法從企業的資訊和控制系統中找到答案。因此，與管理價值活動相比，管理鏈結其實更複雜。由於辨認和管理鏈結相當困難，

一旦企業擁有這種能力，往往就取得競爭優勢的重要基礎。關於鏈結在成本和差異化方面的具體作用，將在第三、四章詳細討論。

垂直鏈結

　　鏈結不僅存在於企業的價值鏈內部，也存在於企業的價值鏈與供應商、銷售通路的價值鏈之間。我稱這類鏈結為「垂直鏈結」，它們與價值鏈內部的鏈結相似之處在於，供應商或銷售管道內進行價值活動的方式，將會影響到企業內價值活動的成本或績效；反之亦然。供應商不但生產企業價值鏈所需的產品或勞務，其價值鏈也會透過其他接觸點，對企業產生影響。比方說，企業的採購和進料後勤等價值活動，必然與供應商的訂單登錄系統互有影響，而企業的技術發展與生產活動，又與供應商的應用工程人員有關。同樣地，供應商的產品特性以及它與企業價值鏈的其他接觸，也對企業的成本和差異化影響重大。如果供應商送貨頻率高，將能降低公司的庫存需求；對產品適當的包裝，則能減少處理成本。供應商的產品檢驗作業，也能省略企業進貨檢驗的需要。

　　介於供應商價值鏈和公司價值鏈間的鏈結，是企業增強競爭優勢的機會所在。透過影響供應商價值鏈的結構，使得相關聯的活動達到最佳化、或是改善彼此價值鏈的協調情況，往往能使企業和供應商雙雙得利。因此，企業與供應商的鏈結絕非一得一失的零和遊戲，而是一種雙贏的情況。當巧克力製造廠同意將散裝巧克力，改用儲槽車運送到糕餅製造廠，而非以

固態的巧克力條塊交貨，不但可節省自己的原料成型和包裝成本，也能減少糕餅廠進貨處理和再次溶化巧克力的成本。企業與供應商間的鏈結，經過協調或最佳化所產生的利益分配，取決於供應商的議價能力，同時也會反映在供應商的利潤上。供應商的議價能力部分與產業結構有關，部分則受企業採購方式所影響。因此，企業與供應商的協調，以及透過強勢議價取得較佳的價格，都是取得競爭優勢的重要因素，兩者缺一不可。

　　通路鏈結和上述的供應商鏈結也很類似。既然產品必須通過經銷商的價值鏈傳遞，經銷商在產品售價上附加的金額（我稱為「銷售通路價值」），往往在最終消費者所付的價錢中占了很大的比例。在酒類等多種消費性產品中，甚至高達百分之五十以上。經銷商所進行的銷售、廣告和展示等價值活動，也可能取代或補充企業的價值活動。企業的價值鏈在業務推廣、訂單登錄和出貨後勤等價值活動上，也與經銷商的價值鏈產生許多接觸。與經銷商間的協調聯繫、共同致力於最佳化，也能降低成本或增強差異化。同樣地，與供應商共享協調和關聯活動最佳化所面臨的問題，也存在於企業與通路間的鏈結。

　　「垂直鏈結」也像企業價值鏈內部的鏈結一樣經常被忽略。縱使已經體認到垂直鏈結的重要性，供應商與經銷商的所有權與經營的自主性、或過去的敵對關係，也會阻礙垂直鏈結的協調或最佳化的形成。很多時候，結盟夥伴或關係企業之間的垂直鏈結，可能會比獨立經營的企業之間容易建立。利用垂直鏈結同樣需要資訊與現代化的資訊系統，而這兩者也正創造許多新的可能性。關於與供應商、通路的鏈結，在競爭優勢中所扮

演的角色，我將在第三、四章詳細探討。

客戶的價值鏈

　　客戶同樣也有自己的價值鏈。而且企業的產品，也就是客戶價值鏈的採購項目。一般說來，工商企業和機關團體等類客戶的價值鏈比較容易理解，因為它們的價值鏈和企業本身類似。另外，家庭以及其中的個別消費者也會進行各式各樣的價值活動，它們購買的產品就是應用於這一長串活動中。例如做為上班代步工具的汽車，也可用於購物和休閒；食品則在烹飪和用餐過程中被消耗。要把家庭與其成員所做的每一項活動組合成價值鏈，確實相當困難；但是卻有可能只針對某特定產品，將相關活動結合成一個價值鏈。企業也許不須對個別家庭單獨設定價值鏈，但「代表性家庭」的價值鏈卻是差異化分析的重要工具，這一點我將在第四章詳細討論。

　　企業的差異化源自：本身的價值鏈與客戶價值鏈的聯繫方式；也就是企業產品在特定客戶活動中的使用方式（例如，用於裝配過程的機器），以及企業價值鏈和客戶價值鏈間所有接觸點的作用。以光學電子零件為例，廠商將產品裝設在客戶的儀器上——一個明顯的接觸點，但是它與客戶也在設計零件、持續提供技術協助、解決疑難問題、處理訂單和交貨等方面密切合作。其中每個接觸點都是差異化的潛在來源。僅以「品質」做為差異化基礎的觀點顯然太狹隘，因為這種觀點將注意力過度集中在產品上面，而低估了各種對客戶產生影響的價值活動。

　　因此，差異化的根本來自於：經由企業對客戶價值鏈的影響，為客戶創造價值。當企業能夠為客戶降低成本或提高績效，因而協助客戶建立競爭優勢時，也就為自己創造了價值。然而，企業要從為客戶創造的價值中獲得產品溢價，就必須先讓客戶理解這項價值，這表示企業必須透過廣告和銷售人員等方式，將這些價值傳達給客戶。在企業（產品溢價）和客戶（更高的利潤或同樣的錢買到更大的滿足）之間，價值如何分配，會反映在企業的利潤上，同時也受到產業結構所影響。這是針對工商企業和機關團體等類客戶而言，一般消費者衡量價值的方式很複雜，其中還涉及需求的滿足程度，而不只以價格或利潤做為衡量價值的基準。我將在第四章中詳細討論。

競爭範疇與價值鏈

　　競爭範疇對競爭優勢的影響很大，因為它會改變價值鏈的結構、和經濟效益。在經濟理論中，企業的範疇（scope）代表的是企業內部的活動、與透過市場交換取得的活動之間的界限，例如：垂直整合（vertical integration）。但是競爭範疇在此所指的是更廣泛的企業活動領域，涵蓋產業區段範圍、整合、所經營的區域市場，以及在相關產業中的協調競爭等。競爭範疇會從四個層面影響價值鏈：

- ❏ **區段範疇**：所生產的產品種類和服務的客戶。
- ❏ **垂直範疇**：由企業內部執行活動的範圍。

❑ **地理範疇**：企業以一致的策略在地區、全國或國際間競爭的範圍。

❑ **產業範疇**：企業以一致的策略在相關產業間競爭的範圍。

寬廣的競爭範疇，使得企業因進行較多的內部活動而獲益，並且能夠運用不同產業區段、地區、或相關產業各個價值鏈之間的交互關係。例如：以同一批業務人員同時推銷兩個經營單位的產品、或是全球通用的品牌名稱。然而，共享和整合有其代價，並可能因而抵消所獲得的好處。

較窄的競爭範疇，則使企業得以針對特定的目標市場、地區或產業，調整價值鏈，以降低成本或對目標市場提供特殊的服務。窄化的競爭範疇也使企業能夠在整合過程中，改以採購其他獨立企業專精的價值活動，來增加本身的競爭優勢，因為這些外購的價值活動，可能效果更佳或費用更低。因此，狹小範疇的競爭優勢取決於，在某個產業內，企業以適切價值鏈，分別提供服務的不同產品、客戶、或地理區域之間的差異，或是企業能夠借重的，其他獨立企業所擁有的不同資源和技術。

企業選擇競爭範疇的寬窄顯然與競爭對手有關。在某些產業中，企業進行大範疇的競爭，事實上只需要提供產業內齊全的產品種類並服務各市場區段的客戶。而在其他產業中，大範疇競爭可能涉及垂直整合，還得參與相關產業的競爭。由於劃分產業區段的方法有很多種，彼此之間的交互關係和整合形式也相對增加，大、小範疇之間還可能彼此結合，形成新的競爭

優勢。企業因而可以針對單一產品區段設定價值鏈，再利用地理上的交互關係經營該區段的全球市場，從中取得競爭優勢。同樣地，企業也可以利用旗下經營單位在相關產業中的交互關係，形成競爭優勢。第十五章將進一步探討這些可能性。

區段範疇

　　當企業經營不同的產品或客戶區段時，它所需的價值鏈與所面對的需求是不一樣的，而這些差異也就是焦點化的競爭優勢所在。以迷你電腦主機的客戶為例，企業因應經驗老到、並具有內部維修能力的客戶，所需的價值鏈，必然與因應小規模企業客戶所需的價值鏈不同。前者在銷售方面需要較多的輔助，至於硬體功能、軟體介面和服務能力的需求則比較低。

　　正如產業區段的差異適合小範疇的競爭，當不同產業區段的價值鏈之間具有交互關係時，則適合大範疇競爭。以通用汽車公司為例，大型車輛和小型車輛具有不同的價值鏈，但是它們也共用很多價值活動。這使得價值鏈設計既要切合某個產業區段，還得適用於其他不同的區段，結果導致左支右絀的困擾。這是企業在細分產業環節和選擇焦點化策略時，必須考量的基本問題。也是本書第七章所探討的主題。

垂直範疇

　　垂直整合界定了企業、供應商、銷售通路、客戶的不同價值活動。比方說，企業可能向外採購零組件，而非自行製造；也可能把服務作業外包，而不設置服務部門。同樣地，銷售通

路可能代替企業執行分銷、服務和市場行銷的功能。企業和客戶間的價值活動也有許多種區隔方式。企業承擔較多客戶的價值活動，可能就是它尋求差異化的一種方式。在極端的情況下，企業甚至完全進到客戶所屬的產業。

當企業以價值鏈的觀點探討整合課題時，整合的機會明顯會比一般看到的還要多。垂直整合大多從實體產品的角度出發，兼顧及整個供應關係，而不只是從價值活動的角度討論，但是垂直整合也有可能兩者兼顧。譬如企業可能倚賴供應商的應用工程師和服務能力，或者自行發展這些能力。至於哪些價值活動可以在企業內部進行，哪些活動適合對外採購，這方面企業可以有很多種選擇。同樣的原則也適用於通路和客戶間的整合。

企業能否藉由整合（或拆解）來降低成本或增強差異化，決定於企業本身和所涉及的價值活動。我曾在《競爭策略》中討論過這個問題的相關因素。價值鏈凸顯出垂直鏈結的作用，使企業能更清楚地看到整合的潛在利益。運用垂直鏈結不一定需要作垂直整合，但是有時候，垂直整合確實可使企業更容易獲得垂直鏈結的好處。

地理範疇

地理範疇使企業得以共用或協調經營不同地理區域的價值活動。以佳能公司（Canon）為例，它在日本研發並生產影印機，並在很多國家分別進行銷售和服務作業。佳能公司以共享技術發展和生產活動，取代分別在每個國家研發、生產，並以

此形成它的成本優勢。另外，交互關係在同一國家，不同地區的個別價值鏈之間也很常見。以孟那柯（Monarch）和西思可（SISCO）等食品批發商為例，這些企業在重要的都會區都設有很多幾乎完全獨立的營業單位，而這些營運單位又共用企業的基本設施、採購和其他輔助性價值活動。

如果企業能夠以價值活動的共用或協調，來降低成本或增強差異化，則地理上的交互關係就會提升它的競爭優勢。不過，協調價值活動必須付出的成本，以及區域或國家間存在的差異性，都可能抵消共用價值活動的好處。關於全球策略中競爭優勢的來源和阻礙，我在《競爭策略》等著作中討論過。相同的原則也可以用來協調國家或區域內的價值鏈。

產業範疇

在相關產業中競爭所需的不同價值鏈之間，往往存在著潛在的交互關係。這些交互關係與主要活動（如共用的服務部門）和輔助活動（如合作發展技術或採購同樣原料）等各種價值活動有關。經營單位間的交互關係與不同價值鏈的地理性交互關係，在概念上是類似的。

對企業競爭優勢來說，經營單位間的交互關係非常重要，影響可能來自它降低成本或增強差異化方面的作用。比方說，一套共用的後勤系統有助於企業建立規模經濟，而相同的銷售人力推銷相關產品，能夠提高業務人員與客戶接觸的效率，並進一步增強差異化。然而，並非所有的交互關係都會帶來競爭優勢，也不是所有的價值活動都能從共用中獲益。此外，不同

的經營單位，對同一價值活動的需求不一定相同，也可能因共用價值活動增加的成本而抵消它所帶來的好處。在第九章至第十一章，我將說明經營單位間的交互關係，以及如何將它們分別應用到企業和經營單位的策略中。

結盟與範疇

企業要追求大範圍競爭的優點，可以靠自己努力，或透過與其他企業聯盟。基本上，結盟是企業之間的長期協議。這類協議超過一般的市場交易範圍，但未達到合併的程度。結盟的方式包括技術特許、供貨協定、行銷協定和合資經營。結盟使企業無須擴張規模就能擴大競爭範疇，主要是靠它與另一家企業的約定來進行價值活動（如供貨協定），或是與別的企業合作共用價值活動（如市場行銷方面的合資經營）。因此，聯盟的基本形式，不外乎垂直結盟和橫向結盟兩種。

結盟使企業不必進入新的產業環節、地理區域、或相關產業，也能夠共用某些價值活動。結盟也使得企業不必進行實際上的整合，就能運用垂直鏈結，以取得成本或差異化的優勢，也免除了在各自獨立的企業之間進行協調的困擾。由於結盟是一種長期關係，即使結盟夥伴間的協調必須付出某些成本，企業和結盟夥伴的協調程度，總是比它與不相干的企業要密切。值得注意的是，達成結盟協定，以及夥伴間持續協調的困難仍然存在，這些問題都可能破壞結盟，或抵消結盟所帶來的好處。

無論是哪種形式的結盟，結盟的夥伴終歸是獨立企業，如

何分配結盟帶來的好處也是一大問題。每個夥伴的相對議價能力關係到分享成果的多寡，也決定了結盟對個別夥伴的競爭優勢產生多少影響。實力強大的夥伴可能利用協議條件，壟斷某個共用行銷單位的所有利益。結盟是國際競爭中的重要課題，關於結盟對競爭優勢的影響，在我探討全球策略的著作中有進一步說明。

競爭範疇與經營單位的界定

　　企業應該以競爭範疇和價值鏈間的關係做基礎，來界定旗下相關經營單位間的界限。判斷是否需要策略性的區隔經營單位時，應該衡量整合與拆解的利弊得失，並且就經營相關產業區段、地理區域、或相關產業所具備的交互關係優勢，與分別經營這些區段所需價值鏈之間的差異，作一比較。

　　當地理區域或產品、客戶的產業區段需要不同的價值鏈，才能滿足其中的差異時，比較好的作法是依市場環節界定經營單位。反過來說，整合與地理或產業的交互關係具有較多好處時，企業就應擴張經營單位的範圍。因此，當垂直整合能夠形成強大優勢時，企業應該延伸經營單位的領域，涵括上游或下游的價值活動；如果垂直整合的弊多於利，意味著每個階段應該自成一個經營單位。

　　同樣的道理，當價值鏈有利於全球性的協調時，相關經營單位的戰場應該全球化，而國家或區域間的差異較大，各自需要不同的價值鏈時，經營單位的地理界限也該縮小。最後，當兩個經營單位有密切的交互關係時，可能意味著它們應當合

併。因此，當企業了解不同戰場所需要的最佳價值鏈，以及這些價值鏈之間的關聯之後，它就能定出適當的經營單位範圍。這個問題將在第七章，討論產業區段的細分原則後，再做更多說明。

價值鏈與產業結構

產業結構會影響企業的價值鏈，並反映出競爭廠商價值鏈的總體狀況。結構呈現出企業價值鏈的型態，以及它與客戶、供應商、結盟夥伴間分配利潤的方式，並因而決定了企業和它的客戶、供應商的議價關係。所以，當產業內的替代品威脅出現時，客戶需要的價值活動會受到影響。同樣地，產業的進入障礙也關係到每種價值鏈形式的持久性。

另一方面，競爭者的價值鏈也是形成產業結構的基礎之一。像規模經濟和專門知識關係到競爭者價值鏈中所採用的技術。企業競爭需要的資金，也正是它運作價值鏈所需資金的總和。同樣地，產品的差異性，其實就是在客戶價值鏈中使用產品的方式。因此，分析一個產業中競爭者的各種價值鏈，連帶著也就了解組成該產業結構的許多元素。

價值鏈與組織結構

價值鏈是分析競爭優勢的基本工具，也是企業找出如何創造和保持競爭優勢的途徑。不過，價值鏈對於企業組織結構的設計也具有很大的功用。企業的組織結構將各種價值活動分

類組合，分別歸屬於生產、行銷等不同的組織單位裡。分類的原則是，將性質相似的價值活動放在同一個部門，以利用其相似性；同時，也由於不同價值活動間的差異，而產生不同的部門。這種作法就是組織理論所稱的「分化」（differentiation），隨著組織單位的劃分，不同單位間也出現協調的需要，這個動作通常稱為「整合」（integration），因此，企業內部必須有整合的機制，以確保必要的協調功能。組織結構使「分」與「合」之間得以平衡，給企業帶來最大的好處。

　　價值鏈提供一種有系統的方法，將企業分解成各種獨立價值活動，因而它也可以用來研究企業內活動目前以及可能的分組方式。圖2.5是一般企業組織結構的價值鏈。通常組織界限的規劃並不是按照價值活動在經濟效益方面的相似性。另外，如採購、研發等組織單位的價值活動，通常只包含企業內部所有類似活動中的一部分。

　　組織單位間需要整合，顯示了鏈結的存在。每個價值鏈都有許多鏈結，但是組織結構本身並沒有協調鏈結或將鏈結效果最佳化的機制，同時也很少從價值鏈中蒐集，協調鏈結或將鏈結效果最佳化所需的資訊。人力資源管理、技術發展等輔助性價值活動的經理人，通常也不十分了解這些活動與企業整體競爭位置的關聯性，而價值鏈會將這些問題凸顯出來。組織結構的另一個問題是，它通常缺少各種垂直鏈結的明確規範。

　　企業應該根據競爭優勢的來源，釐定適當的單位界限。並透過了解組織結構與價值鏈，價值鏈內部的鏈結，以及它與供應商或行銷通路間的鏈結關係，訂定一套適當的協調形式。能

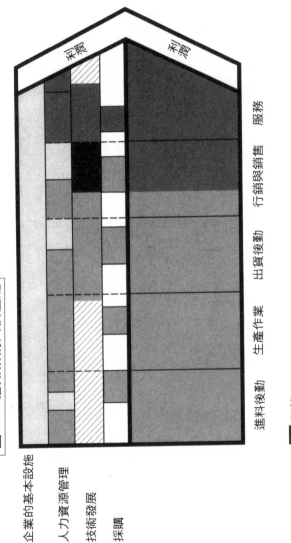

圖2.5　組織結構與價值鏈

企業的基本設施

人力資源管理

技術發展

採購

進料後勤　　生產作業　　出貨後勤　　行銷與銷售　　服務

■ 行銷
■ 生產
▨ 研發
▤ 管理
□ 採購

夠因應價值鏈需要的組織結構，有助於形成企業創造並保持競爭優勢的能力。這也是執行策略時的重要議題。

第三章

成本優勢

　　成本優勢是企業能掌握的兩種競爭優勢之一，也是差異化
策略不可缺少的要件。

　　本章討論成本特性的分析架構、形成相對成本地位的要
素，以及企業如何持續成本優勢、或盡量降低成本劣勢。這個
架構也能夠顯示出差異化策略所需的成本，以及如何在不傷及
差異化的前提下降低成本。

　　成本優勢是企業能掌握的兩種競爭優勢之一。成本也是差異化策略不可缺少的要件，因為企業即使發展差異化，還是需要保持與競爭對手相近的成本。對發展差異化的企業而言，除非產的溢價能夠超過差異化的成本，否則不太可能有傑出的表現。此外，成本特性對於產業整體結構也具有重大的影響。

　　經理人都知道成本的重要性，許多策略計畫也將「成本領導」或是「成本削減」（cost reduction）列為目標。然而，產業界對成本特性的了解仍然有限。經理人之間對於企業的相對成本地位、形成的原因，就經常存在著廣泛的爭議。成本研究一般也傾向於針對製造成本，而忽略了行銷、服務，以及基本設施等其他價值活動對於相對成本地位的影響。更嚴重的是，企業常常依序分析個別價值活動的成本，卻忽略了價值活動之間會影響成本的某些鏈結。最後，企業要評估競爭對手的成本地位，總是困難重重，通常只以勞工比例或原料成本作非常粗略的比較，但這卻是企業評估相對成本地位時非常重要的一環。

　　造成這些問題的原因是，絕大多數企業缺少系統化的成本分析架構。大多數成本研究常以短期觀點來處理一些小範圍的特定課題。在成本分析工具中，經驗曲線（experience curve）雖然很流行，卻常常被誤用。經驗曲線可以被視為成本分析的起點，但是它忽略了成本特性的許多重要驅動因素，也無法釐清這些驅動因素之間的重要關係。企業的成本分析傾向於依賴現有會計系統，會計系統也的確包含了許多有價值的資料，但是它也常常妨礙策略性的成本分析。成本系統以直接人力成本、間接人力成本和製造成本等類別，將成本逐項劃分，同樣模糊

了企業所進行的基本活動。這種作法會將許多分屬於不同經濟效益活動的成本加總起來，而且把同一價值活動的成本，拆解成人力、材料、製造費用等不同項目。

本章主要在討論：成本特性的分析架構、形成相對成本地位的要素，以及企業如何持續成本優勢、或盡量降低成本劣勢。這個架構也能夠顯示出差異化所需的成本，以及採取差異化策略的競爭者，如何在不傷及差異化的前提下降低成本。同樣的分析工具也可以用來分析供應商和客戶的成本特性，這一點對成本地位與差異化都非常重要。

價值鏈正是進行成本分析的基本工具。首先，我將介紹如何界定成本分析所需要的價值鏈，以及如何建立成本、資產和價值鏈間的關聯；其次，我將說明如何運用成本驅動因素（cost drivers）的概念，來分析成本特性。成本驅動因素是決定價值活動成本的結構性要素，會因企業對它們的控制程度而有所不同。成本驅動因素決定價值活動的成本特性，並且反映出影響這個價值活動的鏈結與相互關係。將每個重要價值活動的成本累積起來，也就形成了企業的相對成本地位。

介紹過成本特性的分析架構之後，我將進一步說明企業如何評估競爭對手的相對成本地位，並建立能夠持續的成本優勢；接下來我將指出，在嘗試了解成本地位的過程中某些常見的錯誤。最後本章以策略性成本分析的步驟做為總結。我列出這些步驟，並非要以它們取代一般關於作業管理或定價的詳細成本分析方法，也不會因此降低對財務或成本會計的需求。這套成本分析架構的重要性是，它們能協助企業以全面性觀點了

解成本特性，同時找出持續成本優勢的方式，並有助於競爭策略優勢的建立。

價值鏈與成本分析

　　企業的成本特性，以及它的相對成本地位，來自於企業在產業中競爭所需要的價值活動。因此，有意義的成本分析，必須分別檢查這些價值活動的成本，而不是將企業的所有成本視為一體。每個價值活動都有自己的成本結構，而它的成本特性也被與其他活動間的鏈結和交互關係所影響，無論這些是企業內部或外部的活動。如果企業進行這些價值活動所需要的成本，累計起來能夠低於競爭對手，就形成了它的成本優勢。

成本分析所需要的價值鏈

　　成本分析的第一步是界定企業的價值鏈，並且將作業成本與資產分攤到不同的價值活動中。價值鏈中的每一項價值活動都包含作業成本，以及固定資本與流動資本兩種形式的資產。採購項目也是價值活動成本的一部分，它會增加作業成本（採購作業項目）與資產（採購資產項目）。必須將資產分攤到價值活動的需求，反應出一個事實，也就是每項活動的資產總額以及資產利用率，常常是活動成本中重要的一環。

　　基於成本分析的需要，而將一般價值鏈拆解成個別價值活動時，應該反應出以下三個互不牴觸的原則。

❏ 價值活動所顯現的成本規模與成長狀況。

❏ 價值活動的成本特性。

❏ 相同價值活動中競爭者的差異。

進行成本分析時，作業成本、資產所占比例明顯，或成長快速的價值活動都應該獨立出來。大多數企業很容易標示出占大量成本比例的價值活動，卻常常忽略成本比例較低但成長迅速的價值活動。事實上，後者最終將改變整個成本結構。至於成本與資產比例較小或變化較少的活動，則可以綜合歸納到一個較大的項目。

具有不同成本驅動因素的價值活動也必須加以拆解。關於這部分後面會再詳細說明。至於具有相同成本驅動因素的活動，則可以歸納成同一類。譬如說，廣告與促銷被視為不同的價值活動，因為廣告成本對規模很敏感、而促銷成本則變動程度非常大。如果一個經營單位的價值活動與其他經營單位共用，這個價值活動也要獨立出來分析，因為其他經營單位的狀況也會影響到它的成本特性。同樣的道理，與其他活動有重要鏈結的價值活動也需要獨立出來。

事實上，剛開始作成本分析時，往往弄不清楚不同價值活動的成本驅動因素到底是什麼？因此，價值活動的界定往往需要反覆嘗試。初次嘗試將價值鏈拆解成個別價值活動時，無可避免地必須依靠成本特性上的重大差異來猜測。隨後，進行更深入的分析時，再按照對成本特性相似或差異的進一步認知，重新合併或拆解價值活動。通常，經過合併的價值鏈應該先分

析，然後再深入探究已證實為重要的價值活動。

　　關於界定價值活動的最後一項測試是：比較競爭對手的行為。當競爭對手採取不同的方式、或是與我方不同的共用或非共用狀況，來進行相同的價值活動時，這種具代表性的價值活動應該被獨立出來。以人民航空與其他「陽春」（no-frill）空運服務公司為例，它們的機上服務完全不同於美國航空（American Airline）、東方航空（Eastern Airline）、環球航空（TWA）、聯合航空等地位穩固的主流航空公司。競爭者之間的差異性，使得這項價值活動更有可能成為相對成本優勢或劣勢的來源。

成本與資產歸類

　　界定出本身的價值鏈之後，企業必須將作業成本和資產分門別類，分別分攤到不同的價值活動。作業成本應該歸屬到進行該作業的價值活動。資產則分配到使用、控制此一資產，或是對使用此一資產最具影響力的價值活動。雖然這麼做可能需要花很多時間，但是作業成本的歸類絕對是必要的。企業的會計帳目常常必須按價值活動的成本重新整理，特別是關於製造費用與採購項目的部分。

　　由於資產比較昂貴，而且在選擇與使用上也常涉及與作業成本之間的權衡取捨，因此必須以某種能夠進行成本特性分析的方式分攤到價值活動。資產的分攤比作業成本的分攤更複雜，資產項目通常必須重新分類以符合價值活動的性質，資產本身也必須用前後一致的方式進行估價。一般而言，資產歸類

方式有兩大類。它們可以依帳面或重置價格來歸類，並以此種形式和作業成本相提並論，也可以依帳面或重置價格，透過資金支出轉換成作業成本進行歸類。這兩種評估方式都有其困難之處。帳面價值可能毫無意義，因為它與購買時間、會計政策密切相關。計算重置價格也是一件困難的工作。同樣地，如同固定資產與流動資產的資金支出，折舊期限通常是隨意決定的。企業所選擇的資產評估方式必須能反應產業的特色，反過來說，也就決定了收集數據時的潛在考慮因素，以及數據本身無可避免的重要偏差。分析者必須認清每種方式都有它先天的偏差。這將證實成本分析中，以好幾種方式分配資產的作用。

　　共用價值活動的成本與資產，一開始就應該按企業目前使用的方式、特別是某些基本的分攤公式，分攤到經營單位的價值鏈中。共用價值活動的成本特性是這個價值活動的整體表現，而不是被單一經營單位所使用部分的表現。例如，就某種對規模敏感的共用活動而言，它的成本取決於所有相關經營單位的總額。此外，運用於共用價值活動的分攤方式，未必能夠反應它們的經濟效益，而可能是基於方便或政策考慮。進行分析時，共用價值活動的成本應該根據這類活動的成本特性，作更有意義的分攤歸屬。

　　選擇成本分析的取樣時間必須注意，所選取的這一段時間應該能夠代表企業的表現；它應該反應出可能影響成本的季節性或週期性變動，以及一段時間的不連續性。不同時間點的成本比較，可以顯露策略變化的效果，並診斷成本本身的特性。譬如說，比較某一段連續時間內價值活動的成本，可以凸顯出

學習的效果，而選擇活動表現差異很大的時期作成本比較，則能夠指出對規模的敏感性、與產能利用率的影響。

必須注意的是，成本與資產的分攤不需要像財務報表般精確。相較於一般成本數字因為要求精確而必須負擔較高的費用；策略性成本的課題通常只需要毛估就足以應付，而且也足以進行成本與資產的分攤。如果在分析的過程中、發現某一特定價值活動對成本優勢具有重大影響，再進一步努力追求精確。最後，企業可能發現，競爭對手在作業成本與資產的分攤上有不同的判斷。了解競爭對手估量成本的方法非常重要，因為估量成本的方法會影響到對手的行為特性。分析競爭者的成本，部分目的就在診斷競爭對手的成本計算方式。

成本分析的第一步

成本與資產的分攤，將產生一個生動顯示價值鏈與成本分布的圖表。這個圖表能夠將價值活動的成本，明顯區分為三種型態：作業所需採購項目、人力資源成本，以及主要資產項目。也能夠依照成本與資產在不同價值活動中的分布，反應出它們在價值鏈中的比例。如圖3.1所示。

即使是初次在價值鏈中進行作業成本與資產的分攤，也能夠顯示出一些可以改善成本的區域。比方說：採購作業項目占成本的比例就會比一般認為的要高出許多，因為在價值鏈中，採購項目很少被累計。將價值活動按第二章的定義區隔成直接、間接、品質管制三類，並且分別累計每種類型的成本，也會有其他的重要發現。經理人通常將注意力完全集中在直接成

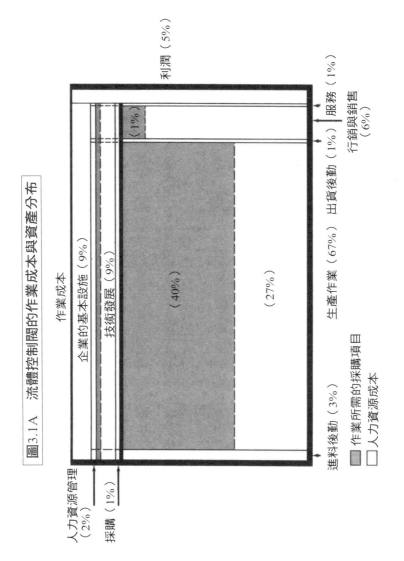

圖3.1A　流體控制閥的作業成本與資產分布

作業成本

利潤（5%）

服務（1%）

行銷與銷售（6%）

出貨後勤（1%）

生產作業（67%）

進料後勤（3%）

企業的基本設施（9%）

技術發展（9%）

人力資源管理（2%）

採購（1%）

（40%）

（27%）

（1%）

■ 作業所需的採購項目

□ 人力資源成本

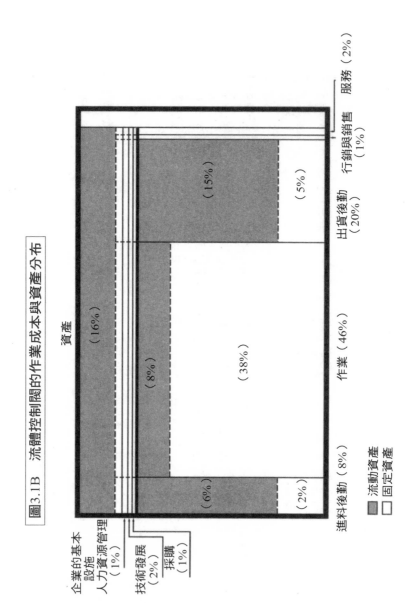

圖3.1B　流體控制閥的作業成本與資產分布

本，卻忽略正開始萌芽的間接成本。在許多企業中，間接成本不但占總成本的比例相當大，而且成長的進度也比其他類型成本更快。企業引進成熟的資訊系統和自動化製程，有助於減少直接成本，但是對於複雜的系統維護，以及電腦程式人員的新需求，又會使間接成本大幅提高。以閥門製造業為例，間接成本占了總成本的十分之一以上。企業也會發現，價值鏈中所有品質保證活動的成本，累計起來非常可觀。因此愈來愈多企業認為，採取監控、調整、檢測之外的其他方法來保障品質，可以大幅降低成本。

成本特性

企業的成本地位源自於價值活動的成本特性。成本特性又與一連串影響成本的結構性因素有關，後者我稱為成本驅動因素。幾種成本驅動因素可以組合起來，並決定一項特定價值活動的成本。即使在相同的產業中，當企業運用不同的價值鏈時，重要的成本驅動因素也有所不同。在價值活動中，企業的相對成本地位是基於它與重要成本驅動因素的對應關係。

成本驅動因素

價值活動的成本特性由十個主要成本驅動因素來決定。分別是規模經濟、學習、產能使用模式、鏈結、交互關係、整合、時機、自訂的企業政策、企業座落地點、社會制度因素。

成本驅動因素是決定價值活動成本的結構性原因。在一定

範圍內，企業可以控制成本驅動因素。決定價值活動的成本特性時，這些因素通常具有互動關係。而且對於不同價值活動而言，成本驅動因素的相對影響力差異相當大。因此，沒有任何一種成本驅動因素，如規模或學習曲線，能夠成為決定企業成本地位的唯一要素。診斷每項價值活動的成本驅動因素，使得企業對於相對成本地位的來源，以及如何改變能夠有更深一層的了解。

規模經濟或非規模經濟

價值活動的成本通常受到規模經濟的影響。規模經濟來自於，能夠以與眾不同而且更有效率的方式，進行大規模活動的能力；或是能夠以龐大的銷售量，來分攤廣告、研發等無形成本的能力。

規模經濟也可能源自於大規模活動的作業效率，也可能是因為活動規模擴大，基本設施或製造費用的成長比例逐漸降低的結果。以鋁礬土礦為例，隨著活動規模擴大，實際採礦成本的遞減程度，不如基本設施成本的遞減程度。

規模經濟必須和產能使用率明確區分。提高產能使用率會將現有人力、設備的固定成本等，分攤到更大的生產量上，而規模經濟則意味著，在產能完全利用的狀況下，大規模活動會更有效率。產能使用率並不等於規模經濟，誤解這一點，企業會誤認為一旦現有產能已經完全利用，只要繼續擴張產能，成本就會持續下降。

規模擴大時，價值活動內部協調的複雜度、與協調所需的

成本也相對增加，並導致非規模經濟的結果。譬如說，當金屬罐製造廠的生產線超過十五條時，整個工廠的複雜度已經相當難以控制。擴大規模有時也會降低員工的工作動機，造成工資或採購項目成本的增加。例如，大型工廠工會化的可能性相對會大增，或是工會談判代表的期望愈來愈高，同時談判的姿態也愈來愈尖銳。當採購項目的價格不受採購規模的影響時，對於此一採購項目的大量需求，可能導致價格的上漲，而出現非規模經濟的結果。非經濟規模經常出現在關於流行時尚或專業服務的產業，這些產業高度依賴的個人創意與快速反應，並不適合在大型組織下運作。

　　不同的價值活動，對規模的敏感度也有很大的差異。像產品發展、全國性廣告、企業基本設施等價值活動，對於規模的需求就比採購和業務人力等活動更為敏感，因為無論企業的規模大小，前者的成本相當程度上是固定的。無論如何，企業的每項活動中，在某個範圍內，都具有規模經濟（或非規模經濟）的表現。

　　規模經濟不僅與價值活動中的技術有關，也關係到企業使用這些技術的方式。工廠的規模經濟很容易受產品種類多寡，以及生產作業週期的影響。同樣地，業務部門的銷售人員數量也會影響銷售作業的規模經濟。當業務人員按地理範圍編組時，地區業績成長，成本會相對下降，因為業務員只需電話就能簽下大量訂單，而且他花在拜訪客戶的交通時間也可以大幅度縮短。如果業務人員是按照產品線分組，某個地區的銷售量增加，卻可能產生非規模經濟的效果。因為業務人員必須經常

造訪該地區，相對的就忽略了鄰近地區的需求。

　　規模經濟無法等量齊觀。各種產業與價值活動都有它最適當的規模指標（measure of scale）。忽略這一點，將會逐漸傷害到企業的相對成本地位。對某些價值活動而言，全球性或國際化規模，才是適當的成本驅動因素。而其他的價值活動則可能需要全國規模、地區性規模（regional scale）、地方性規模（local scale）、工廠規模、專案規模、產品線規模、單一客戶規模、單一訂單規模或其他規模指標，來建構其成本特性。規模不等於市場占有率，以市場占有率來代表規模時，市場占有率的定義會因不同的規模指標而明顯不同。

　　以產品研究發展為例，比較適當的規模指標通常是全球或全國性規模。企業發展一個新產品所需要的固定投資，必須由所銷售的每一件新產品平均分攤。因此，開發世界性標準產品所投入的成本，對於全球性規模非常敏感，而針對特定國家設計的產品，其研發成本則對全國性規模較為敏感。運輸業的規模經濟特別和地區性、地方性或者是單一客戶規模有關，並取決於不同的運輸型式。地方性或地區性規模反應出客戶密度，代表運送到不同客戶所在地點的距離。在地方性規模或地區性規模敏感的區域，運輸供應商通常會對貨櫃車、貨車、或是火車運輸提供價格折扣。最後，對特定客戶提供運輸服務所需要的成本，絕大部分是固定的，通常不受數量多少的影響，這也使得提供大客戶運輸服務的成本較低。企業要了解規模經濟如何影響成本，必須要認清規模經濟與成本所具有的的特殊機制，以及何種規模指標最能夠利用這些機制。

適當的規模指標具有顯示企業如何管理價值活動的功能。比方說，當政策決定不再生產全球性標準化產品，改成按各國需求修改產品時，最適規模指標也跟著改變。同樣地，當接受信用卡的商店使用電子刷卡機取代人工刷卡時，信用卡公司的刷卡授權成本，也會受總交易額的影響。因此，企業不僅能夠影響規模經濟的程度，同時也能夠影響它的型態，而後者對於整個價值活動的成本更具有重大影響。這也說明了企業應該妥善管理價值活動，使價值活動對於企業具有優勢的規模型態保持最大敏感度。譬如說，地區性廠商應該強調地區規模的價值，而全國性但未能在任何地區取得領先的競爭者，則應該妥善管理價值活動以便取得全國規模的最大價值。

學習與外溢效應

由於學習會提升效率，價值活動的成本也會隨時間而下降。企業具有許多因學習而降低成本的機制，如變更配置、改進流程安排、提高勞工效率、改善產品設計以利於製造、產量提高、提升資產利用率的製程變更、更適合製程的原料處理等。學習也會減低建廠、零售批發和其他設施的成本。因此，在價值活動中學習比起員工的個人學習，更有可能提升工作效率。

通常以「經驗」一詞來描述成本隨著時間而降低的情形，這也反應出廣泛學習的可能性。但是「經驗曲線」則混合了學習與規模經濟兩種完全不同的成本驅動因素。我所謂的「學習」包含各種與規模無關、純粹因改善知識與製程所導致的成本降

低。

　　價值活動的學習速度差別也很大，因為每一種活動的學習改善可能性不同。學習通常是許多小改善積少成多的結果，而不是重大的突破。在不景氣時期，企業注意力放在降低成本而非滿足需求，這時候學習的速度可能會加快。學習的效果也會因管理階層的重視程度而有不同。

　　經由供應商、顧問、離職員工與產品的逆向工程等機制，企業的學習成果會從個別企業外溢到其他同業。當學習的外溢效果在某一價值活動中特別高時，學習的速度往往來自於整個產業的學習，而非個別企業孤軍奮鬥的結果。由於持續的成本優勢大多源自個別企業專有的學習成果，因此學習成果的外溢速度，也將決定企業是否能藉此取得成本優勢，或只是降低整個產業的成本。縱使學習的成果無法取得專利，某些特定型態的學習仍然具有先發制人的優勢，在第五章中會詳細說明。由於學習速度有快慢之別，因而在診斷競爭廠商間的相對成本差異時，外溢速度分析扮演了很重要的角色。

　　如同規模經濟，學習速度的適當指標也會因價值活動而異。最適當的學習效率指標應該反應出，價值活動成本隨時間而降低的明確學習機制。因為學習機制本身的多元性，加上外溢效果的影響，學習速度的指標也有所不同。比方說，在某一價值活動中，學習是經由提升員工效率來影響成本特性時，學習速度與活動的累積產量密切相關。這種情況下，規模對學習速度關係密切，因為規模大，學習的累積也快。但是，當學習是透過引進更高效率的設備而產生影響時，學習速度反應了設

表3.1 典型的學習衡量

活動的累積數量
　　（特別是關於裝配作業中的工作機具速度與不良率方面）
作業時間
　　（特別是關於組裝作業中的流程安排方面）
累積投資量
　　（特別是關於工廠效率方面）
累積產業產量
　　（特別是關於能夠降低成本，但外溢效應高的產品設計改良）
由外部產生的技術變革
　　（特別是關於基礎的技術或程序改善）

備的技術變遷速度，而與企業的產量無關。學習速度也具有代表企業日程表、或為改善某項活動而增資程度的功能。當企業想要改善它的成本地位時，它應該了解每項價值活動的特定學習機制，找出最適當的學習速度指標。由於學習速度也受到效益遞減的影響，當產業成熟時，某些價值活動的學習速度會持續降低。

　　表3.1顯示可以用來衡量某些活動，以及典型的價值活動中學習速度的相關指標。

產能利用型態

　　當一項價值活動具有實質的固定成本，這項活動的成本就會受到產能利用率的影響。固定成本對於產能低度利用而言是

一種懲罰。固定成本和變動成本的比率，呈現出價值活動對產能利用率的敏感程度。以不同方式進行相同價值活動時，產能利用率的敏感度也會受到影響。譬如說，企業可以透過代理商將所生產的食品銷到超級市場、也可以運用本身的業務人員進行相同的活動。但是透過代理商來進行，對於產能使用率的敏感度比較低。因為代理商通常僅收取銷售佣金，而企業本身的業務人員除了固定薪資、佣金之外，還必須支付其他費用。

特定時間點的產能利用率只表現出季節性、週期性，以及其他無關競爭位置的供需變化。因此，整個週期的產能利用型態才是正確的成本驅動因素。產能利用率的變化關係到成本的擴張或緊縮，在平均產能利用率相等的情況下，產能利用率不穩定的企業，成本會高於維持產能使用率穩定的企業。產能使用型態能反應出這些變化，因此是比平均產能使用率更適當的成本驅動因素。價值活動的產能利用型態，部分受到環境條件與競爭者特性（尤其是競爭者投資特性）的影響，部分則受到企業在行銷與選擇產品等領域的政策所控制。

鏈結

價值活動的成本通常受到其他活動表現優劣的影響。第二章提過兩大類型的鏈結：價值鏈內部的鏈結，以及它與供應商、通路價值鏈間的垂直鏈結。鏈結的多樣性顯示了，價值活動的成本特性不能只檢查活動本身。鏈結創造了降低所有被鏈結活動整體成本的機會。它們也提供建立成本優勢的潛在有力資源，因為鏈結的微妙特性，而且需要跨組織界限的活動相互

協調、共同最佳化。通常競爭者不是無法察覺鏈結的存在，就是無法駕馭它們。

價值鏈內部的鏈結

　　價值活動之間的鏈結散布在整個價值鏈內。最常見的一般性鏈結通常存在於直接活動與間接活動之間（如機器和維修）、品質管制活動與其他活動之間（如檢驗與售後服務）、必須相互協調的活動之間（如進料後勤與生產作業），以及可以選擇其他方式達到相同結果的活動之間（如廣告與直銷，或機上直接劃位取代櫃台或登機門劃位）。企業要找出鏈結之前必須先問：「在公司內部，已經影響或可能影響這項活動成本的相關活動還有哪些？」

　　當價值鏈內的活動被鏈結起來之後，改變其中一項活動的進行方式，就有可能降低此一鏈結中所有活動的整體成本。故意提高某一項活動的成本，不僅可能降低另一項活動的成本，同時也可能降低鏈結中所有活動的整體成本。如第二章提過，鏈結主要是透過協調與最佳化兩種機制，形成降低成本的機會。例如：企業如果能夠在採購與裝配兩項活動之間取得更好的協調，將有助於降低對庫存的需求。因此庫存正是前兩項活動間鏈結的明顯表現。而且，經由對鏈結的妥善管理，就有可能降低庫存。要使互相鏈結的活動達到最佳化，涉及在活動之間權衡輕重得失的問題。以影印機製造業為例，影印機裝配完成後需要調整的程度，與採購零件的品質有關。佳能公司就發現，採購高精密度零件，能夠減輕個人影印機生產線所需要的

調整工作。

垂直鏈結

　　垂直鏈結反應出企業活動與供應商、通路價值鏈間的內在依存關係。藉著檢查供應商或通路的行為如何影響企業內部每一項活動的成本，或反過來進行，企業可以辨認出垂直鏈結。垂直鏈結常常被忽略，因為找出它們需要對上、下游廠商的價值鏈有深入了解。

　　一般說來，企業與上游供應商的鏈結，往往集中在供應商的產品設計特性、服務、品質管制程序、包裝、交貨程序和訂貨流程上。企業和供應商間的鏈結形式，也可能表現在某一項供應商所進行的活動，而這一項活動如果供應商不執行，企業就必須自己承擔。在前述以及其它領域中，供應商在它的價值鏈中進行活動的態度，必然導致企業成本的增加或減少。

　　供應商鏈結影響企業成本的典型例子包括：供應商交貨頻率、時機與企業原料庫存之間的鏈結、供應商應用工程支援與企業技術研發成本間的鏈結、供應商產品包裝方式與企業物料處理成本之間的鏈結。以第二章提到的例子來說，當供應商以散裝的液態巧克力漿取代十磅重的塊狀巧克力條交貨，就能降低糖果商的加工成本。通常，供應商與企業間的鏈結提供了降低雙方成本的機會，例如：供應商改以液態巧克力交貨時，它的成本也會降低，因為如此可以省略巧克力條的鑄型和包裝成本。

　　如同企業管理內部所有鏈結的作法，供應商鏈結也可以透

過協調和最佳化等方式降低整體成本。最容易利用的鏈結是能使企業與供應商雙雙降低成本的鏈結。但是，有時候對於供應商鏈結的利用，可能必須提高供應商的成本，才能夠降低企業的成本，並且使成本降低的幅度大於供應商成本上升的幅度，在這種情況下企業必須準備提高採購價格來補貼供應商，使得對鏈結的利用能夠順利進行。相反的情況也有可能發生，如果供應商提供高於企業成本上升幅度的補貼性折扣，企業也必須準備提高內部成本。

同樣的方法也可以用來分析企業與通路間的鏈結。典型的鏈結型態對供應商與通路而言完全相同。舉例來說，通路廠商的倉儲地點與物料處理技術會影響到企業的出貨後勤與包裝成本。同樣地，通路廠商的銷售和促銷活動，也會降低企業的業務成本。如同企業與供應商的鏈結，它與通路廠商的鏈結也可能同時降低雙方的成本。然而，企業利用通路鏈結時，也可能需要通路廠商提高成本，以便讓企業成本下降的幅度能夠高於通路廠商成本上升的差額。然後，再提高通路的利潤，以彌補通路改變作業型態，協助企業降低成本的損失。精工錶（SEIKO）在美國的作法是，提供鐘錶店豐厚的費用，使對方願意接受精工錶客戶的維修要求、並負責將鐘錶送回日本修理。這個方式大幅降低了精工錶對於服務據點的設置需求，同時也降低了維修、與通知客戶維修進度的成本。

垂直鏈結涉及各自獨全的企業，對於如何利用鏈結、如何分配所獲得的利益，並不容易達成協議。而除非企業擁有強大的議價實力，要求供應商或通路廠商提高成本以降低自己的成

本、更是十分困難。企業利用鏈結時，為了將一方或雙方緊密聯繫起來，也可能必須建立移轉成本這項副產品。由於達成協議需要高度的承諾與信任，雙方協議以相同方式利用鏈結的複雜性更大。無論如何，利用鏈結的報酬可能很誘人，因為競爭對手很難在這方面迎頭趕上。

交互關係

　　企業內不同經營單位間的交互關係也會影響成本，第九章將對這部分做更詳細的說明。各種交互關係中，最重要的類型是相關經營單位間價值活動的共用。譬如說，美國醫院供應公司（American Hospital Supply）發現，當旗下各個生產醫療用品的經營單位，共用一套訂貨流程與配銷系統時，成本明顯的降低。另外，金融服務業的花旗集團（Citicorp）與西爾斯公司，則因共用行銷和通路而獲益。另一種交互關係的形式，我稱之為無形的交互關係，它涉及在類似的價值活動中對於專業技能的共享。以艾默生電子為例，它以某個事業部門成本削減過程中所獲得的專業技能，協助其他事業部門達到相同效果。

　　共用價值活動能夠提高該活動的產出。當活動成本對規模經濟或學習很敏感時，共用此一價值活動可以降低單位成本。如果不同經營單位在不同時間，對同一價值活動有相同的需求，也會改變產能的利用型態，並因而降低單位成本。共用價值活動也是達到規模經濟、縮短學習曲線、或使產能因跨越單一產業界線而得到充分利用的潛在方式。價值活動的共用因此成為企業在特定產業中位置的代表。然而，共用價值活動總是

會關係到成本，因此也必須衡量利弊得失。另一種型態的交互關係是，在不同活動中分享相同的專業技能。如果活動相似而且此一專業技能會顯著改善活動效率時，這麼做將有助於降低成本。因此，分享專業技能其實就是將學習的成果由一項活動帶到另一項活動。

整合

價值活動中垂直整合的程度也可能影響它的成本。譬如說，如果企業擁有自己的電腦系統與軟體，則訂單處理系統的成本，可能比外包給資訊服務廠商更低。而企業是否擁有自己的運輸車隊，對於出貨後勤的成本也具有重大影響。每一種價值活動都需要、或可能需要採購項目，因此也涉及外顯的或隱藏的整合選擇。

透過整合來降低成本的方式很多。整合可以減少運用外界市場的成本，如採購、運輸等，也可避免企業受制於供應商或客戶的議價實力。整合也可以帶來聯合作業的經濟效益，以鋼鐵業來說，如果鋼材可以從煉鋼作業直接轉送到加工作業，就可以省略將鋼材重新加熱的手續。問題是，整合也會帶來某些問題，如缺乏彈性、某些活動轉移到企業內部之後成本反而比向供應商採購更高、受到供應部門關係牽制而缺乏追求效率的動機，退出障礙升高等不利現象，這些都會提高企業的成本。整合的結果究竟會提高、降低、或對成本完全沒有影響，要看它涉及哪些價值活動和採購項目。有時候，分散（de-integration）可能更為理想。

在一項價值活動中，企業必須評估對每種採購項目進行整合的潛在利益。反過來說，它也必須檢查目前在企業內部進行的各項功能，評估分散的作法是否能在不違背企業策略的情況下，降低這項活動的成本。企業的成本分析經常忽略了分散也是一種可行的選擇。整合與分散的分析不能只有主要的採購項目，同時也需要注意輔助性服務與其他支援功能。譬如說，雖然產品和服務通常是不可分的，但有時也可只買產品而不需要服務。企業通常可藉著整合某些輔助性服務，然後持續購買最基本的產品以降低成本。

時機

價值活動的成本通常與時機有關。有時候，企業可能因為率先進行一項特定活動，因而取得先發制人的優勢。通常，第一個進入市場的主要品牌，建立與維持品牌知名度的成本比較低。生產嬰兒食品的嘉寶（Gerber）正是應用這項優勢的實例。由於行動時間決定了學習的起點，因而學習與時機也有密切的關聯。廠商也可能因搶先行動，反而喪失優勢。後進的廠商往往能夠採購最先進的設備，或迴避先入廠商在產品與市場開發上負擔的高成本。後進的業者也可能得以調整價值鏈，使它與大部分生產要素成本相配合。另一個後進廠商的優勢是，它所雇用的員工可能不需要深厚的資歷，相對的薪資也比較低。新成立的航空公司如人民航空，員工資歷就不及歷史悠久的泛美航空（Pan-Am）。此外，在比較艱鉅的情況下招募的員工，一般也比較不會組織工會。

在成本地位上，時機所扮演的角色比較著重於經濟循環或市場條件，並不純粹是時間因素。譬如，採購海上鑽探器材的時機就受到產業週期的強烈影響，不但影響到利息成本，連設備本身的價格差距也很大。海洋探勘公司（Ocean Drilling and Exploration Company）的成本領導權策略中，在產業不景氣、設備價格低迷時進行採購，就是很重要的一環。時機究竟會提高、或是降低與競爭者比較的相對成本，則因價值活動而異。時機可能帶來持久性的成本優勢，也可能只是短期間的成本優勢。企業可能在偶然的時機中，以較低的成本取得某一項資產，但是，當這項資產需要替換時，卻大幅提高企業的相對成本地位。

獨立於其他驅動因素之外的政策

除了以上驅動因素以外，企業選擇的政策也會影響到價值活動的成本。企業所選擇的政策反應出它的策略，通常也涉及成本與差異化之間的輕重權衡。譬如航空公司的成本地位是由餐點品質、使用的機型、機場接待的服務程度、容許攜帶行李的重量，以及在機場櫃台、市區辦公室或機上直接購票等等因素決定。僅提供基本服務的陽春航空公司，可以藉由不供應餐點或餐點費用另計、使用設備簡單的二等機場、不提供免費行李托運、甚至機上購票等方式降低成本。

以下是一些可能對成本有重大影響的政策：

❑ 產品的規格、功能和特性。

- ❏ 產品的種類和組合。
- ❏ 服務水準。
- ❏ 市場和研發活動的費用比例。
- ❏ 交貨時間。
- ❏ 目標客戶。（小型或大型客戶）
- ❏ 所使用的通路。（如少數高效率的代理商或多數小規模的代理商）
- ❏ 製程技術的選擇、獨立或建立規模、時機或其他成本驅動因素。
- ❏ 原料或其他採購項目的規格。（如半導體產業中，原料品質會影響到完成品的良率）
- ❏ 相較於一般水準，薪資與對員工的照顧。
- ❏ 其他如聘用、訓練和員工激勵等人力資源政策。
- ❏ 生產進度、維修、業務人員與其他活動的程序。

　　政策選擇雖然是價值活動成本中獨立的決定性因素，但是它們與其他成本驅動因素之間，通常是交互影響的。譬如；製程技術通常受到產量規模與產品特色的影響。甚至於，其他成本驅動因素也必然會影響到政策的成本。像自動售票與劃位系統就受到規模經濟的限制，使得小型航空公司難以負擔這種高成本設備。

　　政策通常是差異化策略中的核心因素。差異化經常建立在政策選擇上，不同的政策選擇，使企業在審慎提升流程成本時，表現出一項或多項價值活動的獨特之處。採行差異化策略

的企業，必須了解成本與差異化息息相關，必須對差異化的成本與產生的溢價進行比較。要做到這一點，只有將政策對成本的效應獨立出來分析。許多時候，企業選擇看似有利的差異化政策，但是當該政策對成本特性的作用明朗時，卻又證明它的成本非常高。此外，企業可能放棄對成本影響不大卻能提高差異性的政策、或是執行成本較競爭者為低的策略。像康寧玻璃纖維（Owens-Corning Fiberglas）就應該利用大量的廣告，形成與競爭對手的差異。因為廣告的規模經濟受到全國市場占有率的影響，對康寧而言，利用廣告打開品牌知名度，成本較其他競爭對手為低。

在決定成本的因素上，政策扮演極重要的角色，成本分析必須要發掘它們的影響。許多企業並不了解它們有形或無形的政策選擇對成本的影響範圍。企業應該詳細檢查每項價值活動，辨認有形或無形的政策選擇對這些價值活動的具體影響。有時候，政策選擇很難察覺，因為它們承襲或代表了不可挑戰的傳統智慧。探究競爭對手每項活動的政策，常常能提供企業對有形或無形政策選擇的洞見，並能夠提供改善政策以降低企業成本的可行方法。政策的選擇經常會快速的轉變，並對成本削減產生立竿見影的效果。

地點

不僅價值活動所在的地點會影響到它的成本，價值活動之間的相對地理位置也會影響成本。由於地點通常反應出所選擇的政策，可能是由於歷史因素、採購項目所在地點、和其他因素的發

展而來。因此，地點應該被單獨看成一項成本驅動因素。

價值活動所在地點可能對成本產生幾個方面的影響。不同地點的勞動成本、管理成本、科技人力成本、原料成本、能源成本、乃至於其他因素的成本都不一樣。比方說，一般工資和稅率就因國家而異，甚至於一國家內的不同地區、城市也有差別。在生產汽車零件方面，伊頓公司（Eaton Corporation）就應用這個因素而獲益，它在義大利和西班牙設廠，以獲得在歐洲的低成本效益。由於不同地點的基礎建設程度不同，因而影響到企業基本設施的成本。不同地點的氣候、文化和品味也不相同，這些不僅影響到對產品的需求、也影響到企業進行價值活動的型態。譬如說，工廠要求的工作態度必然與當地的文化型態有關。最後，後勤成本通常依地點而定。企業所在地點與供應商的相對位置，是進料後勤成本的重要因素。同樣地，客戶與企業所在地點的相關位置，也對出貨後勤成本影響甚巨。設備所在地點間的相對位置也會影響到變換運輸工具、庫存、運輸、協調的成本。地點也塑造出企業所使用的通訊系統和運輸方式，這又影響到成本。

地點幾乎影響到所有價值活動的成本。然而，除了比較明顯的工資和稅率差異之外，企業一般不太注意地點對成本的影響。然而，變更價值活動的進行地點，或重新安排相關設施之間的相對位置，都有降低成本的機會。變更地點通常也需要權衡輕重。它會降低某些成本，相對的也會提高其他成本。能夠將運輸成本或其他費用降到最低的地點選擇，通常會犧牲規模經濟。改變規模經濟的技術變革則會改變歷史傳統，工資及其

他成本的相對變化也面臨同樣的結果。因此,如果企業能率先洞察變更地點所帶來的機會,就可能創造成本優勢。

社會制度因素

社會制度因素包括:政府法規、獎勵投資條例、其他財稅誘因、工會活動、關稅和課稅、當地法規特色等,構成最後一項主要的成本驅動因素。以一九八〇年代的美國卡車業為例,社會制度因素可能是這項產業最主要的單項成本驅動因素。新通過的法規允許搭載兩截拖車,對業者成本的影響可能達一成。同時,具有公會組織的貨運公司薪資成本較沒有工會組織的貨運公司為高。這兩項因素對卡車廠商間相對成本地位的影響力,遠超過其他驅動因素。另一個社會制度做為成本驅動因素的例子是能源成本——決定煉鋁業成本地位的最主要因素,與電力公司的電費費率有關,在電力公司屬於國營的地區,電費是一項高度政治性問題。有些國家因為電費快速調高,造成它們無法在煉鋁業競爭。正如不利的社會制度因素會提高企業成本,有利的社會制度因素可以減少企業成本。社會制度因素通常不在企業所能控制的範圍之內,但是企業並不乏影響或降低社會制度因素衝擊的工具。

診斷成本驅動因素

在一項價值活動中,決定資產利用率的成本驅動因素和決定作業成本的成本驅動因素是相同的。譬如說,成品庫存的週轉通常與訂貨流程活動的規模,以及交貨時間的政策有關。資

產利用率和作業成本之間通常存在權衡取捨的問題。大規模生產工廠的作業成本可能較低，但是資產週轉率就不如小工廠。企業必須找出這些權衡問題，使資產和作業成本能夠有效組合發揮最大作用，並降低總成本。表3.2列出某些資產使用的驅動因素。

　　一項價值活動的成本特性通常不是單一成本驅動因素造成的。某項成本驅動因素可能是最主要的影響因素，但是成本通常是好幾項驅動因素互動的結果。像航空公司在登機門服務台的作業成本，反映出決定公司服務範圍的政策、區域規模（影響到人員和設備的使用效率）和產能使用模式（反映在班機的飛航時間表）。圖3.2顯示一家消費性耐久財廠商最重要的成本驅動因素。

　　在時間許可下，企業應該儘可能將成本驅動因素與價值活動成本的關係量化。這需要對每一項價值活動的：規模或學習曲線、每項重要政策對活動成本的影響、是否掌握了成本優勢時機或是錯失時機等等，每項成本驅動因素進行評估。這項評估作業並不需要很精確，但是為了區別每項成本驅動因素的相對顯著程度，起碼的量化是必要的。量化也將使企業更容易評估它與競爭者間的相對成本地位。

　　價值活動所使用的技術本身並非成本驅動因素，而是成本驅動因素互動的結果。規模、時機、地點和其他成本驅動因素，都會影響到技術的採用，以及企業政策和採用技術的組合。技術和成本驅動因素之間的關係，會決定技術變革的可行性。這也是第五章的主題所在。

表3.2　特定價值活動中，資產使用率的驅動因素

驅動因素	作業			實物配送			訂貨流程	
	物料庫存	半成品庫存	生產設備	後勤設備	成品庫存	電腦系統	訂購流程	應收帳款
規模	採購規模（會受到供應商交貨方式的影響）	工廠規模	設備規模	設備規模	區域性規模	全國性規模	訂購規模	應收帳款規模
學習			建廠的經驗	建立設備的經驗				
鏈結	供應商的交貨日程及包裝			通路的倉儲地點	通路的存貨標準		通路的付款政策	
產能使用形態		生產的季節性／週期性	生產的季節性／週期性	運輸的季節性／週期性	需求的變動			
整合		垂直整合	垂直整合	垂直整合		垂直整合		
時機			建廠日期購置資產的時機	選擇技術的時機		選擇技術的時機		
政策	安全庫存量 付款程序	安全庫存量 老化或整修的維護需求 生產技術 生產速度的穩定性	生產技術 施工的速度	後勤技術	老化或整修的維護需求 送貨給客戶所需的時間	系統技術		付款條件 帳期政策 應收帳款核查技術

圖3.2　消費性耐久財生產公司的成本驅動因素

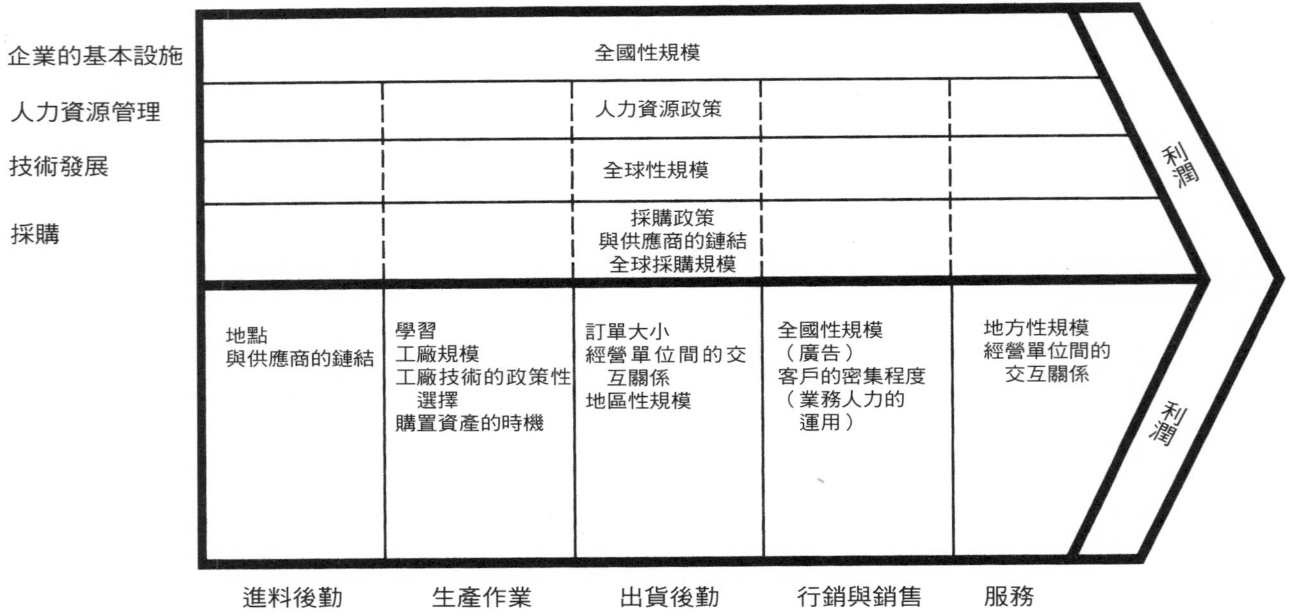

企業的基本設施				全國性規模		
人力資源管理				人力資源政策		
技術發展				全球性規模		
採購				採購政策 與供應商的鏈結 全球採購規模		
	地點 與供應商的鏈結	學習 工廠規模 工廠技術的政策選擇 購置資產的時機	訂單大小 經營單位間的交互關係 地區性規模	全國性規模 （廣告） 客戶的密集程度 （業務人力的運用）		地方性規模 經營單位間的交互關係
	進料後勤	生產作業	出貨後勤	行銷與銷售		服務

　　驅動因素之間的互動：活動成本通常由成本驅動因素間的互動關係來決定。互動的形式有兩種；驅動因素彼此增強或抵消對方的效果。驅動因素通常增強或和其他因素產生關聯，進而影響成本。比方說，一項價值活動的規模經濟範圍，部分決定於企業希望這項活動如何進行的政策性決定，部分則看產品組合的程度。地點對成本造成的影響通常與工會活動或法規等社會制度因素有關，而在零售業等產業中，要確保一個好的地點則需要搶占先機。政策選擇也可以使鏈結更容易或更難以運用，而如前面提到，政策的成本也會受到其他成本驅動因素的影響。如將在第五章討論的，經濟規模或學習效果可以增強搶先時機的優勢。整合通常也有助於提升規模經濟。

　　成本驅動因素也可能會相互牽制，抵消彼此的效果。當企業某一項驅動因素獲得正面改善時，另一項驅動因素可能因此處於不利的狀態。大規模和高度的垂直整合就常導致產能未能充分利用的問題。同樣地，擴大規模也會提高工會活動的可能性。規模經濟的優勢更可能因單一地理位置所造成的高運輸成本而抵消。

　　辨認價值活動的成本特性時，必須先了解成本驅動因素間的互動關係。當成本驅動因素彼此有增強效果時，企業必須協調它的策略以達到最低成本。譬如說，政策選擇應該有助於提高企業獲取規模經濟、或運用鏈結的能力，積極追求學習效應、利用搶占先機的優勢。排除成本驅動因素的不一致性，並利用成本驅動因素的增強效果，可以明顯改善成本的相對地位。

　　成本驅動因素間存在的相互牽制現象，意味著對最佳化的需求。比方說，選擇地點時必須能衡量規模經濟、運輸成本、薪資等相互牽制的因素，以便達到最佳化。工廠規模的選擇也要衡量閒置產能的成本。有時候，透過政策選擇，這些牽制效果也會產生變化。例如，選擇彈性製造流程，可以改變生產規模和產品多樣化之間的權衡程度。要解決這類牽制現象，大前提是各項驅動因素對活動成本的影響必須量化。

　　成本驅動因素間的互動通常很微妙。通常很難被確認，特別是當成本驅動因素正在變動的時候。因此，將觀察成本驅動因素互動的洞見轉變為策略的選擇，正是建立持續成本優勢的泉源。

　　辨認成本驅動因素：要找出成本驅動因素並量化它們對成本的影響，不是件容易的事。但是仍然有幾種方法可以採用。有時候，企業可在檢查經濟基本面時，直覺發現價值活動的成本驅動因素。比方說：業務成本通常是受當地市場占有率左右，因為高度的本地市場占有率能夠降低交通時間。要評估業務成本和市場占有率的關係，一個合理而準確的作法是，估算出占有率提高的程度與平均交通時間的關係。除了根據總成本外，其他衡量價值活動效率的方法，通常也有助於了解和量化它的成本特性。譬如產量、廢料比率、工作時間和其他評估方式，也能夠探索價值活動成本變化的根源，以及它們之間的邏輯關係。

　　另一個找出成本驅動因素的方式是，檢查企業內部的營運

經驗。這種作法尤其適用於，當企業的狀況已經過一段時間的變遷，或是經營多種事業部門時。例如，當企業依據通貨膨脹以及政策、產品設計、產品組合方面的變更來調整成本時，企業過去的成本資料能夠顯示出價值活動過去的學習曲線。過去不同規模的產出成本也可以作為規模經濟問題的借鏡。當企業同時在好幾個地區銷售或設廠製造時，不同地區之間的差異也能夠顯示成本驅動因素。

請教專家，也是辨認成本驅動因素的方法之一。企業可以向對某項價值活動具有廣泛知識的專家，請教假設性問題，藉以了解改變成本中某些變數後的可能效果。譬如說，向生產線經理請教時，重點可以放在「如果」將生產線的速度提高兩倍，對所需人力、能源消耗和產量可能產生什麼影響？

最後一種辨認成本驅動因素的方法是，比較企業和競爭對手在同一項價值活動上的成本，或比較其他競爭者之間的成本。由於競爭對手通常受不同成本驅動因素影響，這種比較可以顯露出哪一種成本驅動因素最重要。後面將討論如何分析競爭者的成本特性。

採購項目的成本

無論是哪一種產業，採購都是一項很重要的策略性工作。但是廠商常常忽略採購的重要地位。從採購原料進行零組件製造到專業服務、辦公場所和資本財等，每一項價值活動事實上都使用到某些型態的採購項目。採購項目可以分成採購作業項目和採購資產兩大類。採購總成本占企業價值的百分比，是採

購活動一個重要的策略性指標。在許多產業裡，採購項目的總成本占企業價值的很大比例，但是企業對它的重視程度還比不上對降低勞工成本的重視。

採購項目的成本是價值活動成本的一部分。前面提過的成本驅動因素決定了採購成本的特性。然而，將採購項目隔離，單獨分析時，將對成本特性有更深入的了解。一項價值活動中的採購項目成本是由下列三項因素形成的：它們的單位成本、它們在價值活動中的使用率，以及它們透過鏈結對其他活動產生的間接影響。雖然，採購項目的單位成本通常在各種活動中具有相同的驅動力，價值活動中採購項目的使用率，以及和其他活動的鏈結關係，最好還是當作某一價值活動整體成本特性的一部分來分析。整個企業實際上的採購動作也會影響到許多採購項目的單位成本。因此，企業可以將採購項目的單位成本組合起來進行分析，進而發現降低單位成本的方法。

在區隔採購項目的單位成本並做分析時，企業必須先了解前述的三種因素。高品質的鋼材可以提高冶煉作業的產量，也能簡化機械加工程序。某些情況下，企業可能因為在採購項目上增加開支，而達到降低總成本的效果。因此將單位成本降到最低不一定是最適當的。然而，決定採購項目的適當形式和品質之後，尋求可能的最低單位成本仍是合理的。

企業的採購分析，通常只注意到最明顯的原料和零組件等項目。但是，如果將原料和零組件之外的其他採購項目累計起來，經常占更大的成本比重。標準的成本系統通常將這些採購項目的成本分配到許多不同的成本項目中，而沒有強調它們的

重要性。採購分析也常常忽略維修、專業服務等採購項目，而對企業內部其他事業單位的採購，也很少運用等同於對外採購的嚴格審查標準。最後，採購資產通常在缺少相關專業知識，並且不依循正常採購系統的情況下進行。對採購項目單位成本的完整分析，因此成為獲得成本優勢的重要工具。

採購資訊

　　建立採購資訊，正是分析採購項目單位成本的起點。企業首先要辨認所有重要的採購項目，決定它們每年或每季的支出。這份清單必須包含對姊妹事業單位的採購項目。在採購作業項目時，估算每個階段的使用量是估算成本中比較容易的一種方法。但是，這項分析必須說明預付款、折扣和庫存量的變化。對採購資產而言，總採購金額可當作成本的指標，再依據供應商提供的免費服務、免費備份零件或低利貸款等優惠調整。

　　所有重要的採購項目都應該被標示出來，並根據它對總成本的重要程度順序排列。接下來，它們應該被區分成採購作業項目和採購資產，再細分成原料、辦公場所等定期採購項目，以及設備、諮詢服務等不定期採購項目。以這種方式條列採購項目，能夠導引出有機會降低成本的領域。少量採購的採購項目通常提供許多降低成本的機會。經理人通常將注意焦點集中於少數幾種在成本中占相當大比例的採購項目。結果，供應商通常是在占客戶成本比重極少的採購項目上創造最大利潤。當大多數企業努力監控週期性採購時，對非週期性採購則缺乏足

夠的注意。企業應該長期計算每項採購項目成本依通貨膨脹調整後的變化。這些計算會進一步提示哪些項目該被仔細檢查。當某個採購項目的單位成本實質上增加時，相對顯示出企業對成本控制的注意不夠，或供應商的議價能力正在增強。

　　企業將採購項目按照採購規模、採購週期和實際成本變化歸類後，進一步要標示出這些採購的決策單位。許多採購必須得到採購部門以外的人授權。但是採購部門才是執行採購流程、具有專業知識、系統化追蹤採購成本並控管成本的地方。雖然，授權企業內的其他部門進行採購，常常是基於現實上的需求。但是，除非企業能要求這些部門如採購部門一般用心，否則很容易隱藏許多採購項目的成本，並導致採購效率低落。

　　建立採購項目資訊的最後階段是，記錄每個採購項目的供應廠商，以及在一個採購週期裡，每家供應廠商的採購比例。供應商的數目和組合方式在決定採購項目成本上扮演很重要的角色。企業也應該系統性追蹤目前沒有來往的潛在供應商。這會使企業固定握有可供選擇的供應商名單，並且更加了解目前供應商的表現。一張列出所有採購項目及供應商的清單，常常能提供有趣的結論。比方說，在所有採購項目中，僅有單一來源的採購項目可能占相當大比重。除非有特殊狀況，單一來源通常意味著供應商已經成功建立移轉成本，而這類項目的單位成本也可能會偏高。

採購項目成本的驅動因素

　　前面所列舉的成本驅動因素，加上企業與供應商之間基於

產業結構的議價關係，形成了採購項目的成本特性。結構性議價關係反映出影響供應商利潤的概括性產業因素，而個別企業因成本驅動因素所形成的特殊狀況，也會影響供應商的利潤。當企業因這些結構性因素，必須付給供應商較大利潤，才能採買某些採購項目時，控制成本驅動因素就有助於降低所有採購項目的成本。某些驅動因素對許多採購項目的成本具有相同的影響，表3.3摘列其中最重要的部分因素。對每項採購項目而言，相對於驅動因素的成本地位，將決定採購項目在一定品質下的單位成本。

如第二章所討論的，企業為了降低總成本，除了創造它與供應商間的議價實力之外，還應設法協調或結合和供應商之間的鏈結，使鏈結能夠最佳化。發揮鏈結作用的前提是，企業必須和供應商進行有效的溝通。理想的情況是，企業運用它的議價實力，以及現有的鏈結關係，以取得應有的利益。採購政策在利用供應商鏈結和改善企業議價實力上，都扮演重要的角色。

供應商的成本特性與採購項目成本

供應商的成本特性不論對採購項目的成本，或是企業對供應商鏈結的應用上，都具有重要影響力。供應某一種採購項目的不同供應商，通常具有不同的相對成本地位，找出最低成本的貨源，以及企業對於本身議價實力的運用，長期看來將有助於降低單位成本。供應商的成本特性會決定，大量採購是否能夠降低供應商的成本，以及企業本身採行的其他附加動作、或

表3.3　採購項目單位成本的驅動因素

成本驅動因素	應用於採購的成本驅動因素	說明
規模經濟	採購規模	向某一供應商的採購量影響議價實力
鏈結	與供應商的鏈結	與供應商在規格、交貨、及其他活動的協調將降低總成本
交互關係	與其他經營單位共用的採購活動	與其他經營單位聯合採購。能夠加強對供應商的議價實力
整合	自製或外購	整合可能提高或降低採購項目的成本
時機	與供應商往來的歷史	過去與供應商來往的紀錄可能影響採購成本，以及貨源短缺時取得採購項目的困難度和供應商的服務
政策	採購方法*	採購方法能夠顯著加強對供應商的議價實力，以及供應商提供額外服務的志願，如 · 供應商的數目及組合方式 · 對供應商成本、供貨能力等資訊的投資 · 年度採購合約或分別採購 · 副產品的利用
地點	供應商的所在地點	供應商所在的地點會透過運送成本和連絡的便利與否，影響採購成本
社會制度因素	政府以及工會的限制	政府的政策會透過關稅、稅制，以及其他方式限制採購項目的取得，或影響其價格 工會可能影響向外界取得資源的能力，或是能否向沒有工會組織的供應商進貨

*隨後將詳細討論能夠降低採購成本的採購方法。

要求供應商執行的附加動作，對供應商成本的影響。供應商成本特性的分析方法與企業成本特性的分析方法相同。了解主要供應商的成本特性，使企業能夠建立更理想的採購政策，也有助於確認並運用供應商鏈結。

產業區段的成本特性

截至目前為止，我討論的是如何將經營單位視為整體來進行成本分析。在實務上，經營單位通常生產許多種類的產品、銷售給不同的客戶，還可能應用到許多不同的通路。一家造船公司既承造運送液態天然氣的油輪，也承造貨櫃輪。而一家銀行的貸款對象除了金主型大戶，也有一般中等收入的客戶。這些差異都可能形成具有不同價值鏈成本特性的產業區段。除非企業注意到不同產業區段之間在成本特性上的差異，否則很容易因不正確的定價或平均成本定價而為競爭者打開機會的大門。因此企業對經營單位層級的成本分析，必須經常以產業區段層級的分析做為補充。

第七章將更詳細討論如何確認與分析產業區段。各種產品、客戶、通路、地理區域之間的成本特性差異，是不同產業區段存在的基礎之一。因此成本分析是劃分區段的基礎要件。一般說來，產業區段的價值鏈與整個經營單位的價值鏈平行，不過，產業區段的價值鏈可能在某些方面對成本有不同影響。譬如說，同一類產品中，體積大的產品相較於體積小的產品，可能需要不同的生產機器，並且需要不同的處理、檢查和運送程序。同樣地，它們也可能需要不同的採購項目。了解不同產

業區段在價值活動上的重大差異，也就是區段成本分析的起點。

　　企業應該對具有以下三種特徵的產品線、客戶類型或價值活動中的其他部分，進行成本分析：

❑ 價值鏈具有明顯差異。
❑ 顯然具有不同成本驅動因素。
❑ 成本的分攤程序有問題。

　　在實務上，企業可能需要選擇不同但具有代表性的產品或客戶，以顯示區段之間的差異性，而不必對所有的產品或客戶做完整的分析。

　　分析產業區段成本特性的程序與分析經營單位的方法相同。首先確認產業區段的價值鏈，再對成本和資產進行分攤歸屬，然後決定每項價值活動的成本驅動因素，可能的話並對它們進行量化。整個程序雖然相同，但實際進行時常常會出現某些複雜的問題。產業區段間普遍共用的價值活動，需要在這些區段間進行成本分攤（見第七章）。標準的成本系統通常使用決斷性指標（arbitrary measures），做為在產業區段間分攤成本的基準，例如業務量或其他容易衡量的變數。這些指標雖然簡單好用，但是對了解產業區段和總成本之間的關係幫助不大。譬如說，根據業務量將一項價值活動的成本分攤到國外和國內客戶身上，會嚴重低估國際業務的真實成本，原因是國際銷售與國內銷售通常在時間和關注程度的需求上不成比例。支援活

動成本和間接主要活動的成本,通常最容易被錯誤分攤。這些錯誤導致對產品或客戶區段做出不正確的成本分析和不適當的產品價格。

產業區段之間共用價值活動的成本,應該根據每個區段實際上對價值活動的作用、或產能的影響進行分攤。這種評量能夠找出某個產業區段使用共用價值活動的機會成本。以研發活動為例,成本的分攤可能應按照研發人員和工程師對特定產品線所投入的時間,而不是該項產品的銷售量。

企業不需要隨時分攤產業區段間共用價值活動的成本,而且這種作法也不見得適當。因為,基於策略考量而進行的分析只要週期性的研究即可,它的精確度不必太高。例如分攤研發成本時,可以與工程師面談,以確定他們在一定時間內,對不同產品和客戶所投入的時間比例。這個期間只要長到可以避免誤導即可。有些企業可能採用抽樣調查的方式,以業務部門轉交工程單位的流標變更申請、或修改產品的要求,來計算時間分配狀態。這種化約方式可以做為任何共用活動在產業區段間分攤成本的基礎。

動態成本

企業除了分析特定時間點的成本特性之外,還必須考慮,價值活動的絕對成本與相對成本,如何隨著時間的改變,產生與策略無關的變動。我稱它們為動態成本(cost dynamics)。分析動態成本使企業能夠預測價值活動的成本驅動因素如何變化,哪些價值活動的絕對成本或相對成本會愈來愈重要、或愈

來愈不重要。能夠洞悉動態成本的企業，就有能力預期變化並迅速反應，進而獲得成本優勢。

　　動態成本肇因於成本驅動因素長期的交互作用，如企業成長或產業條件變化。最普遍的動態成本來源包括：

　　產業實質成長：產業整體的成長常會對成本產生許多效應。產業成長會透過採購項目影響供應商產業的規模與採購項目成本。某些產業的成長會破壞供需平衡，並造成採購項目的成本上揚，某些產業成長時，則會使供應商更有效率，進而降低採購項目的成本。產業成長也會引進一些可以應用在價值活動中的新技術，提高規模經濟的可能性。

　　不同的規模敏感度：當價值活動具有不同的規模敏感度時，企業銷售的實質成長（或衰退），會戲劇性的改變價值活動的絕對成本和相對成本。譬如說，在電腦、電視遊樂器、通信器材等電子相關產業中，由於硬體成本對規模和學習的敏感度比軟體成本為高，相較之下軟體成本正逐漸升高。由於不同企業的價值鏈分別具有不同的規模敏感度，同樣的過程也會改變企業間的相對成本地位。例如，一般認為，禮來公司（Eli Lilly's）採用以去氧核糖核酸（DNA）為基礎的技術生產胰島素，就比諾佛工業（Novo Industries）的製程具有更高的規模敏感度。如果這種看法屬實，禮來的相對成本地位將因銷售量增加而改善。

不同的學習速度：對於不同的價值活動而言，學習的速度不同，價值活動的相對成本也會改變。當價值活動的學習迅速時，學習的效應會降低價值活動的相對成本。對許多電子公司而言，學習速度快可以大量降低裝配成本在銷售總額中的比例。這也大幅降低了不同地區、或國家的組裝作業員的工資差異，對於相對成本地位的影響。

技術變革的差異：技術變革的速度快慢，明顯影響不同價值活動的相對成本與它們的成本驅動因素。比方說，低價位電腦的推出與空運的發展，革命性地改變了許多配銷產業的經濟結構。這些轉變使訂貨流程成本在總成本中的比例大幅降低，並使配銷廠商朝大型物流中心的方向重建分銷系統。

相對通貨膨脹的成本：價值活動中主要成本因素的通貨膨脹速度通常不同，而且會明顯改變它們的相對成本。由於通貨膨脹率的差異，一項原本不重要的價值活動可能會迅速成為重要的策略性活動，或者使價值活動中某一項比重很小的成本項目變成主要項目。比方說，由於石油價格的上漲速度遠高於薪資和設備的費用。今天，航空公司的作業成本中近五成是燃料成本。這項變化也導致航空器的耗油量、飛行航線的先天效率，乃至於作業程序都成為企業策略中至關重要的項目。

老化：正在老化的資產或勞動力，會改變價值活動的相對成本。老舊的海洋鑽探設備需要更多的維修，而且保險費也較

高，另一方面資深勞工的薪資與福利費用也比較高。

　　市場調整：市場作用力通常會反制採購項目成本的高低差異，也會消除或降低個別企業在採購活動中得到的優惠。人民航空和其他新的航空公司以購買市面上供過於求的二手飛機，而在飛機的採購成本上享受絕對優勢。但是這套策略的模仿者最後將導致二手飛機被採購一空，而人民航空就必須和其他航空公司在更平等的基礎上競爭。

　　動態成本會導致產業結構和相對成本地位的明顯改變。以鋼鐵業為例，技術變革和原料成本的不斷變動，確實改變了影響綜合鋼鐵業最小效率規模（minimum efficient scale）的階段因素。過去，初級輥軋機決定了最小效率規模，如今則邁入由高爐決定最小效率規模的階段。在生產半成品鋼錠上，也出現了比初級輥壓法更低成本的連續鑄造法。連續鑄造法的規模敏感度也比初級輥壓法要低。這些改變根據廠商的不同流程設計，實際反映到相對成本地位上。像紐科（Nucor）和孤星（Lone Star）等小型鋼鐵廠因為運用連續鑄造技術，加上比現有競爭者更低的勞動成本，因而能在市場上占有一席之地。儘早辨認動態成本，將使企業掌握住那些對未來相對成本地位影響重大，但目前也許還不受重視的價值活動，進而取得重要的成本優勢。

成本優勢

如果企業所有價值活動的累計成本低於競爭對手時，它就擁有成本優勢，同樣道理也適用於評估潛在競爭對手的成本。成本優勢是否具有策略價值，關鍵在於它的持續力。如果企業的成本優勢是競爭者難以複製或模仿的，它就具有持續力。此外，如果企業提供的價值，以一般市場價格讓客戶接受，那麼成本優勢將使得企業表現傑出。

企業的相對成本地位是以下兩項因素的具體反映。

❑ 與競爭對手間價值鏈組合的比較。
❑ 每項價值活動成本驅動因素的相對地位。

競爭廠商間的價值鏈可能有同有異。以航空公司為例，環球航空和聯合航空的價值鏈相近，但是與人民航空截然不同。當競爭對手的價值鏈不同於自己時，這兩套價值鏈內在的效率將會決定相對成本地位。價值鏈的差異通常僅止於某些特定價值活動的差異，因此企業可以藉著比較這些不同活動間的成本，將不同價值鏈對於相對成本地位的影響分離出來。

當企業的價值鏈與競爭對手相同時，此一價值鏈的相對成本地位取決於：價值鏈中每項價值活動之成本驅動因素與競爭者的對應比較。譬如說，如果業務成本受地區規模因素影響最大，企業的相對業務成本會反映出，競爭者在地區市場的占有

率，以及規模曲線的傾斜度。企業應該逐一評估一般性價值活動的相對成本地位，然後再把它們與不同活動的相對成本累計下來，好決定整體成本地位。

判斷競爭對手的相對成本

價值鏈是判斷競爭對手成本的基本工具。判斷競爭對手成本的第一步是標示出它的價值鏈，以及價值活動如何在價值鏈中運作。整套程序與分析企業本身的價值鏈一樣。在實務上，評估競爭對手的成本是件極端困難的事，因為企業通常得不到第一手資訊。但是透過某些公開資料，以及對顧客、供應商和相關人士的訪談，企業通常能夠直接評估競爭者在某些價值活動上的成本。譬如說：企業通常可以打聽到競爭對手雇用的業務員數目，以及他們大概的報酬和開支的額度。透過這種方式，企業可以開始估算競爭對手某些價值活動的成本。如此雖然不能完整呈現出競爭對手的成本，卻還是準確的。

對於無法直接評量的競爭對手價值活動成本，企業可以比較彼此間的差異。這就需要對有疑問的價值活動成本驅動因素做出判斷，並據以辨別競爭者的相對成本地位。接著再運用企業對成本特性的知識，評估競爭對手成本的差異。比方說，如果本地市場占有率是後勤成本的驅動因素，而競爭對手的本地市場占有率又比較高時，對方就可能在這項價值活動中具有成本優勢。如果企業能夠畫出後勤成本的規模曲線，那麼市場占有率的差異，就能夠成為企業評估失利程度的一種方式。

既然企業在某種程度上需要靠評估和推論來判斷競爭對手

的成本，因而有時候，只適用於評估大致的走勢，並不須評估
競爭對手在價值活動中相對成本差異的精確數值。但是，因為
企業可以將差異的發展方向，配合對每項價值活動所占的比例
的知識，形成競爭者相對成本地位的概況。這套作法仍是非常
有用的。

　　企業如果同時研究好幾家競爭廠商，對於估計競爭對手成本
的準確性也有很大幫助。一家競爭廠商透露出來的訊息，可以用
來和其他競爭廠商的情報交互檢驗，並用來測試特定價值活動的
規模曲線或其他成本模式的一致性。事實上，分析企業成本特性
和判斷競爭對手的相對成本通常是一個反覆進行的過程。

獲得成本優勢

　　企業要取得成本優勢，有下列兩種主要途徑：

❑ 控制成本驅動因素：某些價值活動的成本在總成本中占
　有顯著比例，企業可以透過關注它們的成本驅動因素而
　獲得成本優勢。

❑ 重新規劃價值鏈：企業可採用更有效率的方式去設計、
　生產、配送和行銷產品。

　　這兩種成本優勢的來源彼此並不衝突。企業和競爭對手的
價值鏈即使差別再大，仍然有某些相同的活動，而且這些活動
的相對成本地位會改善或削弱整體成本地位。

　　成功的成本領導廠商，通常都從價值鏈中的多重來源取得

成本優勢，而且具有持續力的成本優勢大多是結合多項活動形成，不會來自於單一活動。此外，要建立成本優勢，大多需要重新規劃價值鏈。企業要取得成本領導地位，需要不斷檢查企業內每一項價值活動，尋找降低成本的機會。猶有甚者，成本領導廠商的資深管理階層常常呈現出特別的組織文化，包括樸實的陳設、用具，主管津貼的限制等具象徵意義的實際行動，並且不斷強化這種特質。

　　成本削減不一定會傷害差異化。企業應該在不影響差異化的活動中，積極降低活動成本。即使有助於差異化的價值活動，企業也該有所選擇，必要時犧牲全部或部分的差異化，以有利於改進相對成本地位。

控制成本驅動因素

　　企業一旦標示出它的價值鏈，診斷過重要價值活動的成本驅動因素之後，只要能夠比競爭對手更有效控制這些成本驅動因素，自然會形成企業的成本優勢。企業對價值鏈中任何活動的成本驅動因素，都具有取得卓越地位的潛力，而在成本上占有顯著比重或持續成長的活動，也正提供了改善相對成本地位的最大契機。每項價值活動的最適成本驅動因素也許不同，以下是企業控制成本驅動因素，達到價值活動成本優勢的一般性作法。

控制規模

　　獲得最適規模：透過購併、增加產品種類、擴張市場或行

銷活動等擴大規模的活動，可以降低成本。但是，影響成本的最適規模通常隨價值活動而異。企業針對特定地區進行地方性或地區性的市場擴張，通常能夠降低業務或產品通路的成本；相對的，如果企業以進入新地區，來提高全國性規模時，實際上會提高業務和通路的成本。當企業詳細地檢視整個價值鏈，找出驅動成本的最適規模時，就能評估出各種規模（以及隨之而來的市場占有率）的價值。企業應該有選擇地追求規模，尤其必須著重於特定產業中影響重要活動成本的最適規模。當不同活動的規模擴大時，必須注意到整體平衡，才不致於因追求某項價值活動的規模，卻造成另一項價值活動的負擔。

對於具有規模敏感性的價值活動，訂出強化規模經濟的政策：規模經濟部分反映出活動的管理方式。伊頓公司就是藉著簡化產品種類，達到引擎閥門生產的最大規模經濟。

在對企業最有利的方面發展規模經濟：企業應該運用能夠導引出最佳規模經濟的方法，來管理活動。全球市場占有率很高的企業，應該強化產品開發活動的全球規模，如開發全球性產品而不是專為特定國家設計的產品。

在企業擁有優勢的價值活動上強調規模經濟：由於不同的規模經濟型態會影響不同價值活動的成本，企業應該訂定策略，儘可能強調具有卓越規模型態的各種價值活動。譬如說，當地區性廠商要和全國性廠商競爭時，它應該強調業務人員所

提供的協助和服務，而非產品的快速更新，因為後者是對全國性規模有利的成本驅動因素。

控制學習期

管理學習曲線：學習效果不會自動形成，它是管理者與員工的努力和重視的結果。企業的學習焦點不應侷限在如何控制勞動成本，也要注意建造廠房設施、廢料與其他重要價值活動的成本。企業也應反覆檢查每一項構想和執行動作，儘可能尋求改造。管理人員應該為學習訂定目標並要求員工努力改善，而不是坐等學習自動發生。企業制定目標時，學習速度應該參考產業標準，並橫跨地區和設備環境多方面作比較。企業也應該建立方便學習成果在經營單位和不同設備環境間流通的機制。此外也必須注意，地理上的距離和體制內部的競爭，通常會妨礙學習成果的分享。

使學習成果專屬化：如果企業能控制學習成果，使它在同業間的擴散效應降到最低，學習成果就能夠改善企業的相對成本地位。當企業想在學習敏感性很強的價值活動中取得成本優勢，學習成果專屬化的意義尤其重大。達到這個目標的方法包括：

❏ 逆向整合以保障專屬知識，例如自行建設廠房、自行修改生產設備。

❏ 控制員工出版品或其他傳遞資訊的形式。

❏ 留住重要的員工。

❏ 在雇用合約中嚴格限制不得洩漏公司機密。

向對手學習：企業的優越感不應該成為向對手學習的障礙。分析對手的價值鏈，企業將會發現一些可以在內部應用的好點子。取得競爭者學習成果的方法很多，包括對競爭者的產品進行逆向工程研究，研究關於競爭者的報導、相關專利檔案等公開出版的資料，與競爭者的供應商維持關係，以獲得關於專屬知識的消息和競爭者最近的採購項目等。

產能使用率的控制

均衡產量：透過降低落差來平衡價值鏈產量，通常有助於提升平均產能利用率。譬如說，生產山麥葡萄乾（SunMaid raisins）、鑽石乾果（Diamond walnuts）等食品的昇陽鑽石公司（Sun-Diamond），就是以「適合一年四季西點烘培使用」為訴求來推銷產品，降低因產能使用不足所導致的成本增加。這些作法使該公司產品在耶誕季節和其他時間的需求落差減少。同樣地，信用卡發卡公司透過服務不同性質的客戶群，如海灘俱樂部和滑雪勝地，使營業尖峰平均散布在一整年當中。

企業可以透過以下方式均衡產量：

❏ 旺季價格或特惠價格。

❏ 行銷動作，例如在淡季增加促銷動作，同時找出產品在淡季的其他用途。

❑ 擴充比較沒有週期性的產品線，或是生產間歇性使用過剩產能的產品，如私有品牌（private label）產品。

❑ 選擇需求比較穩定的客戶，或是非季節性與非過期性需求的客戶。

❑ 在需求旺季時讓出部分市場占有率，隨後在淡季時取回。

❑ 讓競爭者經營變動較大的產業區段（詳見第六章）。

❑ 與需求型態不同的姊妹事業單位共用某些價值活動（詳見第九章）。

減少產量變動的不利後果：除了均衡產量的落差之外，企業有時還可以降低價值活動中和產量變動有關的成本。例如遞減整合（tapered integration），就是運用供應商，而不靠企業內部資源來滿足高峰期需求的方法。加拿大鋼鐵業者為了避免因需求變動導致產能過剩的情形，採取依需求成長趨勢擴充產能的方式，而不是按每年的實際需求來擴充產能。當產能供應不足時，它們會向小包商或外國公司購買產品以彌補差額。

控制鏈結

利用價值鏈中的成本鏈結：企業如果充分了解並應用價值活動中的鏈結關係，將可改進它的成本地位。比方說，採用高精密度機械零組件來製造產品，能夠降低對完成品的檢驗需求；而因為採用高精密度零組件所增加的成本，可能被因此而降低的檢驗成本抵消。近年來，科技進步使鏈結更強化也更容

易取得。電腦輔助設計與電腦輔助製造技術，就是微電子技術鏈結到其他活動的一個例子，而且資訊系統也使得活動間的協調更為容易。

與供應商和通路廠商合作利用垂直鏈結：垂直鏈結意味著企業與供應商、通路廠商間的微妙關係。這種關係提供企業與供應商、通路廠商，透過個別價值鏈的協調與共同最佳化分別獲取利益的可能。全錄公司（Xerox）就利用電腦連線，透過終端機將生產進度訊息傳遞給供應商，使它們能準時供應零件。企業要找出和追求這種合作機會，必須審慎研究供應商和通路廠商的價值鏈，同時必須克服懷疑、貪婪及其他妨礙合作行動的障礙。企業必須準備和供應商與通路廠商共享利用鏈結的好處，以確保鏈結能夠被利用。

交互關係的控制

適當的活動分享：當企業與姊妹經營單位共用價值活動時，它的成本會顯著降低。同樣情形也出現在進入有共用價值活動機會的新事業領域。第九章會詳細敘述如何找出能夠降低成本的共同價值活動。

移轉管理相同活動的專業技能：多角化企業可以藉由在不同經營單位之間，轉移管理價值活動的技能而達到降低成本效果。這方面的作法也將在第九章討論。

控制整合

有系統地檢查整合與分散的可能性：整合與分散都有降低成本的可能性。由於資訊科技的發展，使供應商鏈結的利用愈來愈容易，加上管理態度的轉變。在許多產業中，分散的吸引力愈來愈大。

控制時機

利用率先行動或觀望的優勢：率先行動者往往占據最好的地點、優先網羅最佳人才、接觸最理想供應商或取得專利，並因此獲得長期持續的成本優勢。有些產業甚至只有率先行動者，才能得到顯著的成本優勢。在其他產業中，觀望後再進入的廠商可能更具有成本優勢，因為這些產業的技術變化快速、或是可以藉由觀察並以低成本模仿率先行動者的動作。第五章將討論這兩種行動模式。

找出商業週期中的採購時機：在需求淡季時採購資產能夠省下大筆成本。在機械、船舶、甚至整座廠房設施等資本財方面，就有很多這樣的例子。

控制企業自訂的政策

修改昂貴又無法建立差異化的政策：許多企業自訂的政策會增加成本。有時候，企業刻意推動這些政策，目的是希望創造差異化，但是企業常常忽略政策本身的成本。通常成本分析

將會顯現出修改政策的需求,而且在更審慎地檢查之後,企業將會發現,這些政策不一定對差異化產生具體貢獻,因為它所增加的成本,遠超過因差異化而獲得的溢價程度。出現這兩種情況時,修改政策都提供了降低成本的機會。第四章將敘述如何評估價值活動在差異化中的角色。

投資於使成本驅動因素對企業有利的技術:新技術通常是成本優勢的基礎。科技也可能使得原本重要的成本驅動因素失去時效,因而導致競爭廠商喪失優勢。對技術方面的投資程度是政策性的選擇,大多數成本領先廠商對這方面的投資都很積極。比方說,愛荷華牛肉公司(Iowa Beef)每年耗資兩千萬美元以上進行工廠的更新。技術投資以降低成本的重要方法包括:

❑ 發展低成本製程技術:譬如說,聯合碳化物公司(Union Carbide)製造低密度聚乙烯(low-density polyethylene)的單極製程。
❑ 自動化設備:如愛荷華牛肉公司的大規模牛肉處理工廠,K商場的自動化物流中心。
❑ 低成本產品設計:如佳能製造的NP2000影印機就盡量減少零組件的數量。

在某些情況下,應用低成本技術的能力和規模有關。以軟性隱形眼鏡為例,博士倫(Bausch and Lomb)以旋轉鑄造技術

使製造成本急遽降低，這項技術本身比傳統的車床技術更具有規模敏感度。選擇技術也和時機、地點、整合等其他成本驅動因素有關。企業應該投資於，可以使成本驅動因素對企業更為有利的技術發展。

避免累贅：大多數成本領先企業會嚴格控制價值鏈中可以自行決定的開支。國家半導體公司（National Semiconductor）高層主管的辦公環境簡單樸素、個人專用辦公室屈指可數，同樣的特色也出現在林肯電子（Lincoln Electric）、人民航空、皇冠瓶蓋等成本領先廠商。這些政策性選擇不只實際上降低成本，似乎還具有重要的象徵價值。

控制地點

地點最佳化：不同價值活動之間，以及價值活動與客戶、供應商的相關地點選擇，通常和勞動條件、後勤效率、貨源方便性等有顯著關係。企業地點選擇正確，通常能夠形成顯著的成本優勢。價值活動的最佳地點也會隨時間而改變，譬如鋼鐵業開始盛行迷你鋼鐵廠後，就出現這種情形。

控制社會制度因素

社會制度絕非既定的條件：企業可以影響政府政策、工會活動等社會制度因素，而不是將它們看成超出自己控制範圍外的因素。譬如說，許多有工會組織的貨運公司，就設立了沒有工會組織的子公司以因應工會問題。企業通常也透過遊說來影

響法規的制定，例如：當美國某些州開始對外商課稅之後，日本企業開始積極以遊說活動影響法規。目前已有不少州承諾要修改相關法律，以避免使外商投資躊躇不前。

採購和成本優勢

在價值活動的成本中，選擇何種採購方式影響至為重大。某些採購方面的變革有助於降低成本：

使採購項目的規格更符合需求：當企業能使採購元件的品質剛剛好符合需要時，就能夠改善成本地位。比方說，克拉克設備公司（Clark Equipment）生產的某些堆高機，就採購一般汽車級的零組件，取代既昂貴又不必要的高品質卡車級零組件。

透過採購政策增加議價能力：採購方式雖然明顯影響到成本表現，企業卻很少以策略性眼光看採購動作，或者只把它看作是議價問題。企業可以採取以下具體作法，提高對供應商的議價實力：

❏ 為了增加議價實力，企業的每項採購都應該同時與好幾家供應商保持來往，以確保它們彼此間競爭，但是供應商也不宜過多，以確保企業對每一家供應商的採購量，足以成為該供應商的主要客戶。

❏ 選擇與同業競爭劇烈的供應商，並在它們當中分配不同

的採購項目。

❑ 每隔一段時間就改變對供應商的採購比例，以避免對方
視這筆生意為理所當然。

❑ 不定期地請新供應商報價，以測試市場價格和蒐集技術
新知。

❑ 利用年度採購、分期交貨的合約，取代經常性的小額採
購，發揮企業採購規模的力量。

❑ 尋求和姊妹經營單位聯合採購的機會。

❑ 指派優秀的採購人員負責，以使採購作業的進行更為熟
練。

❑ 投資蒐集關於供應商成本和市場條件的情報。

❑ 追求技術發展以淘汰或降低對昂貴採購項目的需求，當
該類零件的單位成本沒有降價空間時，這些作法尤其重
要。

選擇適當的供應商並管理它們的成本：根據價值鏈，企業
應該選擇最有效率的供應商，或是成本最低、但產品符合企業
價值鏈需要的供應商。採購動作也應該包括促進供應商降低成
本，必要時協助供應商發展技術，以及鼓勵供應商應用可以降
低企業成本的鏈結。馬克史賓賽公司（Mark and Spencer）因為
主動協助供應商採用最先進科技，而在英國零售市場中取得較
低的成本地位。企業關心供應商的效能和效率、以分析自身價
值鏈的方法分析它們的價值鏈，對改善成本地位，以及增加對
供應商的議價實力同樣重要。

重新規劃價值鏈

企業的相對成本地位出現重大轉變，通常是因為它採用明顯不同於競爭對手的價值鏈。企業可以從以下幾種途徑重新規劃價值鏈：

❑ 不同的製造流程。

❑ 不同的自動化型態。

❑ 直接銷售而非依賴中間商。

❑ 新的銷售通路。

❑ 新材料。

❑ 向上與向下垂直整合的重大差異。

❑ 改變廠房設備和客戶及供應商的相對地點。

❑ 新的廣告媒體。

在重新設計價值鏈方面，最明顯的例子是不提供附加服務的航空公司，如人民航空與西南航空公司（Southwest Airline）。表3.4顯示，它們的價值鏈和主流航空公司有著明顯的差異。

另外兩個不同產業的例子，也說明重新規劃價值鏈對於建立成本優勢的顯著效果。以牛肉批發業為例，傳統的價值鏈是廠商到各個獨立農莊買下牛群，再將牛群運送到位於芝加哥等主要鐵路交會點的勞力密集型屠宰場。當牛隻被屠宰、肢解後，再送到市場由零售商切成小塊出售。愛荷華牛肉批發公司

表3.4 可供航空公司選擇的各類價值鏈

	櫃檯作業	登機門作業	飛機作業	機上服務	行李托運	售票處
主流航空公司	全套服務	全套服務	購買新飛機 隸屬公會的飛行員	全套服務	免費行李托運	設有市區售票處
陽春型航空公司	次級機場及航空站 無售票櫃台（或只提供劃位服務） 機上售票或使用自動售票機 不出售轉機機票 票價選擇性少	次級機場及航空站 先到先服務 登機門不受理票務	二手飛機 坐位密度高 非工會成員的飛行員 機組人員較少，每日飛行時數較多	無工會組織的機上服務人員 只供應點心或不供餐 饗點與飲料必須另外付費	提供手提行李存放空間 行李托運必須付費 不接受轉機行李	不設市區售票處

（Iowa Beef Packers），則改在牛隻產地附近興建大型自動化工廠，將肉品直接加工，並做小包分裝。這套作法明顯降低了在總成本中占主要比例的運輸成本，也避免牛隻在長途運輸中體重減輕的損失。愛荷華公司也因就近利用鄉村廉價、充沛、非工會成員的工人，而降低價值鏈中作業活動的成本。

同樣地，在快遞產業中，聯邦快遞（Federal Express）也是以重新安排小型空運包裹的價值鏈而取得競爭優勢。在這個行業中，傳統企業如艾默瑞快遞公司（Emery）和空中運輸快遞公司（Airborne），他們的作法是蒐集各種不同體積的包裹，交由航空公司的班機運輸，再送交收件人。聯邦快遞則只收小型包裹，以自己的貨機運到位於曼菲斯的集散中心進行分類，再用相同的貨機運送到目的地，並以自己的貨車遞送。其他大幅重新規劃價值鏈的例子，如提前折扣的零售店，折扣證券經紀人，以及MCI國際電訊公司、斯普林特通訊公司（Sprint）等新的長途電話公司皆是。

重新規劃價值鏈之所以能夠建立成本優勢，是由於以下兩項因素。首先，比起等待自然改善，重新規劃價值鏈通常帶給企業重建基礎成本結構的機會，而且新的價值鏈通常比舊的更有效率。陽春服務航空公司的成功生動顯示出，採行低成本的新價值鏈，可以為產業建立新的成本標準。在某些航線上，陽春服務航空公司的成本比傳統航空公司降低了百分之五十。在一套新的價值鏈中，不但進行價值活動的費用更便宜，也能夠更有效地運用鏈結關係。人民航空因為在機上售票，就顯著減少了機場櫃台作業和票務中心作業等其他價值活動的成本。

　　新價值鏈可以帶來成本優勢的另一個理由是，企業可藉著發揮一己之長，改變競爭基礎。重新設計價值鏈能夠以對企業有利的方式改變重要成本驅動因素。以不同方式進行一項價值活動時，價值活動對規模經濟、交互關係、地點效應，以及其他所有成本驅動因素的敏感度也隨之改變。以煉鋁業為例，日本廠商投資發展碳熱還原製程，使鋁礬土和相關礦石直接轉變成金屬，省略掉煉鋁的中間過程。這也化解了日本廠商在能源成本上的嚴重劣勢。在牛肉批發業的例子中，愛荷華牛肉公司賦予廠房地點新的意義，使它成為重要的成本驅動因素、並且提高它的規模敏感度。愛荷華牛肉公司等高市場占有率的企業，往往因增強價值鏈的規模敏感度而受益。在陽春服務的航空公司方面，因為新價值鏈減少了許多間接活動，使得它的規模敏感度遠低於舊價值鏈。這一點對於新成立的陽春服務航空公司能否成功非常重要。

　　有時候，即使企業本身無法獨力重新規劃價值鏈，它們仍可藉著聯合或與其他企業間協議的方式，達成重新規劃價值鏈的目標。比方說，不少多系統經營的有線電視連鎖業者，就以交換授權來提高行銷和作業效率。同樣地，聯合化工（Allied Chemical）和喬奇魏特公司（Church & Dwight）協議，同意雙方在不同地點生產相同的化學原料，以節省運輸成本。

　　企業要找出新的價值鏈，必須檢查企業本身所有的活動、以及競爭廠商的價值鏈，以便找出能夠求新求變的部分，來建立不同的作業方式。企業應該對每項活動提出以下幾個問題：

❏ 這項活動如何以不同方式進行，或是能否乾脆取消此一
　活動？

❏ 某些彼此相連的價值活動如何重新安排順序，或重新歸
　類？

❏ 如何與其他廠商聯合以降低或消除成本？

重新規劃下游

　　如果通路或其他下游的成本，對於客戶的採購價格具有
重大影響，重新規劃下游活動也會實質上降低成本。蓋洛酒廠
（Gallo）大量利用超市通路就是一個例子。透過超級市場賣酒
的成本比專賣店要低。蓋洛酒廠因為利用超級市場通路，降低
了客戶購買葡萄酒的成本，同時它的高銷售量和高週轉率也減
輕了超級市場的相對成本。這使得對超級市場而言，即使利潤
不如其他酒廠的產品，仍然願意銷售蓋洛葡萄酒。

　　下游通路的效率反映出它們的策略和整合程度。比方說：
連鎖店常比獨立經銷商更有效率，大型的辦公設備代理商和汽
車代理商又比小代理商更有效率。企業不僅應該替最終客戶選
擇更有效率的下游通路，也要主動促進下游的整合或提高下游
業者的效率。在某些極端的例子中，企業乾脆向下整合以提升
下游通路的效率。

　　企業與下游通路之間的相對議價能力，關係到企業能否利
用重新規劃下游以改善相對成本地位。在蓋洛酒廠的案例中，
如果超級市場以專賣店的價格出售蓋洛的產品，超級市場的效
率會帶來可觀的利潤。但是，蓋洛酒廠的「推拉」效果和超級

市場間的激烈競爭，使得產品的價格降低，而蓋洛酒廠則獲得其中大部分的利潤。

透過焦點化產生成本優勢

　　企業將關注的焦點集中在控制成本驅動因素、重新設計價值鏈，或是雙管齊下的時候，焦點化策略也是建立成本優勢的一種方法。由於不同產業區段的價值活動會有不同的成本，而最有效率的價值鏈型態也隨之改變，當企業全部心力貫注在某個精心挑選的產業區段時，成本通常會顯著降低。聯邦快遞專注於需要快速遞送的小型包裹，並以此為基礎重新規劃包裹運輸的價值鏈。人民航空以高價格敏感度的顧客為訴求，使得它節省了許多成本。在飯店／汽車旅館產業中，拉昆達（LaQunita）連鎖旅館，專注於目標顧客——經常到同一地區出差的中級主管——的需要。只提供客房，取消了昂貴的餐廳、會議廳設備和其他不屬於目標客戶群需要的服務。因此而降低了投資額以及每個房間的平均作業成本。

　　焦點化之所以能夠明顯改善相對成本地位，通常是因為採用了與眾不同，而且是以目標客戶為基礎量身定做的價值鏈。聯邦快遞、人民航空、拉昆達公司等例子都擁有這種特色。當企業的目標產業區段和某一主要成本驅動因素有關聯時，焦點化的作法也會降低這家公司的成本。比方說，當地區市場占有率是主要成本驅動因素時，採用地區性焦點化策略，可以使企業比地區占有率不高的全國性競爭對手更具有成本優勢。

　　成功的焦點化策略通常是從產業中新開創的產業區段產

生。第七章將說明如何劃分產業區段，以及如何選擇適當的焦點化策略。產業區段的增加，部分原因是由於不同產品、不同顧客群、或不同地理位置，具有不同的成本驅動因素、或是需要以不同的價值鏈來滿足需求。

成本優勢的持續力

　　只有在企業的成本優勢能夠持續的情況下，企業才能夠擁有水準以上的表現。不具持續力的改善方式，可能使企業保持與競爭者近似或相等的成本，但是要實現成本領導策略，它必須發展能夠形成成本優勢、並具有持續力的來源。

　　如果企業的成本優勢來源可以藉著進入或移動障礙（mobility barrier），使競爭對手無法模仿，那麼該企業的成本優勢就可以持續下去。成本優勢的持續力也因產業和成本驅動因素而異。一般說來，某些成本驅動因素要比其他因素更具有持續力：

- ❑ 規模：規模是主要的進入／移動障礙。複製規模通常需要很高的成本，因為競爭對手必須「買下」市場占有率。
- ❑ 交互關係：企業與其他姊妹經營單位的交互關係，迫使競爭對手必須多角化才能追上成本優勢。如果相關產業存在著進入障礙，競爭優勢的持續力會更高。
- ❑ 鏈結：鏈結的利用相當困難，不僅鏈結本身難以察覺，同時它需要跨越組織部門的合作、或是協調各自獨立的

供應商和通路廠商才辦得到。

☐ 專屬的學習效應：在實務上，發揮學習效應不是件容易的事。如果企業擁有專屬的學習效應，競爭對手想趕上就更為困難。

☐ 選擇創造專利產品或製程技術的政策：當產品或製程的創新獲得專利權、或被視為商業機密而加以保護時，競爭對手要模仿產品或新的製程技術，將會面臨極大的困難。製程的創新通常又比產品創新更有持續力，因為它更容易保密。

時機與整合因為不容易複製，通常也可能是有持續力的成本優勢源頭。然而這兩項因素的持續力要發揮最大作用，必須能夠轉換成規模或學習優勢。對某些產業而言，地點、產能使用模式、社會制度因素與政策選擇也能夠形成有持續力的成本優勢，不過這類成本優勢的平均持續力比較弱。但是，即使是持續力較差的成本驅動因素，如果能夠建立彼此之間、或是與持續力較佳因素之間的互動關係，仍然能夠造成難以突破的障礙。譬如說，提升規模經濟的政策選擇就很難模仿。

持續力不僅與成本優勢的來源有關，也和它們的數量相關。僅由一至兩項價值活動產生的成本優勢，對競爭對手而言是極具吸引力的模仿目標。成本領導廠商通常從價值鏈中許多彼此互動、相互強化的來源累積成本優勢。使得競爭者必須付出相當高的代價、突破重重的難關，才有可能複製成本地位。

蓋洛酒廠就是應用這些原則而持續成本優勢的好例子。圖

3.3是蓋洛酒廠價值鏈的簡要形式。它在許多價值活動中都擁有好幾種成本優勢來源。蓋洛的成本優勢主要來自規模和專屬技術，它們都屬於具有高持續力的成本驅動因素。這使得蓋洛和主要競爭對手間持續保持百分之十五甚至更高的成本差距。蓋洛酒廠的實力迫使可口可樂退出葡萄酒產業，因為蓋洛的成本優勢削減了可口可樂的獲利能力。

　　成本優勢持續力的最後一項來源是創造或重新規劃價值鏈。競爭對手要模仿一個重新規劃的價值鏈，無可避免地需要投資大量成本。這種情形對規模完善的競爭對手尤其明顯，因為如果它要轉移自己行之有年的傳統價值鏈時，推行起來自然困難重重。愛荷華牛肉公司和聯邦快遞就是在競爭者疲於應付之下，享有持續的優勢。如果碳熱還原製程成功的話，日本鋁業廠商也將在煉鋁業中享有同樣持久的成本優勢。

成本優勢與執行

　　本章的重點在於，如何透過改變策略和價值活動的進行方式建立成本優勢。但是，成本領導策略的成功關鍵在於，廠商是否有能力將該策略落實在日常活動中。成本的降低不會自然形成或突然發生，它需要辛苦工作和持續關注。即使具有相同規模、相同累積產量、甚至採取相同政策，企業在降低成本的能力上仍有所不同。改善相對成本地位的關鍵不在於大幅變更策略，而在於是否更用心地進行管理工作。企業絕不能假設它的成本已經夠低了。

　　成本驅動因素不會自動進行，除非企業的其他活動能夠

圖3.3 蓋洛酒廠的成本優勢來源

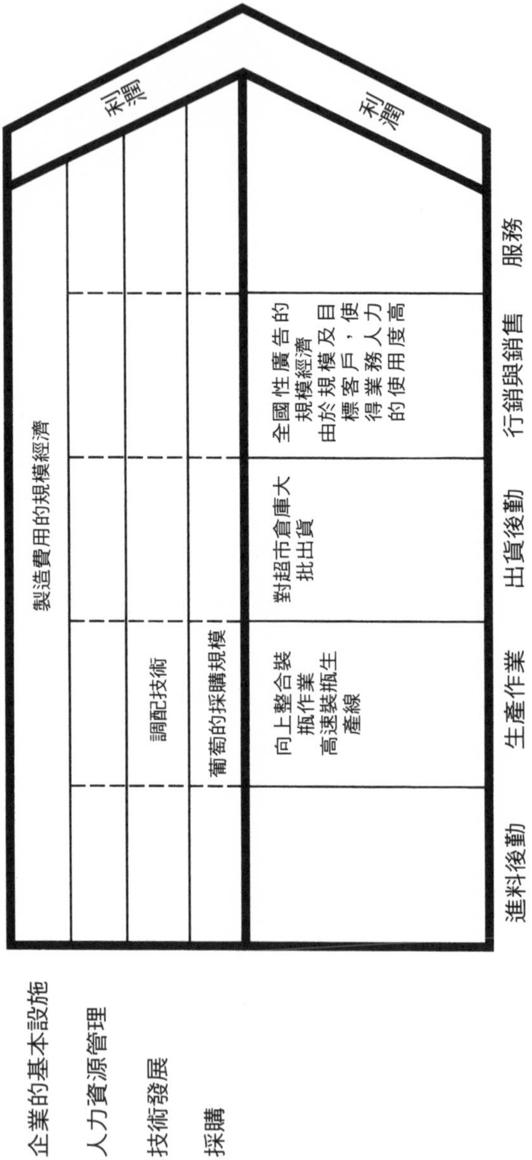
企業的基本設施
人力資源管理
技術發展
採購
製造費用的規模經濟
調配技術
葡萄的採購規模
利潤
向上整合裝瓶作業
高速裝瓶生產線
對超市倉庫大批出貨
全國性廣告的規模經濟
由於規模及目標客戶，使得業務人力的使用度高
利潤
進料後勤
生產作業
出貨後勤
行銷與銷售
服務

取得協調，提供大規模平穩運作的必要元素，否則不可能取得一項價值活動的規模經濟。政策的選擇不應該使產品種類的增加削弱了規模優勢。除非相關經營單位真能在行動上配合，交互關係也不必然降低企業的成本。而除非企業管理階層努力追求，學習曲線優勢也不必然發生。

員工的訓練和激勵、企業文化、正式採用的成本削減計劃、持續追求自動化，以及對學習曲線堅定不移的信念等一連串因素，都與企業追求成本領導地位的能力有關。企業中每個人都有影響成本的潛力。成本領導廠商的成本控制計畫遍及所有價值活動，而非侷限於生產製造。它們持續比較企業本身、企業與姊妹經營單位、企業與競爭對手之間的價值活動表現。象徵性因素對於在組織中建立成本削減氣氛的重要性也不該被誇大。成功的成本領導廠商除了調整策略以取得最低作業成本之外，通常付出最多心力的是在企業自主成本的控制上。

成本領導策略的陷阱

許多企業不了解如何從策略觀點認識它們的成本特性，因而錯失了改善相對成本地位的機會。以下是企業在評估成本地位和採取行動時最常犯的一些錯誤：

只著眼於製造活動的成本：一提到成本，大多數經理人直覺地想到製造活動。然而，非製造成本如行銷、業務、服務、技術發展、和基本設施等價值活動成本占總成本的比重，即使不是壓倒性的，也還是相當顯著。但是，在成本分析中它們常

常被忽略。對整個價值鏈的檢查，通常都可以歸結到幾個能夠顯著改善成本地位的簡單步驟。比方說，近年來電腦和電腦輔助設計的大幅進步，對研發活動的成本就產生巨大影響。

漠視採購：許多企業很積極、也很認真地降低勞動成本，卻忽略採購項目的成本。經理人傾向將採購事務看成是次要的附屬動作，對採購的管理較不重視。而採購部門的分析重心常常只放在主要原料的採購價格上面。企業通常容許個別單位或個人，在缺乏專業採購能力或降低成本動機的情況下採購許多事物。因此採購項目和其他價值活動成本間的鏈結關係往往模糊不清。對許多企業而言，在採購實務上做適度的改變，就可能帶來重大的成本利益。

忽略間接或小規模的活動：企業的成本削減計畫通常著眼於耗費大量成本的活動，或零組件的製造、裝配等直接活動。但是在總成本中比例不顯著的活動，通常缺乏應有的關注。如維修、管理等間接活動的成本，通常整批地略過成本分析。

對成本驅動因素的錯誤觀點：企業常常會對它們的成本驅動因素產生錯誤判斷。比方說，在全國市場擁有最高市場占有率，同時也擁有成本領導地位的企業可能錯誤地假設，它的成本優勢來自於全國市場的高占有率。問題是，成本領導地位也可能來自於企業在特定營運地區的高市場占有率。該公司如果無法辨認成本優勢的真正來源，可能導致它以提高全國市場占

有率的方式來降低成本。如此一來，由於缺乏地區性的重點動作，它的成本地位可能反而因此惡化。它也可能過度集中於對全國性競爭對手的攻防策略，卻忽略地區性強大競爭對手的顯著威脅。

錯失對鏈結的利用：企業很少能注意到所有影響成本的鏈結關係，尤其是品質保證、檢驗、服務等活動之間的鏈結，以及企業與供應商之間的鏈結。許多日本企業的成功，來自它們應用鏈結的能力。以松下（Matsushita）和佳能為例，儘管事實上它們的政策與傳統的製造及採購作業互相牴觸，但是由於它們了解並有效利用鏈結，仍然具有明顯的優勢。對鏈結的認識不足，也會導致企業要求所有部門削減相同數額成本的錯誤作法。事實上，某些部門適度提升成本，可能會降低總成本。

相互衝突的成本削減：企業經常試圖採取互相衝突成本削減方式。它們想擴大市場占有率以獲取規模經濟的好處，卻同時又擴充產品線，而打散了規模經濟。它們選擇在接近客戶的地點生產以降低運輸成本，但是開發新產品時卻強調降低產品的重量。成本驅動因素之間有時會背道而馳，企業必須了解如何協調這些成本驅動因素。

無心的交叉補貼：當企業對既有產業區段的不同成本特性認識不足時，通常會形成不當的交叉補貼。傳統的會計制度很少評估不同產品、不同客戶、不同通路或不同地理位置等因

素的成本差異。因此，企業可能對產品線中的某些項目、或對某些客戶訂出過高的價格，而對其他項目或客戶則形成價格補貼。比方說，由於白葡萄酒對年份的要求通常較低，所以儲酒桶的成本通常也較紅葡萄酒低。如果釀酒廠根據平均成本對紅酒、白酒訂出相同售價時，實際上是以較低成本的白酒價格來補貼紅酒的價格。無心的交叉補貼，常常替那些了解並懂得利用成本因素的競爭對手大開方便之門，使它們能夠藉著較低的價格來提高市場地位。交叉補貼也會使企業在定價過高的產業區段中曝露弱點，給與在該區段中採取焦點化策略、虎視眈眈的競爭對手可乘之機。但是，在某些產業中，審慎的交叉補貼有其策略性原因，關於這部分將在第十二章詳細討論。

僅關注於高出應有成本部分：企業在降低成本方面，往往只關心改進高出目前價值鏈應有成本的部分，而不是找出重新規劃價值鏈的方法。這種改善方式，固然能夠達到效益遞減點（point of diminishing returns），但是重新規劃價值鏈，則可以形成完全不同的成本境界。

損害差異化：如果因降低成本而犧牲了企業為客戶提供的獨特價值，那麼降低成本就可能傷害到差異化。儘管這麼做也許有策略上的需要，但應該是審慎選擇下的結果。企業若要降低成本，應該將心力集中在大多數與差異化無關的活動上。甚至於，當創造差異化的活動不是那麼耗費成本時，差異化也能夠改善成本領導廠商的整體表現。

策略性成本分析的步驟

本章介紹的各種技術，可以摘要成以下步驟，以進行策略性的成本分析：

1. 辨識出最適當的價值鏈，並將成本和資產配置進去。
2. 診斷每項價值活動的成本驅動因素，以及它們之間如何互動。
3. 辨識出競爭對手的價值鏈，決定競爭對手的相對成本，以及成本差異的來源。
4. 透過控制成本驅動因素、或重新規劃本身的價值鏈及（或）下游的價值活動，發展出可以改善相對成本地位的策略。
5. 確定降低成本的努力不會損害差異化，如果會損害差異化，必須經過審慎的考慮。
6. 測試成本削減策略的持續力。

第四章

差異化

差異化是企業可能擁有的兩種競爭優勢之一。競爭者之間差異的範圍也是產業結構的重要元素。

這一章將提出分析差異化、與選擇差異化策略的基本架構。首先說明差異化的來源、評估差異化成本的方式與它在競爭狀態下的變化。其次描述如何運用客戶的價值鏈,找出能夠創造客戶價值的差異化形式。接下來解釋如何將客戶價值鏈的分析結果,轉換為客戶採購時的具體標準。最後則討論企業如何活用這些概念以選擇差異化策略,並避開一些共通的陷阱。

如果企業能提供客戶某種獨特的價值，就與競爭者形成了差異。差異化是企業可能擁有的兩種競爭優勢之一。競爭者之間差異的範圍也是產業結構的重要元素。儘管差異化很重要，企業對差異化來源的了解卻很有限。原因之一是企業將差異化的來源看得太狹隘，認為只是產品或行銷的差別，而忽略了價值鏈中各種形成差異的潛在可能。企業常常各具特色卻談不上差異化，因為它們尋求的個別特色對客戶而言不具價值。另外，廠商追求差異化時也常常忽略了差異化所需的成本，或差異化的持續力。

這一章將提出分析差異化與選擇差異化策略的基本架構。首先，我將說明差異化的來源，企業價值鏈中每個部分都可能形成差異化。成功的差異化策略需要企業所有單位的協調合作，而非僅仰仗行銷部門而已。由於差異化通常相當耗費成本，我也將說明評估差異化成本的方式，以及它在競爭狀態下的變化。其次，我將描述如何運用客戶的價值鏈，找出能夠創造客戶價值（buyer value）的差異化形式。接下來，我會解釋如何將客戶價值鏈的分析結果轉換為客戶採購時的具體標準。最後的課題則是，企業如何活用這些概念以選擇差異化策略，並避開一些共通的陷阱。

差異化的來源

除了單純的低價訴求之外，當企業提供某些對客戶有價值的獨特之處時，它與競爭者之間就產生了差異。差異化使企

業能在同級產品中取得最佳的溢價、或在相同價位下賣出更多產品，甚至能在週期性或季節性的市場低潮時，因為更高的客戶忠誠度而維持相同的獲利。（我將使用「溢價」這個詞來指稱因差異化所帶來的各種利益）。當溢價超過因追求這種獨特性所付出的成本時，差異化可以為企業帶來優異的經營績效。差異化可以訴諸產業中廣泛的客戶群，也可以針對單一客戶群的特定需求。譬如說，許多人認為布魯克斯兄弟公司（Brooks Brothers）的服裝過於保守，但是它的訴求目標是喜愛傳統服飾的客戶。在本章中，差異化的討論泛指一般情況，第七章則會說明企業如何運用焦點化策略，找出滿足產業內不同的客戶需求的差異化機會。

差異化與價值鏈

要理解差異化，不能只看企業的整體運作，而需要從企業的具體活動，以及它們對客戶的影響著手。由於差異化來自價值鏈，事實上任何一項價值活動都可能是產生獨特性的潛在來源。例如原料和其他採購項目的採購動作，就會影響到最終產品的表現，以及差異化的效果。舉例來說，海尼根啤酒（Heineken）特別講究原料的品質和純度，並堅持使用同一種酵母。生產鋼琴的史坦威公司（Steinway）則強調由一流技師選擇最上等的材料，而米其林公司（Michelin）比競爭者更重視橡膠原料的等級。

某些廠商則是以其他主要和支援性活動的獨特性，帶來成功的差異化。如發展超級電腦的克雷電腦（Cray Computer），

就靠技術發展活動而獲得具有獨特傑出表現的產品設計。作業性活動也會影響到產品外觀、規格一致性，以及穩定性等方面的獨特性。像裴度公司（Perdue）就以嚴格控制飼養環境，並餵食金盞草以改善肉品色澤的新鮮雞肉自豪。其他如出貨後勤系統也可以改變交貨的速度和穩定性。早在聯邦快遞尚未進入小型包裹遞送市場之前，就以位於曼菲斯集散中心的整合性後勤系統，而享有穩定可靠的聲譽。行銷和業務活動同樣會影響差異化，例如提肯公司（Timken）一直以能夠協助客戶更有效地使用滾珠軸承、提高製造流程的效率而著稱。

　　圖4.1說明，價值活動如何成為差異化的潛在來源。即使經營一般日用品的企業，仍然能透過相關價值活動，表現出明顯的差異化。同樣地，維修或進度安排等間接活動，也能夠像裝配、訂貨流程等直接活動一樣，形成企業的差異化。舉例來說，在半導體製造過程中，無塵室的設計與產品的不良率（defect rates）有密切的關係。

　　每項價值活動雖然只占總成本的一小部分，但是對差異化卻有重要影響。比方說，從差異化的角度來看，產品檢驗可能只占總成本的百分之一，然而只要藥廠送出一包有瑕疵的藥品，後果卻不堪想像。因此，基於策略性成本分析而建構的價值鏈，無法把任何可能影響差異化的價值活動分離出來。企業要作差異化分析，需要更仔細地劃分價值鏈中對於差異化具有重大影響的部分活動，而對其他影響差異化不大的活動則合併處理。

　　企業也可能透過價值活動或競爭範疇的廣度，達到差異化

圖4.1 價值鏈中典型的差異化來源

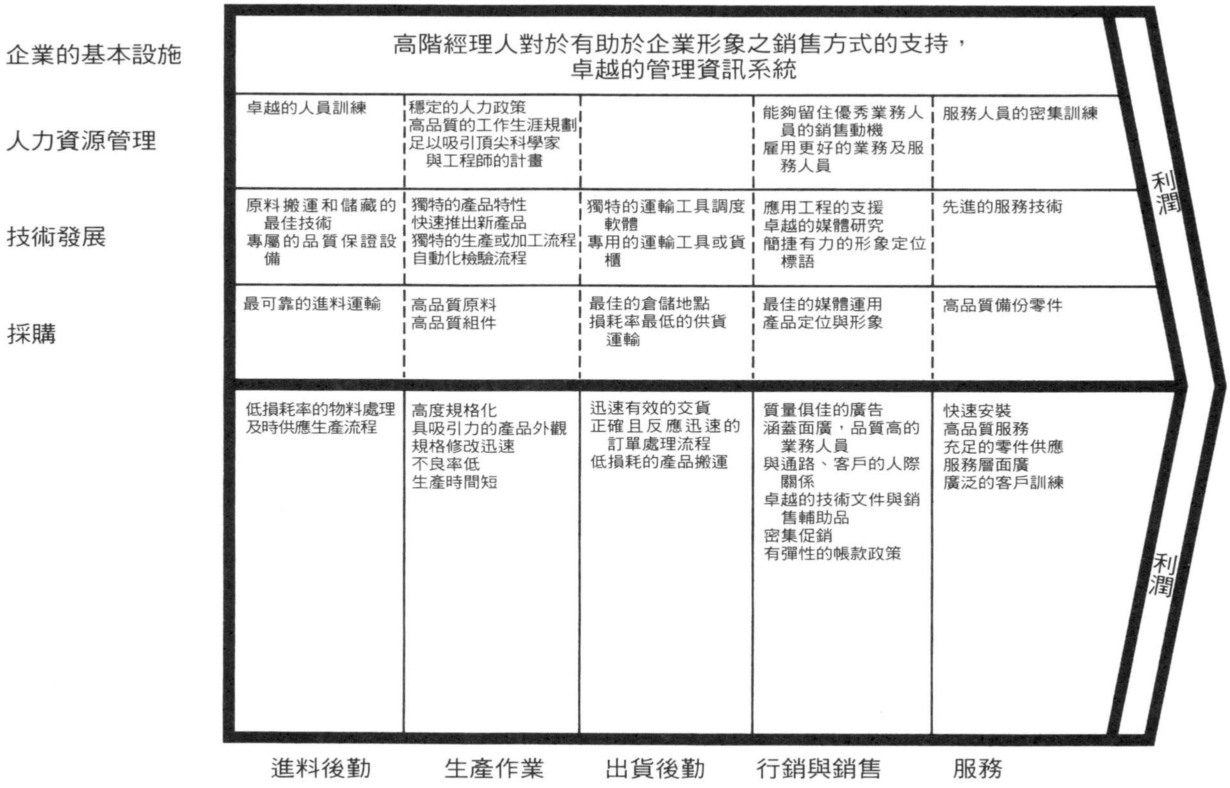

高階經理人對於有助於企業形象之銷售方式的支持，卓越的管理資訊系統

企業的基本設施	卓越的人員訓練			能夠留住優秀業務人員的銷售激勵機制 雇用更好的業務及服務人員	服務人員的密集訓練
人力資源管理		穩定的人力政策 高品質的工作生涯規劃 足以吸引頂尖科學家與工程師的計畫			
技術發展	原料搬運和儲藏的最佳技術 專屬的品質保証設備	獨特的產品特性 快速推出對產品的改變 自動化檢驗流程	獨特的運輸工具調度軟體 專用的運輸工具或貨櫃	應用工程的支援 卓越的媒體研究 簡便有力的形象定位標語	先進的服務技術
採購	最可靠的進料運輸	高品質原料 高品質零組件	最佳的倉儲地點 損耗率最低的供貨運輸	最佳的媒體運用 產品定位與形象	高品質備份零件
	低損耗率的物料處理及時快時應生產流程	高度規格化 員工吸引力的產品外觀 規格修改迅速 不良率低 生產時間短	迅速有效的交貨 正確且反應迅速的訂單處理流程 低損耗的產品搬運	質量俱佳的廣告 涵蓋面廣、品質高的業務人員 與通路、客戶的人際關係 卓越的技術文件與銷售輔助品 密集促銷 有彈性的帳款政策	快速安裝 高品質服務 充足的零件供應 服務層面廣 廣泛的客戶訓練
	進料後勤	生產作業	出貨後勤	行銷與銷售	服務

利潤

的效果。以皇冠瓶塞公司為例，它的產品包括瓶蓋、裝瓶機和容器，因此，它不但有能力提供客戶整套的包裝服務，也因對包裝設備的專業能力，而提高了公司信譽和容器的銷售業績。在金融服務市場中，花旗集團廣泛的經營層面，既提高它的聲譽，也使業務部門能提供客戶更多樣的產品。因為競爭範疇廣泛所帶來的差異化因素包括：

❏ 在任何地點滿足客戶需求的能力。
❏ 應用共通的零件和設計理念，簡化客戶的維修作業。
❏ 客戶在單一銷售點即能夠採購齊全。
❏ 單一服務點即能夠提供完整顧客服務。
❏ 產品之間的相容性高。

以上這些優點，大多數需要企業內部相關活動的一致性、或相互協調才能夠達成。

企業的差異化也可以從下游發展出來。銷售通路就可能是企業獨特性的一個有力來源，並且能夠改善企業的聲譽、服務、客戶訓練和其他許多因素的表現。以軟性飲料產業為例，獨立裝瓶商（independent bottlers）對差異化具有決定性的影響，因此，可口可樂和百事可樂都投下大筆的經費和心力，提升裝瓶商的能力、並改善裝瓶商的效率。可口可樂甚至會安排能力更強的買主，來買下效率不彰的裝瓶商。同樣地，一般認為凱特彼勒曳引機公司的經銷商，正是凱特彼勒公司發展差異化的重要來源。凱特彼勒的經銷商大約有兩百五十家，不但

數量位居同業之冠，而且經銷商的規模也大到足以提供廣泛服務並對客戶提供貸款服務。雅詩蘭黛（Estee Lauder）和波克夏‧海瑟威公司（Berkshire Hathaway）的例子則說明，精挑細選的經銷點是差異化的重要來源。

企業要提升通路在差異化方面的作用，可以採行下列作法：

❏ 選擇形象、能力和設備一致的銷售通路。
❏ 建立銷售通路的作業標準和政策。
❏ 提供通路所需的廣告和訓練資料。
❏ 提供資金，讓通路有能力提供客戶更多的貸款交易。

值得注意的是，企業常把品質和差異化混為一談。差異化雖然包括品質，但牽涉更廣。一般而言，品質通常離不開有形產品，而差異化策略則在於，透過價值鏈為客戶創造各種獨特的價值。

獨特性驅動因素

企業能否經由價值活動形成獨特性，取決於一系列的基本驅動因素。這些因素很像第二章的成本驅動因素。由於獨特性驅動因素（drivers of uniqueness）是使得一項活動具有獨特之處的源由，如果企業不能辨認出這些重要因素，就無法發展出新的差異化形式，或找到持續現有差異化的方法。

以下是一些主要的獨特性驅動因素，並按重要性依序說

明：

政策性選擇：企業要進行哪些活動以及如何進行這些活動，取決於政策性的選擇。這些政策性選擇也就是最常見的個別獨特性驅動因索。舉例來說，約翰曼菲爾玻璃公司（Johns Manville）選擇提供客戶屋頂用建材組裝方面的廣泛訓練；而葛瑞布彭公司（Grey Poupon）的選擇則是在芥末醬的廣告開支上持續高於其他同業。這些獨特性都是企業自行決定的政策性選擇。

一般而言，形成獨特性的典型政策選擇包括：

❑ 產品特性與效益。

❑ 提供服務（如貸款、送貨、或維修）。

❑ 對特定價值活動的投入程度（如廣告開銷的比例）。

❑ 價值活動的內容（如訂單處理流程中所提供的資訊）。

❑ 價值活動所採用的技術（如機器的精密度、訂單流程的電腦化）。

❑ 價值活動所需採購項目的品質。

❑ 價值活動中工作人員的作業程序管理（如服務程序、業務聯繫的態度、檢驗和抽樣的頻率）。

❑ 價值活動中工作人員的技能與經驗水準，以及所提供的訓練。

❑ 控制價值活動所需要的資訊（如溫度、壓力，以及控制化學反應所使用的各種變數）。

　　鏈結：獨特性可能來自價值鏈內部的鏈結方式，或它與客戶、供應商之間的鏈結關係。當一項活動的進行方式會影響其他活動的表現時，鏈結就能夠提供獨特性。

　　價值鏈內部的鏈結：滿足客戶需求通常涉及相關活動間的協調。像交貨時間不僅受到出貨後勤活動的影響，也會受到訂單處理速度、業務聯繫頻率等相關活動的影響。同樣地，業務部門和服務部門間的協調有助於提高客戶服務的表現。企業要能獨具一格地滿足客戶需求，需要所有相關活動發揮最大作用。例如，在影印機、半導體等產業中，日本競爭者能夠大幅降低產品不良率，其中的關鍵就在於，它們不是只針對檢驗等單項價值活動下功夫，而是對所有影響不良率的活動進行全面改善。另外，企業增加對維修等間接活動的投資，也會改善成品修飾或上色等直接活動的表現。

　　企業與供應商的鏈結：企業與供應商的協調，也能形成滿足客戶需求的獨特性。譬如說，如果企業設計出一種新產品的製造設備時，供應商能夠同步量產所需要的新零件，這種緊密的協調就能夠縮短新產品的開發時間。同樣地，如果供應商對於本身產品的負責態度，能夠延伸到企業的客戶身上，同樣有助於企業建立產品的獨特性。

　　企業與通路的鏈結：企業與通路間的鏈結也有很多發展獨特性的方式。一旦企業與銷售通路能夠相協調、或是共同將介

於企業與通路之間的活動發揮最大效果，就會產生獨特性。以下是一些透過企業與通路的鏈結產生獨特性的例子：

☐ 對通路進行銷售及其他業務活動的訓練。
☐ 與通路聯合進行銷售動作。
☐ 補貼通路在人力資源、設備及其他價值活動方面的額外投資。

時機：企業的獨特性也有可能來自發動一項價值活動的時間點。當企業率先採用某種產品形象策略，就能夠排除其他競爭者有樣學樣，並維持自己的獨特性。這也是嘉寶公司在嬰兒食品方面的差異性來源之一。博士倫公司也因為率先取得軟性隱形眼鏡的法定許可，而形成它的差異性。相反地，某些產業中，審慎跟進的企業反而因為能夠應用最先進的技術，而形成差異化。第五章將討論率先行動與隨後跟進的競爭優勢。

地點：地點也可以構成獨特性。舉例來說，以個人或中小企業為主要客戶的零售型銀行（retail bank），可能擁有最便利的營業處與自動提款機地點。

交互關係：企業和姊妹經營單位共享同一項價值活動，也可能形成這項活動的獨特性。例如運用同一組業務代表銷售保險和其他金融商品，能夠使客戶獲得更完整的服務。第九章將詳細討論這類交互關係。

學習與外溢效果：一項價值活動的獨特性可能是企業的學習成果。例如，一套能夠維持穩定品質的製程，通常是企業不斷學習摸索出來的。學習所耗用的成本並不低，而學習成果在同業中的外溢效應也會減低差異化的效果。唯有專屬的學習效應才能帶來持續的差異化。

整合：企業的整合程度也與獨特性相關。經過整合的新價值活動，很容易形成企業的獨特性，因為企業能夠比同業更有效地掌控該項活動，或更容易達成與其他活動間的協調。整合也會使更多價值活動成為差異化的泉源。比方說，企業自行提供售後服務，而非委託第三者負責，可能使企業成為與競爭對手比較之下唯一附帶提供服務，或是以更特別的方式來服務客戶的廠商。至於企業整合的範圍，除了供應商或銷售通路的活動之外，還可以延伸到客戶的活動。像美國醫院供應公司與醫院之間採取電腦連線的線上訂貨作業，不但幫客戶省掉一些活動，也形成本身的差異化。有時候，整合也能夠幫助企業更有效運用它與供應商、客戶間的鏈結關係。不過，對某些產業而言，降低整合程度反而可能是差異化的來源，例如將原本整合的價值活動拆開，可能使供應商或獨立通路發揮更大的產能。

規模：大規模經營可能使價值活動以某些獨特的方式進行。如赫茲租車公司（Hertz）就是由規模建立起某些差異化。赫茲租車在美國各地設有許多據點，方便客戶取車、交車，並提供更迅速的現場服務。由規模形成的差異化會依規模型態而

有所不同——赫茲租車倚靠租車和服務點的數量，而其他產業則可能由於工廠的規模，使得廠商能夠以高速生產工具生產高精確度的產品。不過，規模也可能抵消價值活動的獨特性。在重視流行趨勢的產業中，企業規模太大，會使它在滿足客戶需求上缺乏彈性。

社會制度因素：企業的獨特性有時也受社會制度影響。同樣地，與工會關係融洽的企業，往往能為員工訂定獨特的工作內容。

不同價值活動具有不同的獨特性驅動因素，而不同產業之間，同一個價值活動也可能具有不同的獨特性驅動因素。甚至，獨特性驅動因素間的互動，也會影響一項活動獨特的程度。因此，企業必須檢視所有形成獨特性的活動，找出構成這些獨特性的驅動因素。此外，不同的獨特性因素，具有不同的持續力，企業要持續保持差異化，就必須進一步了解它們。例如，政策選擇造成的獨特性，就比應用交互關係、透過鏈結形成的獨特性更容易被模仿。了解獨特性驅動因素，不但可以避免不當行為傷害到差異化的基礎，也可能發掘出新的差異化來源。

差異化的成本

差異化的成本通常很高。企業經常需要以成本換取獨特

性，因為獨特性來自於比對手更好的價值活動表現。舉例來說，要提供優異的應用工程師支援服務，所需要的工程師就比較多，而雇用老練業務員的成本，也比找些毫無經驗的新手更高。要達到比對手更高的產品耐用性，就得在材料上下工夫，甚至使用更為昂貴的材料──洛克威爾公司（Rockwell）的水錶比競爭者更耐用，就是因為使用更多的銅質零組件。

　　差異化的成本也與差異化的形式有關。舉例來說，由協調相關活動形成的差異化，需要增加的成本有限；而由運用自動化生產中心，降低零組件誤差，使得產品表現更為出色，也不需要增加大量成本。在柴油火車頭產業中，廠商以自動化製程提高精確度、進而降低引擎耗油量，所增加的成本也不多。同樣地，純粹透過增加產品特性所達成的差異化，就比按顧客需求特性形成的差異化，需要更高的成本。

　　差異化的成本來自於，形成此一獨特性相關價值活動的成本驅動因素。獨特性因素與成本因素間主要有兩種關係：

❏ 使得獨特性驅動因素，對成本驅動因素產生影響的原因。
❏ 成本驅動因素會影響形成獨特性的成本高低。

　　追求差異化通常對某項活動的成本驅動因素產生負面影響，甚至需要刻意地增加成本。比方說，要讓一項價值活動更接近客戶時，可能因為地點的成本因素導致成本提高。史密斯國際公司在鑽探設備上具有差異化優勢，由於它將大量設備存

放在油田附近，便於客戶取得，但也因而需要較高的成本。

成本會因獨特性而提高，反過來說，成本驅動因素則決定了差異化的代價到底有多高。在與對手較勁時，特定差異化策略的成本，要看企業地位與成本驅動因素的相對關係。例如，企業要擴大業務人員的涵蓋範圍時，所需要的成本可能與業務單位作業的規模經濟有關。如果企業已經具有規模經濟，就能夠降低此一動作所需的成本，而且對於擁有高度地方性市場占有率的企業而言，擴展業務涵蓋範圍所需的成本也較低。

在影響差異化所需成本的相關成本驅動因素中，最重要的是規模、交互關係、學習以及時機。規模，除了本身就能夠引導出差異化之外，也是最常影響差異化成本的因素。比方說，規模會決定如密集廣告，或快速推出新機型之類政策性選擇的成本。共用價值活動則通常會減少差異化的成本。像IBM就讓旗下的許多相關辦公設備產品，共用一群受過嚴格訓練、經驗豐富的業務人員。企業縮短一項差異化活動的學習曲線，也會獲得差異化的成本優勢。率先行動則能夠降低企業在廣告等方面的差異化成本，因為這些領域重視長期的親和形象或一些微妙的無形資產。

因此，成本驅動因素是差異化策略是否成功的關鍵，並與競爭具有密切的關係。如果競爭者在重要的成本驅動因素上具有不同的相對地位時，他們從特定價值活動中形成獨特性所需要的成本也會不同。同樣地，對個別企業而言，不同差異化形式對成本增加程度的影響，也會因相關價值活動的成本驅動因素狀況而定。比方說，對於能夠運用交互關係共用電腦化加工

中心的企業而言，提高零組件自動化生產比例所增加的成本，可能比不具這種條件的同業為低。同樣地，百工電氣（Black & Decker）推出新型電動工具的速度比競爭對手更快，但是由於它在全球市場的高占有率，使得因此而增加的成本有限。在某種極端的情況下，企業能夠從特定價值活動中發展差異化，並且使得此一價值活動的成本低於沒有對此一活動進行差異化的競爭對手。這也就是第一章中提到，企業可能同時取得成本優勢和差異化的情況。

有時候，企業從某一項價值活動中發展獨特性的同時，也可能降低它的成本。比方說，當某項價值活動的成本驅動因素是「整合」時，企業進行整合將使該活動具有獨特性，並同時降低它的成本。不過，如果企業能夠同時形成差異化和成本優勢，意味著：（一）企業尚未發掘出所有降低成本的機會；（二）過去曾判定某項價值活動的獨特性不具吸引力；或是（三）某種重要的創新剛剛出現，而競爭對手尚未採用，例如既能降低成本又能改善品質的新式自動化流程。

協調某些相關活動不僅能形成差異化，也可能同時降低成本，但是這種相關活動的協調卻常常被忽略。譬如說，有效協調報價、採購、和生產流程安排等活動，將會降低庫存成本並縮短交貨準備期。而如果供應商對所提供的採購項目進行更廣泛的檢查，不但能降低企業的驗收成本，同時也會提高終端產品的可靠性。事實上，支持「品質免費」這個流行觀念的基礎，就是因為許多運用鏈結關係，同時降低成本、並改善品質的機會並沒有被發掘出來。然而，這種建立差異化、並同時降

低成本的可能性確實存在，並非因為差異化的成本不高，而是
因為企業尚未完全發掘出降低成本的機會。

值得注意的是，如果企業早已盡一切可能降低成本，那麼
追求獨特性勢必會提高成本。同樣地，一旦重要的創新遭到競
爭對手模仿時，企業繼續保持差異的唯一方式就是增加成本。
因此，在評估差異化的成本需求時，企業必須比較自己與競爭
對手在同一項活動上形成相同獨特性的成本差異。

客戶價值與差異化

獨特性必須對客戶具有價值，否則不會帶來差異化的效
果。成功建立差異化的廠商必須找出許多為客戶創造價值的方
法，並能取得高於新增成本的溢價。企業要了解客戶重視哪些
價值，必須從了解客戶的價值鏈著手。客戶的價值鏈其實與企
業的一樣，是由許多相關價值活動所組成。就客戶的價值鏈而
言，企業的產品或服務是一種採購項目。比方說，鋼鐵是一種
原料，經過切割、彎曲、加工或其他形式的轉換之後，進入客
戶的產品製造流程，成為零組件和最後的終端產品。因此，客
戶的價值鏈決定了對企業產品的使用方式，以及企業對客戶價
值活動的其他影響。它們決定了客戶的需求，也形成客戶價值
與差異性的基礎。

除了較容易辨認的工商業客戶或機構型客戶價值鏈之外，
一般消費者也有其價值鏈。就消費者而言，他的價值鏈是家庭
及其成員使用一項產品或服務的一系列活動。企業要了解一項

產品如何融入一個家庭的價值鏈，首先要界定出產品直接或間接涉及的活動，而非一個家庭的所有活動。在某些時段，一台電視可能是不同家庭成員的娛樂，而在其他時段則是環境雜音（background noise）的來源。這台電視每天都要開開關關好幾次，轉台的動作也很頻繁。另外，消費者會向銀行整批購買旅行支票，而在假期與商務旅行時分批使用。當假期或旅行結束後，消費者會保留剩下的旅行支票，並且再跑一趟銀行預作補充，這意味著許多旅行支票是為了將來的旅行預作準備。家庭的價值鏈表現出家庭成員的習慣和需求，而工商型或機構型客戶的價值鏈則反映出客戶的策略和執行方式。無論客戶的型態為何，產品以及企業所提供的支援對客戶價值鏈的影響程度，就決定了企業為客戶創造的價值。

客戶價值

企業透過以下兩種機制，為客戶創造價值，並取得產品的溢價（或以相同價位獲得客戶青睞）：

- ❏ 降低客戶的成本（降低客戶的風險與降低成本同樣重要）。
- ❏ 提高客戶的效益。

對工商業或機構型客戶而言，差異性不只是產品價格低廉而已，還包括能以獨特方式為客戶創造競爭優勢。如果企業的產品能幫助客戶降低成本或提升效益，客戶自然願意付出溢

價。比方說，如果自行車組裝廠商能夠因採用某一知名供應商所生產的零組件，而建立差異化、並以較高的定價銷售，則自行車組裝廠商會願意為這個零組件支付溢價。同樣地，客戶願意高價購買柯達公司的 Ektaprint 影印機，是因為它具有自動循環送稿台和自動分頁功能，能幫助客戶節省人力成本。在這兩個例子中，企業都是靠提升客戶的競爭優勢，而非壓低產品價格來爭取客戶。

　　儘管評估客戶成本與特定的客戶效益並不容易，不過同樣的觀念仍適用於對家庭和個別消費者的評估。對家庭型客戶而言，一個產品的成本不僅包含財務成本、也包括時間、方便性的成本。消費者的時間成本包括，在他處使用同一項產品的機會成本，還有挫折、困擾或操作負荷等隱藏性成本。客戶價值就是從企業為客戶降低隱藏性成本而來。例如，比其他品牌更省電的電冰箱當然能以更高的價格出售。而能縮短吸塵時間，並減少工作負荷的吸塵器，當然對家庭客戶具有價值。然而，如果客戶喜歡逛街購物，那麼能節省採購時間的直銷行動倒不見得有價值。

　　對消費者而言，提高效益包含產品能切合需求、或是提高滿意程度。如果一台電視機能提供更佳的畫質和更短的熱機時間，並因此使得消費者對使用這台電視的滿意程度高於其他品牌，客戶就願意以更高的價格買這台電視機。客戶的產品需求，除了品質與功能外，還與產品所代表的使用者地位或身分有關。儘管消費者的客戶效益很難衡量，企業仍可以從客戶價值鏈中，找到關於顧客滿意程度的重要方向。

　　就像一般消費者一樣，有時候工商業和機構型客戶的採購目的也不是單純的利潤或營收成長。當供應商能讓客戶的決策者或員工滿意、或是表現出他們的身分地位時，即使對企業的獲利沒有貢獻，仍可能被列為有價值的供應商。這也反映出員工和公司目標間常見的落差。同樣地，對醫院而言，能夠提供更好醫療效果的醫療器材、即使沒有為醫院帶來更多利潤，仍然會受到重視。這說明了醫院的主要目標是提供病人更好的醫療服務，而且事實上很多醫院屬於非營利性質。不過，即使是營利性質的組織，還是會在提高獲利以外，附加許多其他目標，而這些目標也是客戶價值的一部分。

價值鏈與客戶價值

　　企業要降低客戶的成本或提高客戶的效益，是由己方價值鏈對客戶價值鏈的影響來達成。這種影響可以簡單到，只是供應對方一項價值活動所需的採購項目。但是，大多時候，影響往往不限於使用這項產品的個別價值活動，還包括對客戶價值鏈的其他直接和間接影響。以打字機為例，對於必須到處移動的打字機而言，重量是個很重要的考慮條件，而如果單純認為顧客活動只是打字而已，那重量因素似乎就無關緊要。更複雜的是，企業對客戶的影響並不僅止於產品本身，後勤系統、訂單處理系統、業務人員，以及應用工程部門等活動也會對客戶產生影響。即使是占總成本比例微不足道的活動，仍可能對差異化產生實質影響。有時候客戶會個別接觸到企業的價值活動（如業務單位），而在其他狀況下客戶只看到一組價值活動的成

果（如交貨是否準時）。因此，企業為客戶創造的價值，取決於企業價值鏈與客戶價值鏈間的所有聯繫，圖4.2表示出這種聯繫關係。

要說明這種聯繫，重型卡車是一個很好的例子。一輛重型卡車會直接影響到客戶的後勤成本——包括卡車的承載量、裝卸貨的難易程度、燃料成本，以及維修成本。而這輛卡車對客戶的其他成本也有間接的影響。如承載量會影響客戶送貨的頻率；運送過程中的晃動程度和溫度、濕度的調節能力，則關係到運送服務的品質；車箱能否保護所運送貨物不受損壞也會影響到客戶的包裝成本。另外，這輛卡車還可能因為車身外觀，以及漆上識別標誌的醒目程度，增加外界對客戶品牌的認識。

不僅卡車本身影響到客戶的價值鏈，卡車製造廠商的其他價值活動也可能對客戶造成影響。例如備用零件是否容易取得，會影響客戶車輛待修時間的長短。貸款政策會影響這部卡車的財務成本。卡車製造商的業務人員素質，則決定他們對客

圖4.2　企業價值鏈與客戶價值鏈的典型鏈結

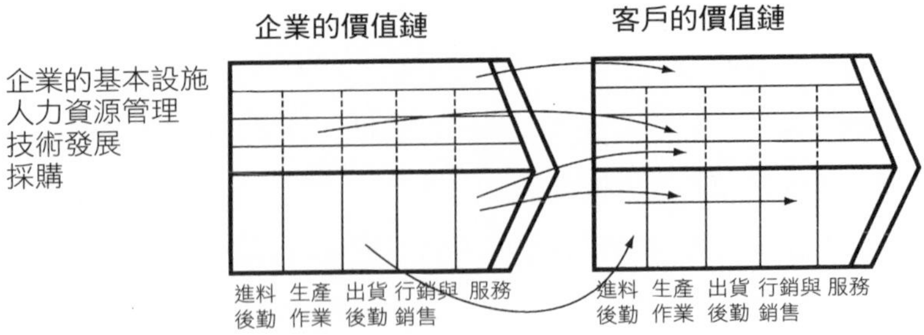

企業的價值鏈　　　　　客戶的價值鏈

企業的基本設施
人力資源管理
技術發展
採購

進料　生產　出貨　行銷與　服務
後勤　作業　後勤　銷售

進料　生產　出貨　行銷與　服務
後勤　作業　後勤　銷售

戶的車輛維修程序和調度方式所能提供的協助。這些活動間的聯繫都可能改變客戶的成本或效益，而同樣的觀念也適用於家庭型客戶。

　　企業與客戶價值鏈之間的聯繫對於客戶價值將產生什麼樣的影響，不在於產品原先預期的使用方式，而在於客戶實際上如何使用此一產品。如果客戶拿到產品卻不會安裝、操作或維修，或者使用方式與原先的預期不同時，再用心設計的產品也不會有令人滿意的效益。舉例來說，如果家庭主婦以錯誤的溫度烹調冷凍食品，結果不難想像。同樣地，如果沒有在正確的位置上油，機器也會很快損壞。

　　企業對客戶價值鏈的所有影響，包括企業價值活動與客戶價值活動之間的各種聯繫關係，都是企業形成差異化的機會。產品對客戶價值鏈的直接或間接影響愈多，企業表現差異化的機會也愈高，所能夠達到的整體差異化程度也愈大。比方說，當卡車製造商充分了解它對客戶價值鏈的影響，不僅能夠從卡車的設計上增加客戶的利益，還能夠從服務、零件供應、財務等其他活動上，為客戶創造更多價值。

　　差異化，是由企業與客戶價值活動之間，聯繫關係的獨特性所產生。一項獨特價值活動的可貴之處在於，它能直接和間接地影響客戶的成本或效益。企業整體的差異化程度，則累積自價值鏈中所有獨特之處所創造的客戶價值。這種累積的價值經過量化，便是企業與競爭者比較時，所能得到的溢價上限。不過，為了增加客戶採購的誘因，企業有必要與客戶分享一些它所創造的價值，因此，它所要求的溢價通常比應得價格要低

一些。

降低客戶成本

　　能夠降低客戶使用某項產品的總成本、或其他相關成本的各種方式，都是企業形成差異化的潛在基礎。企業的行動如果能夠降低客戶價值鏈中的主要成本，也就代表了發展差異化的重要機會。因此，一旦企業能深入了解客戶如何使用它的產品，以及本身在行銷、交貨和其他活動上對客戶的影響，通常都能找出許多降低客戶成本的機會。

　　以下是企業降低客戶成本的方法（進一步討論請見第八章）：

❏ 降低交貨、安裝或財務的成本。

❏ 降低對產品使用頻率的需求。

❏ 降低使用產品的直接成本，如勞工、燃料、維修和所占空間等。

❏ 降低使用產品的間接成本，或這項產品對其他價值活動的影響，例如重量較輕的零組件能夠降低最終成品的運輸成本。

❏ 降低客戶價值鏈中與這項產品實體無關的其他活動成本。

❏ 降低產品失敗的風險，連帶降低客戶對失敗的預期成本。

　　表4.1列出企業能夠以產品本身，降低客戶直接成本的某些方法。除了表4.1所列的例子之外，企業還能夠以其他價值活動達到相同的目的。像準確可靠的交貨能夠降低客戶的庫存；縮短零組件的供應時間也會減少設備的待修時間；訂貨和付款程序則可以縮減客戶的會計和採購成本。以美國醫院供應公司和醫院之間的電腦線上訂貨系統為例，它讓醫院不需透過採購代理，而直接由經驗較少、薪資較低的職員負責訂貨工作。企業也能透過建議或技術協助等方式，幫客戶降低成本。像英特爾（Intel）就發展出一套開發系統，協助客戶以更經濟、快速的發展使用英特爾微處理器的產品。企業也可以取代客戶的部分功能，向下整合進入客戶的價值鏈。以批發業為例，拿坡可公司（Napco）就替客戶進行貨品上架、標價，以及更換滯銷產品等工作（這種策略是假設企業執行這些活動的成本比客戶更低）。

　　以下的幾個例子可以清楚顯示出，企業如何降低客戶成本並形成差異化。前面提到的柯達影印機，因為具有整理和文件分頁的功能，而降低了客戶的成本。但是影印機產業的龍頭全錄公司過於重視影印的速度，卻忽略客戶使用影印機的其他成本。在搬運業中，貝金斯公司（Bekins）保證準時取貨和準時交貨，並先講明搬運價格，如果未依約定時間搬運完成，將退給客戶延遲補償一百元美金，對於損壞物品的賠償，則根據重置成本而非購買價格。這些作法都能夠降低客戶的直接與間接成本並增加客戶的信任感。在搭扣產業，維克羅公司（Velcro）的產品以纖維墊連接許多小塑膠鉤，比其他形式的產品更容易

表4.1　降低客戶使用成本的產品特徵

差異化因素	實例
減少產品處理程序，以取得相等的利益（包括廢料比例）	預先切割的鋼板
較快的加工時間	快速連接的搭扣
降低勞力成本（降低勞動力、訓練或所需的工作技能）	自動撥號裝置
減少採購項目或所需附屬設備的數量	省電冰箱
降低維修／零件的需求，或易於維護	穩定的影印機
降低停機的時間	快速裝卸的貨輪
降低對調整、監控的需求	品質一致的油漆
降低失敗的成本或風險	油井防爆裝置
降低安裝成本	
降低進料檢驗的需求	半導體
更快的設定時間	可程式化工具機
更快的處理時間	特製鋁合金
降低其他產品受損的風險	過濾設備
較高的抵償價格	耐用的汽車
與更多的附屬設施相容	個人電腦

安裝，也減輕了客戶生產線對熟練作業員的需求。

　　企業尋找降低客戶成本的機會時，必須清楚了解產品在客戶價值鏈中的流程，或對客戶價值鏈的影響，包括庫存、物料處理、技術發展和行政管理等活動。企業也必須熟悉客戶價值鏈中，所有與本身產品共同使用的其他採購項目，以及其中的相互關係。企業也必須找出本身價值鏈中，所有影響到客戶價值鏈的相關價值活動。

提升客戶效益

　　企業要提升客戶的效益，必須從客戶的觀點來了解客戶所重視的效益。甚至於，要提升工業型、商業型和機構型客戶的效益，企業還必須了解，哪些因素會對它們的客戶形成差異化。因此，必須運用相同的客戶價值分析方法，企業才能徹底了解客戶及其客戶的需求。舉例來說，當卡車製造商的客戶是一家消費性商品製造商，而後者的銷售對象又以零售店為主時，如果零售店需要送貨的次數頻繁，則能夠令這家消費性商品製造商感興趣的卡車將是，在合理成本範圍內，適合頻繁送貨的車型。同樣地，維克羅公司面對汽車製造廠商時，它的差異源自於適用性更廣的搭扣設計，使得汽車製造商能夠提供各種內部裝潢的選擇性配備，以滿足不同顧客的需求。

　　企業要提升工業型、商業型和機構型客戶的效益，另一個可行途徑是，協助它們滿足如地位、形象或權威等非經濟性目的。以重型卡車為例，帕卡公司（PACCAR）之所以能在同業中取得高度差異化地位，是因為旗下的肯渥斯牌（Kenworth）

K-Wopper型卡車是以手工打造，因而能夠滿足個別車主的專業需求。這種差異性與卡車的經濟效益毫無關係，但是，許多肯渥斯卡車的車主身兼老板和司機兩職，並從卡車的外觀和品牌形象上滿足自己的價值感。

　　當客戶是一般消費者時，要提升客戶的效益必須更能滿足他們的需求。以美國運通（American Express）的旅行支票為例，最常見的消費者需求包括現金需求不固定、旅行計畫變更、銀行提款不便，以及現金可能被偷或有匯兌損失風險等情況。美國運通與同業間的差異化在於，便於兌換，以及快速補發遺失支票。美國運通在全球各地普遍設立服務據點並延長營業時間，就是為了提供客戶隨時隨地兌換支票的服務。

客戶的價值觀

　　無論企業提供客戶什麼樣的價值，客戶通常很難事先評估。譬如說，即使客戶仔細檢查並試開一輛卡車，也不見得就能掌握它的舒適、耐用、省油和維修頻率等性質。通常都需要對實體產品具有廣泛的使用經驗，才能夠深入了解它對客戶成本或效益的影響。對客戶而言，了解企業其他活動對客戶價值的影響，往往更加困難。甚至，客戶採購並使用一項產品之後，也未必能完整或正確地衡量企業及其產品的效益。

　　因此，通常客戶對於企業實際或可能降低客戶成本、提高客戶效益的各種方式，並沒有充分的了解。換言之，客戶通常不知道應該從供應商那裡尋求什麼？客戶雖然傾向於根據本身價值鏈所受到的直接影響作判斷，卻常常忽略除了產品以外，

供應商價值活動對自己的間接影響，使得客戶對供應商的期望不是過高，就是低估。比方說，客戶常常只以售價來衡量產品的價值，而沒有把運費、安裝費用等其他隱藏性成本算進去。因此，客戶不只要認識一家企業及其產品，還要了解企業對它（客戶）的差異化程度有多大幫助。此外，由於客戶並不十分清楚它應該重視哪些價值，也就形成了企業追求差異化的機會，因為企業可以搶先採用一種新的差異化型態，並引導客戶重視這些差異性。

客戶對企業及其產品的認識不足意味著，企業的差異化只有一部分是來自於客戶對企業產品能否降低其成本、或改善其與競爭對手間相對表現的推論或判斷要素。客戶也會利用如廣告、知名度、包裝、專業程度、產品外觀、供應商的員工特質、設備的吸引力，以及業務代表提供的資訊等相關指標，來推論企業可以或將創造的價值。這些客戶用來判斷企業所創造價值的要素，我稱它們為價值訊號（signals of value）。

價值訊號中，有些需要持續投資，如包裝、廣告等，有些靠企業長期累積的信譽或知名度，而某些價值訊號企業根本無法直接控制，如客戶之間的口耳相傳。在某些產業中，價值訊號對於展現出產品未被察覺的利益，以及企業具有優勢的相關隱藏成本而言十分重要。因此，在這類產業中，價值訊號與形成差異化的實際價值同樣重要。特別是企業對客戶成本或效益的影響，是主觀的、間接的或是很難量化的時候，如客戶首次嘗試該項產品、或對該產品並不內行、或再次採購的機會不大時，這種情形特別明顯。法律服務、化妝品、或諮詢顧問都是

很好的例子。話說回來，幾乎所有產業都需要價值訊號。

　　不論企業提供的價值有多高，如果客戶無法察覺這點，他是不會花錢採購的。因此，企業期望的溢價要有它所提供的價值與客戶了解的程度。圖4.3就在解釋這個關係。即使企業僅提供一般價值，透過有效的價值訊號，可能產生更高的溢價空間。反過來說，如果企業的價值訊號貧乏，即使是項好的產品，也可能無法以符合實情的價格銷售。

　　從長期觀點來看，企業對客戶價值──包括客戶成本與效益的實際影響，就是他的溢價上限。能有效應用價值訊號的企業，短期間內可能要求超過實際價值的價格。但是，如果產品價值與價格始終無法一致時，名實不符的問題最後還是會被

圖4.3　實際價值與客戶認知的價值

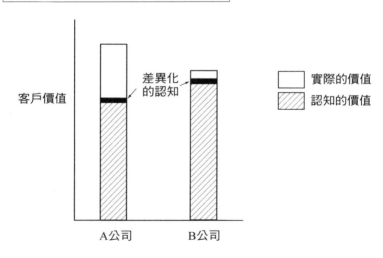

看穿，原因之一是，商場競爭中，人人都在注意競爭對手的弱
點。不過，無法有效應用價值訊號的企業，可能永遠得不到真
實價值所應得的溢價。

客戶價值和採購決策者

當客戶是家庭或企業組織時，實際的採購決策者仍然是某
些個人。這些人握有解釋並評估產品實際價值與價值訊號的權
責。因此，作採購決策的特定個人或團隊，也會影響產品的價
值。採購決策者不一定是進行交易的人（如醫生為病人選擇服
用哪種藥物），也可能不是實際使用產品的人（如採購人員為
工廠選擇使用的產品）。甚至銷售通路對於要不要保持某項產
品的庫存，或判斷某企業是不是適當的供應商，也可能有自己
的定見。

不同的決策者有不同的關心層面，也會以不同的價值訊號
評估供應商。比方說，採購人員就不像工廠經理那麼關心採購
項目的可靠性，因為他不需直接承擔產出瑕疵品的後果，而採
購人員更在意如何將採購成本壓到最低。決定採購某項產品的
也可能不只一個人。像家庭購買房屋時，多半由夫妻兩人共同
決定。在選擇航空公司與旅館方面，旅行社與旅遊仲介都是重
要的決策者。同樣地，在採購生產設備方面，採購部門經常與
現場工程師共同作業。此外，有些人雖然不直接參與決策，他
們的態度卻能夠左右採購決策。這類人士或許無權決定選擇哪
種產品，卻具有否決某家供應商的影響力。

因此，企業必須先辨認出實際的採購決策者，才能確定它

能為客戶創造什麼價值，以及了解價值訊號與客戶的關係。企業也常常在辨識採購決策者的過程中，發現一些較不明顯的客戶效益。例如採購決策者的權威、與供應商的私人交情，或是選擇高知名度供應商以保護個人事業前途等，如果將整個企業或家庭視為一個客戶，這些效益常是隱而不顯的。IBM就是以它是一個「安全」的選擇為訴求；而柯達公司（Kodak）更將自己定位為業餘攝影者的可靠供應商。對實際的採購決策者而言，專業知識與相關消息來源也會影響價值訊號的說服力，例如工程師可能以專業技術出版品、或技術性期刊上的廣告做為價值訊號，而會計人員可能會受到衣著光鮮的業務員與精英宣傳品的影響。

客戶的採購條件

企業想要將這些基本的客戶價值應用在特定產業上，必須先了解客戶的採購條件（purchase criteria），也就是企業的特定屬性為客戶創造的實際價值或認知上的價值。客戶的採購條件大致可分為兩種型態：

❏ 使用條件（Use criteria）：這類採購條件源自於供應商透過降低客戶成本、或提高客戶效益，進而影響實際客戶價值的各種方法，包括產品品質、產品特性、交貨時間、應用工程協助等因素。

❏ 訊號條件（Signaling criteria）：這類採購條件源自於價值訊號，或客戶據以推測、判斷供應商實際價值的方法，

包括廣告、設備的吸引力、信譽等因素。

使用條件是以具體方式評估，能夠創造客戶價值的各種屬性；訊號條件則協助企業評估，客戶如何體認價值。使用條件來自於供應商的產品、出貨後勤與服務性活動為基礎；而訊號條件則來自行銷活動。不過，企業內所有部門（以及絕大多數的價值活動），都會影響這兩種條件。

企業能以溢價銷售產品，是因為它的獨特性所帶來的效益符合客戶的使用與訊號條件。企業常犯的錯誤是，專注於使用條件卻忽略了訊號條件，結果降低了客戶對企業價值的認知。但是一味強調訊號條件而沒有適當的使用條件搭配，同樣不會成功，因為客戶終究會發現，實際需求並未獲得滿足。

要釐清什麼是客戶的使用條件，什麼又是客戶的訊號條件，不是件容易的事，原因是企業內部許多價值活動，都兼具滿足客戶使用條件與傳遞價值訊號的雙重作用。比方說，一個衣著光鮮的業務代表可以是這家企業的價值訊號，也可能是客戶如何應用企業產品以降低成本的重要知識來源。同樣地，品牌聲譽也可能對客戶具有相當價值，因為對實際客戶而言，萬一所選擇的供應商表現不佳，他的決策可以因而不被責難（你總不能責怪我選擇「IBM」吧！）。儘管使用條件與訊號條件有重疊的現象，能夠為客戶帶來真正價值的還是使用條件，企業仍有必要盡量區隔這兩種採購條件，以及對兩者具有貢獻的價值活動。畢竟，沒有客戶願意只為了價值訊號而付錢。企業必須知道產品對客戶使用條件的滿足程度，以及所創造的價值，

才能訂出合理的溢價。至於滿足訊號條件所具有的價值，必須用另一種方式評估。訊號條件的價值取決於：它對於讓客戶認識，「因為滿足客戶使用條件而產生的價值」具有多大幫助。

使用條件

前面提過，客戶的使用條件來自企業價值鏈與客戶價值鏈間的聯繫關係。由於這類聯繫關係的數量很多，使用條件的總數往往會超過產品本身的各種特性。使用條件可以包括實質產品，如派柏汽水（Dr. Pepper）不同於可口可樂或百事可樂的口味，或是企業的運送與產品支援系統，甚至於對一模一樣的實質產品而言也是如此。雖然產品與其他價值活動對使用條件的區別，可能只是程度上的問題，但是，既然價值活動比實質產品更能夠形成許多不同層面的差異，它們的重要性就不可小覷。甚至，因為許多廠商都以實質產品為重，使得與產品無關的其他價值活動更可能成為重要的差異化來源。客戶的使用條件還包括企業的產品規格（或其他價值活動的規格），以及這些規格的一致性。在形成差異化的因素中，一致性雖未受到重視，但是它的重要性卻不在規格之下。

客戶的使用條件也可能是風格、權威、象徵地位、品牌聯想（如以設計師為號召的牛仔褲）等比較微妙的因素。這種情形在消費性商品上尤其明顯。這些微妙的使用條件通常與非經濟性的採購動機有關。在酒類市場中，伏特加酒無疑是一般消費商品，而思美洛的伏特加酒能夠溢價銷售，主要是它已成為社交場合中飲酒風尚的代表。大多數客戶選購這種品牌，因為

他們希望來賓認為他是有品味的行家。微妙的使用條件除了適用於消費者，對其他類型的客戶也很重要。比方說，擁有一架「灣流三型」噴射機（Gulfstream III），就讓企業界的高層主管在同儕之間顯得身價不凡。可見，當採購決策者是擁有相當大決策權的個人時，微妙的使用條件對工商業或機構用產品的影響力也很大。

最後，客戶的使用條件還包括配銷通路的特質或下游的價值。由於通路會影響到企業的差異化，使用條件必須在通路所提供的服務、貸款等方面，反映出企業與競爭對手間的差異。此外，通路有它自己的使用條件，並且據以評估企業帶來的價值。譬如說，通路廠商通常會要求供應商貸款、提供查詢服務，以及技術協助，而這些都是一般客戶不會注意的問題。

客戶如何使用一項產品，必然會影響到企業對於滿足客戶使用條件的表現，因而企業的挑戰部分在於，確保客戶使用產品的方式能確實發揮產品應有效益。因此，企業的產品設計、包裝，以及使用訓練都將影響最終的產品表現。比方說，廠商設計節流閥時，通常會考慮到如何避免使用時的過度扭轉。促使客戶按預期方式使用某項產品的要素，通常也會成為一個使用條件。由於大多數企業假設產品的預期使用方式與實際使用方式是一致的，使得這類使用條件也可能是企業發展差異化的來源。

訊號條件

訊號條件反映出價值訊號，而這些價值訊號會影響到客戶

對於企業是否能滿足使用條件的認知。企業的各種活動和屬性都可能是訊號條件，它們能使企業成為客戶考慮的採購對象，也可能在客戶最終的採購決策中扮演重要角色。典型的訊號條件包括：

❑ 企業的信譽或形象。
❑ 過去累積的廣宣效果。
❑ 產品的重量或外表。
❑ 包裝與商標。
❑ 設備的尺寸與外觀。
❑ 在業界的年資。
❑ 銷售數量。
❑ 既有客戶的名單。
❑ 市場占有率。
❑ 產品價格（價格與品質有聯想關係）。
❑ 母公司的表現（規模、財務穩定性等）。
❑ 客戶高層主管對企業或產品的的認知程度。

客戶的訊號條件通常很微妙。比方說，醫療儀器的外表塗裝可能與功能完全無關，但是在客戶對產品品質的認定上卻可能有重要影響。同樣地，一般認為亞韓公司（Arm & Hammer）能成功擴展至清潔劑領域，部分原因是來自於差異化。這家公司的清潔劑其實與其他品牌沒兩樣，差別只在於包裝比較重一些。

在某些情況下，訊號條件會成為左右客戶採購決策的關鍵，這些情況包括：客戶難以評估供應商的表現、對這項產品的採購頻率不高、或這項產品是配合客戶的專業需求而生產，以致於無法以供應商過去與其他客戶的交易狀況，來判斷它未來的表現。特別是在專業服務的領域中，訊號條件更是非常重要的一環。服務業是典型的客戶導向行業，並且必須在客戶採購之後，才能看到實際的表現。因此，成功的專業服務公司非常重視辦公室的陳設和員工的服裝儀容等事項。另一個強調訊號條件的產業則是鋼琴業，因為這個產業的客戶多半不是行家，對判斷產品品質也可能沒有把握。史坦威鋼琴在發展差異化時就注意到，音樂會中鋼琴家所選用的鋼琴品牌是個有力的訊號條件，因此在全英國各地成立平台式鋼琴的「鋼琴銀行」，專供音樂家在演奏會中使用，獲得認可的音樂家可以用極低的價格租借這些平台式鋼琴。如此一來，史坦威鋼琴和音樂家之間建立起極佳的關係，而大多數的音樂會也都使用史坦威鋼琴。

即使客戶已經採購企業的產品，訊號條件的價值依然存在，並具有強化客戶對企業認知的效果。客戶通常需要一而再、再而三地確認他們選擇供應商與產品的決策是正確的。客戶也需要教導，協助他們評估產品對於使用條件的滿足程度。因為他們即使完成採購，仍然無法確認產品在使用條件上的表現、或是缺乏足夠的資訊與關注來了解這項產品的效益。企業與客戶定期溝通，說明產品對客戶的貢獻，往往對差異化產生重大影響。

在各種訊號條件中，某些與特定的使用條件有關，其他則是指出企業所提供客戶價值的一般性價值訊號。例如，廣告可以強調產品的特色，而企業的信譽則可能使某些客戶相信，企業可以滿足他們許多使用條件。因此，找出價值訊號與特定使用條件間的關聯十分重要，一方面有助於發現新的價值訊號，同時也能了解所發布訊號應該傳達的屬性。比方說，如果企業發現往來客戶的名單是服務可靠性的價值訊號，就應該以顯著的方式發布這份客戶名單。

辨別採購條件

企業要辨別採購條件，首先得分辨出誰是客戶的採購決策者，以及哪些人對決策者具有影響力。如果企業與客戶間另有中間廠商，這些廠商也是分析的重點。接下來，企業應該先分析客戶的使用條件，因為使用條件能夠衡量客戶價值的可能來源、並且會影響訊號條件。在辨別使用條件時，可以同時從幾個不同的角度切入，並比較所得到的結果。由於企業往往以本身對客戶需求的了解來辨別使用條件，而過去的經驗卻可能使企業對客戶使用條件的看法失真，因此，光靠內部的分析不夠，對客戶採購條件的分析還必須建立在與客戶進行面對面溝通的基礎上。不過，只有直接交談仍然不夠，因為客戶通常不很清楚企業對它的成本或效益的影響，而且也未必說真話。到了這一步時，企業就必須標示出客戶的價值鏈，並且有系統地分析雙方價值鏈中既有或潛在的鏈結。這種分析不僅能夠幫助企業察覺過去未曾注意到的使用條件，也會顯示出評估一般使

用條件重要性的方法。

　　企業要發展差異化策略，必須先精確地辨別客戶使用條件。許多企業提到客戶的使用條件時，往往用「品質好」、「交貨」等模糊的字眼。在這種空泛的描述中，企業無法估算出滿足客戶使用條件的價值，更不知道如何自我調整，以增加企業對客戶的價值。像「品質」就可能指更高的規格要求或更佳的一致性。對麥當勞（McDonald）而言，在任何時間、任何分店維持漢堡與薯條品質的一致，重要性絕不下於口味與份量。但是光要做到這兩點，就涉及企業內部非常多的價值活動。另外，「服務」也可能有很多的含義，如履行承諾的能力、維修能力、客戶服務的回應速度，以及交貨時間等。

　　企業應該盡可能把滿足每一項使用條件的最佳表現加以量化。舉例來說，評量食品成份的品質時，應該提出它所含添加物的份量或是所含脂肪的百分比，即使如風格等微妙的使用條件，通常也能以市場調查的方式加以量化。量化的結果不僅促使企業用心推敲客戶真正重硯的價值，同時也有助於企業評估與追蹤本身在滿足某項使用條件上的表現，這往往會導致企業的表現出現重大改善。量化也使企業得以評估，自己在滿足一項重要條件上與競爭對手的相對地位，進而研究出競爭對手用以達成外在表現的實際作法。

　　企業藉著評估它對客戶成本或效益的影響，還能算出滿足每一項使用條件的價值。這裡面必然涉及主觀判斷，但是在選擇有持續力的差異化策略時，它是一項不可或缺的工具。企業確定滿足每一項使用條件的價值後，就可以將它們依重要程

度排出先後順序。對某些使用條件而言，企業只需要達到滿足客戶需求的門檻，而另一些則是效益愈高愈好。比方說，如果一般電視機的暖機時間需要兩秒鐘，即使減少到一秒鐘，所增加的效益其實很有限。何況對使用條件的要求達到一定程度之後，大多會有效益遞減的現象，超過這個臨界點之後，任何改進非但價值不高，還可能減低客戶價值。有時為了滿足某些使用條件，可能涉及與滿足其他使用條件之間的權衡。因此，計算出滿足每一項使用條件的價值，就可以得知相關的需求門檻、權衡效應，以及超額滿足使用條件所增加的客戶價值。企業只有在了解這些情形後，才能在差異化所產生的價值與所需要的成本間找到平衡點。而根據滿足客戶使用條件的價值，所排列出的使用條件重要性，往往與傳統經驗背道而馳。

　　一旦企業了解，客戶如何判斷一家供應商在滿足使用條件上的潛在能力，以及如何評估這些條件實際上被滿足的程度，就能夠辨別訊號條件。理想的作法是，一開始先檢查每一項使用條件，以決定可能與他搭配的價值訊號。舉例來說，如果交貨的可靠程度是一項重要的使用條件，企業過去的交貨紀錄與客戶的證言就可能是價值訊號。另兩個分析步驟也能幫助企業掌握訊號價值。其一是，仔細分析客戶的採購流程，包括客戶的消息與諮詢來源、測試方法或檢驗程序，以及形成決策的步驟等，透過這個分析，價值訊號自然會浮現出來。這種分析能幫助企業了解，什麼是客戶、甚至是配銷通路廠商想要了解或注意的。另一個方法則是，標示出企業與客戶在採購前後的重要接觸點，包括通路、商展、會計部門等。每個接觸點都是影

響客戶對企業認知的機會，因此也可能是一種訊號條件。

客戶的訊號條件與使用條件一樣，也必須盡量做精確的辨認，以便企業據以發展差異化策略。以銀行為例，陳設外觀的井然有序、安全性與永續經營等特質都可以是價值訊號。走設計路線的服裝店，則較適合以其他層面的外表印象做為價值訊號。由於訊號條件的重要性不一，企業必須根據它們對客戶認知的影響力大小，決定對每個訊號條件的投資程度。值得注意的是，要衡量訊號條件對實際價格的影響通常很困難，不過，焦點團體（focus groups）與客戶訪談等方式則是可能的途徑。另外，訊號條件與使用條件一樣，都會在一定程度的滿足後，出現效益遞減的現象。像過分華麗的辦公室就可能讓客戶覺得，這家企業太浪費或不夠專業。

企業辨認出客戶的採購條件之後，接著必須決定採購條件的等級、並加以分類。圖4.4就是針對採購巧克力糖所作的採購條件列表。這份採購條件表中必須包含產品價格，並反映出在所有採購條件中，客戶對價格的重視程度。表中還應該區分出終端客戶（end user）與配銷通路分別重視的使用條件與訊號條件，以凸顯各項條件所涉及的對象，並釐清在滿足各項條件上，不同對象所需的不同作法。對於終端客戶與通路的使用條件，企業可以再依據降低客戶成本與提升客戶效益的功能做區分。雖然一項使用條件的滿足可能兼具降低成本與提高效益兩種效果，但仍會有主要與次要之別。以巧克力點心為例，購買便利性對客戶運輸成本的影響更為顯著，而口味則與客戶效益的關係較密切。此外，使用條件還可以再分為，易於評量與不

圖4.4　某種巧克力糖的客戶採購條件排序

	使用條件	訊號條件
終端客戶	口味 營養價值 口感 外觀 價格 購買便利性 包裝大小	廣告 陳列位置 店內展示 購買便利性
通路	訂購流程的快慢 通路的利潤 服務的可靠性 促銷上的支援	業務拜訪的頻率

易察覺、或量化兩大類（見圖4.5）。

　　圖4.5的分類方式相當重要，而且必須如此區分的原因很多。對某些客戶而言，要讓他們願意付出溢價，降低成本的差異化可能比提升效益的差異化更具有說服力。尤其是當客戶面臨財務壓力（例如不景氣）時，唯一能使他們繼續接受溢價的情況是，供應商在降低客戶成本上展現強大的說服力。另外，客戶價值易於評量的差異化也比難以察覺或評估的差異化，更容易轉換成溢價。至於很難評估的差異化通常是在，客戶認為這項賭注具有相當報酬的情況下，才可能轉換成溢價，例如高層次的諮詢或客戶目前尋求地位的滿足。圖4.5的右邊就是一

些很難評估的差異化，要讓客戶了解它們的價值，企業必須付出相當高的代價，通常需要在訊號條件上投下大筆資金。然而，提高客戶對產品的熟悉程度往往也給不易評估的差異化帶來負面影響，因為客戶可能不再像過去一樣，輕易認定它們的價值。

在一項產業中，每個客戶所重視的使用條件和訊號條件可能不同，對這些條件的重現程度也不一致。而將客戶依其採購條件的相似性分門別類，則是形成客戶區段（buyer segments）的基礎，相關課題將在第七章做更詳細的說明。

圖4.5 使用條件與客戶價值之間的關係

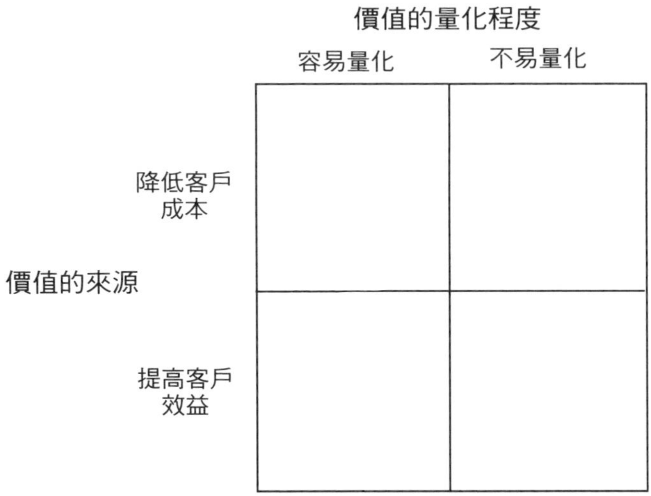

價值的量化程度

	容易量化	不易量化
降低客戶成本		
提高客戶效益		

價值的來源

差異化策略

差異化來自於企業為客戶創造的獨特價值。它可能是滿足某一項使用條件或訊號條件的需求，但通常是兩者兼備。而差異化要能持續下去，有賴於一系列獨特價值活動對客戶採購條件所造成的影響。其中，有些採購條件的滿足只需在一項價值活動上下工夫，如訴求明確的廣告；有些則涉及多項價值活動，例如與交貨時效相關的活動就包括生產作業、出貨後勤與訂貨流程等。

在滿足某些使用或訊號條件上，許多價值活動都有其重要性。圖4.6顯示，企業如何將客戶的採購條件對應到自己的價值活動，以便標示出攸關差異化的價值活動。企業價值鏈與客戶價值鏈間的關聯則是說明這項分析的基礎。

企業整體的差異化程度，表現在它滿足所有客戶採購條件時所累積的價值。在企業價值鏈中，差異化的來源通常是多重的。司徒福公司（Stouffer）在冷凍調理食品方面的成功差異化，就是一個很好的例子（參見圖4.7）。它同時在滿足客戶的使用條件與訊號條件上發展差異化。司徒福公司大量投資於餐點開發，因而在同業中擁有最多的獨特菜色，以及出眾的調味技術；在選用材料與調理過程上的用心，則使餐點具有誘人的外觀。它的餐點設計與配料也比同業更精緻，而極具吸引力的包裝不僅成為一項有力的價值訊號，更強化了高品質的形象。同時，它也開風氣之先，在同業的廣告預算普遍偏低時，它卻

圖4.6　價值活動與客戶採購條件之間的關係

影響客戶採購條件的價值活動

	進料後勤	生產作業	出貨後勤	行銷與銷售	服務	採購	技術發展	人力資源管理	企業的基本設施
規格的一致性	X	X	X	X	X	X	X	X	
使用條件 交貨時間		X	X			X			
產品特性		X					X		
業務人員的品質				X				X	
訊號條件 銷售輔助工具				X			X		
提供效益的吸引力		X							X

在產品廣告上大量投資，甚至還在廣告上創新，將冷凍調理食品定位為忙碌美食者的選擇，而非一般家庭的速食餐點。此外，司徒福公司在直銷業務與代理商方面的投資也很大，目的在確保醒目的貨架擺設，以及提高補貨與瑕疵品回收的效率。由於司徒福公司的價值鏈中有這麼多獨特性來源，它不但在同業中取得最高溢價，並因而擁有穩定的市場占有率。

　　當客戶所察覺的價值遠超過差異化的成本時，差異化會為企業帶來卓越的表現。以司徒福公司為例，它得到的溢價明顯高於在廣告、包裝、材料、代理商、研究發展等方面的投資，而它的利潤也明顯優於其他同業。因此，差異化策略的目標就是，在發展獨特價值鏈所需的成本、與因而形成的客戶價值（也就是客戶願意付出的溢價）之間，創造最大的落差。由於差異化的成本因價值活動而異，企業選擇的活動必須是能夠以相對較低的成本，為客戶創造最大價值者。這意味著企業既要追求低成本的獨特性來源，也要不惜成本，創造更高的客戶價值。當企業所面對的成本驅動因素地位不同時，差異化的成本也會不一樣，這也影響到企業發展差異化的作法及其效益。司徒福公司的高市場占有率，不僅相對降低了它在廣告、產品研發、採購等方面的成本，也提升了它的整體表現。

　　差異化策略的最後一項元素是持續力。除非企業的差異化一直保持很高的客戶價值，並且很難被競爭對手模仿，否則，長期而言，不必然享有溢價優勢。因此，企業必須找到競爭者難以模仿的持續獨特性來源。

圖4.7　司徒福公司冷凍調理食品的差異化來源

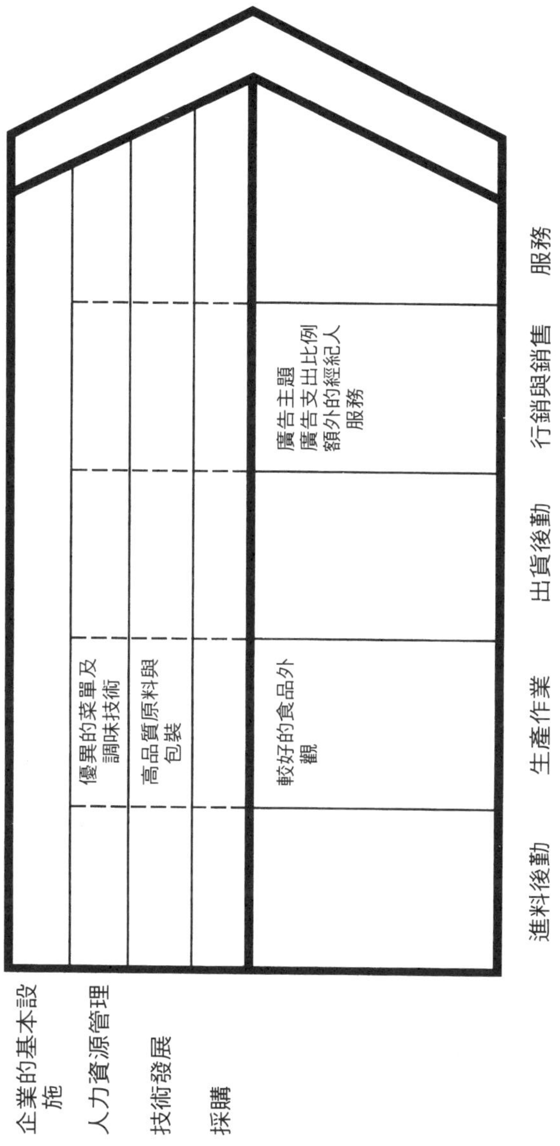

企業的基本設施

人力資源管理

技術發展

採購

優異的菜單及調味技術

高品質原料與包裝

較好的食品外觀

廣告主題
廣告支出比例額外的經紀人服務

進料後勤　　生產作業　　出貨後勤　　行銷與銷售　　服務

差異化的途徑

　　企業可以透過以下兩種基本方式提高差異化。它可以在既有價值活動的執行上更強化其獨特性，或是以重新定義價值鏈的方式，提高本身的獨特程度。要使價值活動變得更獨特，離不開前面提過的獨特性因素。無論是循哪一種途徑，採取差異化策略的廠商必須同時控制差異化的成本，才能將差異化轉換成卓越的表現。以上是一些差異化的作法以及成功企業的特色：

增加獨特性的來源

　　增加價值鏈中的差異化來源：企業通常能夠透過，從各種價值活動中開發許多獨特性來源，以增加整體的差異化程度。司徒福公司就是以多項價值活動累積獨特性，進而成功形成差異化的範例。其他的例子包括凱特彼勒曳引機公司，它藉著產品耐用性、零件便利性、代理商網路等獨特性的組合，成功達到差異化；海尼根啤酒則結合原料品質、口味的一致性、快速運貨保鮮、大量廣告，以及廣泛的銷售點，形成與其他進口啤酒的差異。企業應該仔細檢討每一項價值活動，找出能夠提高客戶價值的新途徑。例如，某些半導體製造廠商提供客戶電腦輔助設計設備，方便客戶進行最後階段的晶片設計作業。

　　使產品的預期用法與實際用法一致：產品效益取決於客戶的使用方式，如果產品的預期用法未能與實際用法充分結合，

必然損及企業的差異化。為此，企業的作法包括：

❑ 進行調查，了解客戶實際使用這項產品的方式。

❑ 改良產品設計，讓客戶更易於正確使用產品。

❑ 提供實用的使用手冊及相關說明，避免問題發生後再尋求補救。

❑ 以直接或透過配銷通路，教導客戶改進實際使用方法。

　　以價值訊號加強使用條件的差異化：企業如果不重視訊號條件，就不可能形成差異化的優勢。企業用來影響訊號條件的價值活動，必須與企圖形成差異性的使用條件一致。以生產液體過濾器材的頗爾公司（Pall Corporation）為例，它利用廣告與安排客戶參觀等方式，展示其先進的研發設備，以增強產品功能的差異性。由於客戶經常忽略產品的間接或隱藏性成本，價值訊號就可以用來凸顯企業所長、而競爭者不足的價值所在。此外，交易完成後，採取差異化策略的廠商還必須一再讓客戶確信自己的選擇是明智的。不過，價值訊號的作用也僅限於協助客戶認識企業所能提供的價值而已。

　　結合資訊與產品以增進客戶的使用與訊號條件：資訊與資訊系統正快速成為差異化的重要工具，將資訊與產品結合通常會增加差異性。如前面提過，清楚說明產品如何產生作用、如何操作，以及如何維護，有助於形成預期用法與實際用法之間的一致性。如果產品能夠蒐集、並顯示出在它使用中所產生

的資訊（如汽車的油量與里程表），不僅有助於產品的使用、還會進一步提高產品本身的價值。產品與資訊系統的結合，也會在其他方面增加客戶價值。以美國卡片公司（American Greetings）為例，它提供零售商一套庫存自動管理系統，協助它們管理並維持適量的庫存，此舉不但提高了卡片的銷售量，同時也使庫存需求減至最低程度。此外，提供相關資訊，包括產品的製造過程、獨特性，以及優於替代品之處，通常也是表現價值的有效方式。帕塔加斯雪茄（Partagas）就在煙盒裡放一張說明書，介紹該企業創辦人的家族歷史，以及他們將帕塔加斯這個品牌由古巴引進美國的經過。

使差異化的成本成為優勢

運用所有低成本的差異化來源：許多價值活動不需太多額外成本，就能產生更強的獨特性。一種很好的作法就是運用鏈結來加強差異化。有時候，企業只要藉著改善企業內部的協調動作，或是增加與供應商、客戶間的協調，就能達到差異化的效果。同樣地，修改產品既有功能組合的成本，可能比增加新功能的成本更低。其他提升差異化的主要考慮目標，則是在建立差異化的過程中，同時能夠降低成本的活動，例如減少產品瑕疵也將降低服務成本。

控制成本驅動因素，尤其是訊號成本，將差異化的成本降至最低：認清成本驅動因素的影響，有助於將差異化的成本降到最低。企業必須以最具有效率的方式來發展差異化，因而需

要對成本驅動因素付出更多的關注。企業可以運用第三章中所闡述的原則，謹慎控制差異化價值活動的成本驅動因素。以通用汽車為例，它在旗下許多汽車工廠引進彈性製造系統，以降低因產品多樣性所造成的成本。值得注意的是，由於訊號本身並不會創造價值，找出最有效的訊號傳達方式，就變得格外重要。比方說，利用企業過去的投資、或聲譽等訊號（如分布各地的事業單位、累積的廣告效果）的成本，就比重新投資發展新的價值訊號來得低。

　　強調能讓企業持續擁有差異化成本優勢的差異化形式：各種差異化形式所增加的成本，對每一個競爭者而言都有所不同。企業應該在具有成本優勢的領域發展它的差異化。比方說，市場占有率高的企業，如果在廣告、研發等具有規模敏感度的價值活動上發展差異化，就能產生差異化的成本優勢。而多角化企業所採取的差異化方式、如果能夠運用姊妹經營單位的交互關係來分攤成本，也可以達成降低差異化成本的目的。

　　降低對客戶價值沒有影響的活動成本：企業除了要尋求差異化的成本優勢之外，也必須注意降低與差異化策略無關的其他活動成本。

改變遊戲規則以創造獨特性

　　改變客戶的採購決策者，以使企業的獨特性更有價值：企業在辨識客戶的採購決策者時，同時也定義出客戶感興趣的價

值，以及適合傳達這些價值的訊號。如果企業能影響客戶的採購流程，使欣賞己方獨特性的人成為採購決策者，就可能增加企業的獨特性或此一獨特性被客戶認定的價值。比方說，一個功能非常複雜的產品，從工程師的角度來看，所具有的獨特性與價值可能比採購人員所認定的更高。企業要變更客戶的採購決策者，需要以下列方式調整本身的價值鏈：

□ 使用新型態的業務人員。
□ 將技術人員納入業務團隊中。
□ 改變廣告媒體與內容。
□ 改變推銷用資料的內容。
□ 教育客戶，使他們了解新的決策基礎需要不同的採購決策者。

發掘未被察覺的採購條件：找出客戶或競爭對手忽略的重要採購條件，是企業達成差異化的重大機會。這可以使企業搶先占據一個新的差異化基礎，並在形象與聲譽上持續獲益。被忽略的採購條件大都是客戶的使用條件，尤其是對客戶價值鏈產生間接影響的條件。許多成功的差異化策略，並不是被動地回應客戶要求，而是主動找出新的差異化方式。像司徒福公司的成功，就因為它在冷凍調理食品中找到全新的差異化途徑。而寶僑家品公司（Procter & Gamble）則是第一家全年而非季節性推出乳液廣告的廠商，因為寶僑家品發現了過去策略所忽略的客戶使用方式。

　　對變動中的客戶或通路環境預做因應：當客戶或通路的採購條件改變時，也是企業發展差異化策略的重要機會。改變會創造新的差異化基礎，也使客戶重新審視以往向固定供應商進行例行採購的產品。舉例來說，由於客戶對健康的自覺提高，導致不含咖啡因的軟性飲料大行其道。當客戶的競爭壓力增加，也會需要更多應用工程方面的協助，或更重視能降低成本的價值。以石油業為例，客戶的財務壓力增加時，證實能夠協助客戶降低成本的供應商就格外受重視。同樣地，客戶對迷你電腦的熟悉程度增加，雖然減少了企業以顧客服務為基礎的差異化可能性，但是差異化競爭卻可能轉入交貨時間、使用成本與其他更為敏感的基礎上。當客戶的產業低迷、或客戶愈來愈精明幹練時，能降低客戶成本的差異化是最受歡迎的。此外，差異化的基礎如果是能夠量化的產品效益，也比無法量化的效益更受客戶青睞，而企業也因此取得更有利的溢價。

以全新的方式重新建構獨特化價值鏈

　　企業如果能發現全新的價值鏈，將可創造出無窮的差異化可能性。以聯邦快遞為例，它購買專屬的送貨卡車與飛機，並率先應用集散中心的概念，徹底重建小型包裹運輸的價值鏈，並因而建立差異化。相較於使用定期班機、長途貨運、並維持許多收發貨點與儲運中心的競爭者，聯邦快遞明顯地擁有更佳的時效與可靠性。海恩斯公司（Hanes）生產的蕾克絲褲襪（L'eggs），則是新價值鏈導致成功差異化策略的另一個例子，它擁有創新的包裝，醒目的展示架，並且直接批貨、運送給超

級市場。形成巨大差異化的機會，通常來自重新建構價值鏈。

構思新的價值鏈，本身就是一個創造性過程。企業應該以客戶的價值鏈為基礎，尋找各種與客戶價值鏈間的不同聯繫方式，或是重建自己的價值活動以便符合客戶的採購條件。重新建構價值鏈通常涉及以下幾個領域：

❑ 新的配銷通路或銷售方式。
❑ 向下整合以取代客戶的部分功能，或消除配銷通路。
❑ 向上整合以控制更多決定產品品質的要件。
❑ 採用全新的製程技術。

差異化的持續力

有兩個因素會影響差異化的持續力，分別是客戶對企業或產品價值的持續覺察，以及競爭對手模仿的困難度。因此，差異化始終必須面對的風險也就是，因為客戶的需求或認知改變，而使得特定差異化形式失去價值。競爭對手也可能模仿企業的策略，或乾脆不管企業所選擇的差異化基礎，而進行其他層面的競爭。

面對競爭對手時，差異化的持續能力取決於它的來源。企業要維持差異化，必須把差異化建立在具有移動障礙的來源上，以防止被競爭者模仿。如前面提過，獨特性驅動因素的持續能力各有不同，差異化的成本也隨競爭者條件而異，並進而影響到持續能力。持續力強的差異化通常出現在以下情況：

企業獨特性的來源具有障礙：在獨特性驅動因素中，專屬學習、鏈結、交互關係與先馳得點的優勢等，都比由政策性選擇單項活動所形成的獨特性更具持續力。廣告等訊號活動能夠持久，也是因為它們帶有障礙性。但是，如果差異化過度依賴訊號，則往往會被日漸精明幹練的客戶所摒棄。

企業在差異化中具有成本優勢：如果企業在攸關差異化的活動上具有持續的成本優勢，它的差異化持續能力也會更強。

多重的差異化來源：競爭對手模仿企業差異化策略的難易程度，與企業擁有的獨特性來源多寡有關。當企業的差異化來源是多重的，而不是如產品設計等單一因素時，差異化策略的持續能力就比較強。如果差異化只建立在單一基礎上，很容易就成為對手全力以赴的焦點。因此，經由協調多項價值活動所形成的差異化通常比較持久，因為競爭對手如果有意模仿，勢必要做通盤的改變。

企業進行差異化的同時，也創造移轉成本：移轉成本是一種固定成本，當客戶要更換供應商時就會出現，這也容許企業在與競爭對手產品沒有差異的情況下，仍能維持溢價。如果企業發展差異化的同時也創造移轉成本，差異化的持續能力將因而增加。與差異化相同，移轉成本也與客戶如何使用一項產品有關。由於客戶通常需要調整本身的活動，以充分利用企業的獨特性，因此，能形成企業獨特性的價值活動往往也會提高移

轉成本。

前面提過的司徒福公司，就是評估差異性來源持續能力的範例（見圖4.7）。在司徒福公司的差異性來源中，最有持續力的可能是菜餚種類與調味技術、產品定位、品牌形象、與主要食品代理商間的關係，以及因高市場占有率帶來的廣告成本優勢。即使這些因素可以被複製，競爭對手也必須投入大量經費，才有可能複製。在競爭對手有所顧忌的情況下，司徒福的差異性已經持續非常長的時間。反過來說，海恩斯公司的褲襪新包裝以及直接配銷超市的政策選擇，缺乏專屬學習與執行上的實質規模優勢、或其他障礙的保護。因此普遍被競爭對手模仿，而海恩斯也無法取得顯著的溢價。

差異化的陷阱

企業在追求差異化策略時，也可能遭遇一些共通的陷阱。這些陷阱多半是因為企業對差異化的基礎及其成本認識不足的結果。

沒有價值的獨特性

企業在某些層面具有獨特性，並不代表它達成差異化。獨特性必須能降低客戶的成本、或提高客戶的效益，並且能被客戶所察覺，否則不會形成企業與競爭對手間的差異。最具說服力的差異化，通常來自於客戶能夠察覺並衡量的價值來源，或不易評量但大量發布價值訊號的價值來源。而檢驗獨特性是否具有價值的一個方法，就看企業能否據以向熟悉產品的客戶要

求溢價。

過度差異化

　　如果企業不了解它的價值活動對客戶價值產生影響的機制、或是客戶察覺價值的機制，企業可能會過度差異化。比方說，如果產品品質或服務程度超出客戶的需求，企業將很難抵擋對手以適切的品質與更便宜的價格進行競爭。不必要的差異化是，企業誤判客戶採購條件的門檻、或效益遞減效應的結果。這種情形又與企業對本身活動和客戶價值鏈之間聯繫關係的了解不足有關。

溢價程度太高

　　企業所能要求的溢價源自它的差異化，並且取決於差異化對客戶的價值、與差異化的持續能力。如果要求的溢價太高，客戶不可能接受。企業必須在合理的價格條件下，與客戶分享共同創造的部分價值，更重要的是，過高的溢價還可能導致客戶進行逆向整合。適當的溢價不僅反映出企業的差異化程度，也代表它相較於競爭對手的整體成本地位。如果企業無法將成本降低到與對手相近的程度，即使能夠維持差異化，溢價的程度也難以被接受。

忽略價值訊號的必要性

　　企業的差異化策略有時太強調客戶使用條件，追求所謂的「實際」差異化基礎，而忽略了價值訊號的必要性。但是，客

戶不必然、也不一定能完全了解所有供應商之間的差別，這意味著價值訊號還是有其作用。企業忽略訊號條件，將使產品價值較低、但更了解客戶採購程序的競爭對手有機可乘。

不了解差異化的成本

除非客戶所察覺的差異化價值遠超過因而增加的成本，否則差異化不必然帶來卓越的效益。企業通常不會單獨提列發展差異化活動的成本，反而假設差異化應該會符合經濟原則。結果，不是投入差異化的經費遠超過所能取得的溢價、就是不知道如何控制成本驅動因素以降低差異化的成本。

只看產品，不看價值鏈

有些企業將差異化侷限在有形的產品上面，錯失運用價值鏈其他部分形成差異化的機會。如前面提過，企業即使經營標準化的商品，價值鏈通常也會提供差異化所需，多元且持續的基礎。

沒有認清客戶所在的區段

不同客戶的採購條件與採購條件的優先順序也不一樣，並因而形成不同的客戶區段。如果企業未能意識到這些區段的存在，它的策略將無法滿足任何客戶的真正需求，也導致它無法與採取焦點化策略的競爭對手相抗衡。客戶區段的存在，並不代表企業必須選擇焦點化策略，而是提醒它必須將差異化建立在客戶廣泛重視的採購條件上。關於配合產業區段擬訂策略的

作法，將在第七章做更完整的討論。

差異化的步驟

本章所討論的概念，可以用決定差異化基礎、與選擇差異化策略的必要分析步驟，加以摘要整理：

1.**確定誰是真正的客戶（採購決策者）**：差異化分析的第一步是標示出真正的客戶。一般企業、機構和家庭還不算是真正的客戶，真正的客戶是那些具有購買力的人士，由他們來解釋客戶的使用條件、同時定義訊號條件。除了最終使用者之外，通路也可能是另一種類型的客戶。

2.**辨認客戶的價值鏈，以及企業對它的影響**：企業為客戶創造的價值，主要是來自於降低客戶成本、與提高客戶效益。這兩者都是經由企業對客戶價值鏈的直接與間接影響而產生。企業必須了解所有影響客戶價值鏈的可能途徑，以及客戶價值鏈改變時，原有均衡狀態可能出現的變動。在影響客戶價值鏈方面，配銷通路與企業和客戶價值鏈間的鏈結，扮演同樣重要的角色。

3.**排定客戶採購條件的等級**：對客戶價值鏈的分析，提供企業辨別客戶採購條件的基礎。客戶的採購條件可以分為使用條件和訊號條件兩種形式。企業用以滿足使用條件的獨特性，

能夠提高企業或產品的客戶價值；而企業用以滿足訊號條件的獨特性，則使得這些價值能夠為客戶所察覺。有時候，企業對客戶價值的分析，能夠發現目前尚未被客戶察覺的採購條件。最重要的是，採購條件必須以它對客戶價值的實用性、與聯繫關係來評量並排序。即使是家庭型客戶，分析者的思考方向，仍然在於協助客戶節省成本，或達到具體的價值。在作法上，客戶價值鏈分析、客戶訪談、企業內部的經驗等，都是界定客戶採購條件的途徑。這項步驟必須反覆進行，客戶採購條件的清單也必須持續更新。

　　4.評估企業價值鏈中現有與可能的獨特性來源：企業的差異化是由整個價值鏈中的各種獨特性所產生。企業必須確定每一項價值活動與客戶採購條件的對應關係（參見圖4.6）。它接著要標示出，相對於競爭對手的既有獨特性來源，以及可能形成新獨特性的來源。企業也必須辨認出獨特性驅動因素，因為它們關係到獨特性的持續能力。由於差異化是相對的，企業必須比較本身與競爭對手的價值鏈，了解彼此的差異程度。而且，審慎分析競爭對手的價值鏈，對於了解客戶如何受上游價值活動的影響，以及發現創造新價值鏈的可能性而言，具有非常重要的地位。另一種為價值活動找出新作法的方式是類比研究——研究產品相似或客戶重疊的不同產業，分析它們的作法有何不同。

　　5.辨別現有與可能差異性來源的成本：差異化成本取決於

價值活動的成本驅動因素。通常，企業蓄意的增加成本以取得獨特性；其實，某些獨特性並不需要花費太多成本，甚至於使用某些企業所忽略的方法來取得這些獨特性，還能夠降低成本。話說回來，企業要發展獨特性，通常都需要增加投資，而在與競爭對手相較之下，企業的成本驅動因素地位，常會使得企業的不同差異化形式，對成本的需求有高有低。

6.根據差異化的成本考量，選擇能夠對客戶產生最大差異性價值的價值活動型態：企業了解它與客戶價值鏈之間的微妙關係，有助於企業選擇能夠在客戶價值和差異性成本之間，造成最大落差的價值活動型態。大多數成功的差異化策略，是由價值鏈中的許多獨特性累積而來，並且同時強調客戶的使用條件和訊號條件。

7. 檢測所選擇差異化策略的持續性：除非企業的差異化能持續抗拒因競爭對手模仿而產生的衰退，否則將無法形成企業的卓越表現。差異化的持續力源自於，選擇穩定的客戶價值來源，發展具有障礙、或是成本優勢的差異化形式。

8.降低不影響差異化形式的活動成本：成功的差異化廠商會主動降低無關客戶價值的活動成本。這麼做不但能夠改善獲利能力，同時也降低因為溢價太高，而被成本導向競爭對手攻擊的弱點。

第五章

技術與競爭優勢

產業競爭中，技術變革是主要驅動因素之一。在產業結構的變遷和創造新產業上，它扮演著重要的角色。

這一章將說明技術變革與競爭優勢、產業結構之間的某些重要關聯。從介紹技術與競爭的鏈結開始。說明如何檢驗技術與競爭優勢的關係。其次解釋技術如何改變產業結構，並且進一步探討選擇技術策略的方法，以及企業如何預測技術變革和產業發展的走向。

　　產業競爭中，技術變革是主要驅動因素之一。在產業結構的變遷和創造新產業上，它扮演著重要的角色。同時它也是產業內一個非常具有威力的平衡器（equalizer）；它可能侵蝕看似無懈可擊的競爭優勢，或迫使某些安逸的廠商走上競爭的火線。許多當代偉大企業的崛起，都與它們領導技術變革的能力有關。在改變競爭規則的各項因素中，技術變革無疑是其中最重要的因素。

　　儘管技術變革如此重要，企業卻普遍誤解它與競爭之間的關係。一般而言，企業傾向於以技術變革本身來判斷它的價值；因而，常常認為任何技術方面的領先改進都是有益的。也正因為如此，在所謂「高科技」產業的競爭，往往被認為是獲利能力的保證，而其他相對上「低科技」的產業則顏面無光。近年來，許多外國廠商因技術創新而成功，更鼓舞美國企業在技術方面大量投資。在某些領域中，這種觀點甚至被奉為圭臬。

　　其實，技術變革的本身並不重要，只有在技術變革影響到競爭優勢和產業結構的情況下，才凸顯出它的重要性。而且並不是所有的技術變革都有助於企業的競爭策略，它們也可能傷害企業的競爭地位、甚至破壞整個產業的吸引力。再者，高科技並不等於高獲利，事實上，由於產業結構不佳，許多高科技產業的獲利能力甚至不如一些「低科技」產業。

　　然而，價值鏈中普遍存在各種技術，並非僅侷限於與產品直接相關的部分。如果放大視野，其實並沒有「低科技」產業這回事。如果將某個產業視為技術成熟型產業，常導致嚴重的

策略錯誤。更重要的是,許多攸關競爭優勢的重要創新看起來並不起眼,也並非科學上的重大突破。但是,無論是低科技或高科技領域,創新都具有很重要的策略性含意。

這一章將說明技術變革與競爭優勢、產業結構之間的某些重要關聯。重點不在討論特定技術或如何管理研發活動,而是提出各種方法,讓企業認清並發展攸關競爭優勢的技術變革。由於企業價值鏈中所包含的任何技術,都具有影響企業間競爭狀況的潛力,所以我對於「技術」一詞,採取比較寬廣的概念。

這一章將從介紹技術與競爭的鏈結開始。我以技術在價值鏈中的角色,以及它們如何透過相關價值活動,使企業具備低成本或差異化的能力來檢驗技術與競爭優勢的關係。其次,我將解釋技術如何改變產業結構。建立起以上的分析架構後,我將進一步探討選擇技術策略的方法。企業的技術策略必須包括:對哪些重要技術進行投資,要不要在這些重要技術上尋求領導地位,以及何時、如何進行技術授權。另外要說明的是,企業如何預測技術變革和產業發展的走向,這對選擇技術策略非常重要。最後,我將簡單摘要形成技術策略的步驟。

技術與競爭

任何企業都會應用到大量的技術。企業的每個動作也都含有某種形式的技術,差別只在於哪一項或哪幾項技術,對產品或製造流程更具有主導性。技術對競爭的重要性,通常不在於

它的科學成就，或是在產品上的特殊作用。只要是企業用到的技術，都可能對競爭產生明顯的影響。因此，當某一項技術能明顯地影響企業競爭優勢或產業結構時，它就是一項重要的技術。

技術與價值鏈

價值鏈是了解技術在競爭優勢中所扮演角色的基本工具，企業是價值活動的集合體，因此也是技術的集合體。技術遍布在企業的每一項價值活動之中，而技術變革事實上會影響到每一項價值活動，更因而影響企業間的競爭。圖5.1顯示企業價值鏈中，常見的各種技術。

每項價值活動多少都會用到某些技術，再加上採購項目和人力資源之後，才形成某種產出（output）。這些技術可以不起眼到只是一套簡單的人事程序，也可能複雜到涉及好幾種科學領域或基礎技術（subtechnologies）。比方說，屬於後勤活動的物料處理技術就涉及工業工程、電子、材料技術等領域。每一種價值活動的技術都代表這些基礎技術的一種組合方法。同樣地，每一種價值活動所使用的採購項目，從消耗性項目到資本項目都含有技術。而當採購項目的固有技術和其他基礎技術互動時，就產生價值活動或高或低的不同效益表現。

不僅主要價值活動包含了某些技術，支援性活動也不例外。在產品開發的領域中，電腦輔助設計就是新技術取代傳統技術的例子。許多支援性活動的表現都與技術有關，只是一般人忽略了這些活動的技術性。例如採購活動不僅需要各種作業

圖5.1 企業價值鏈中的代表性技術

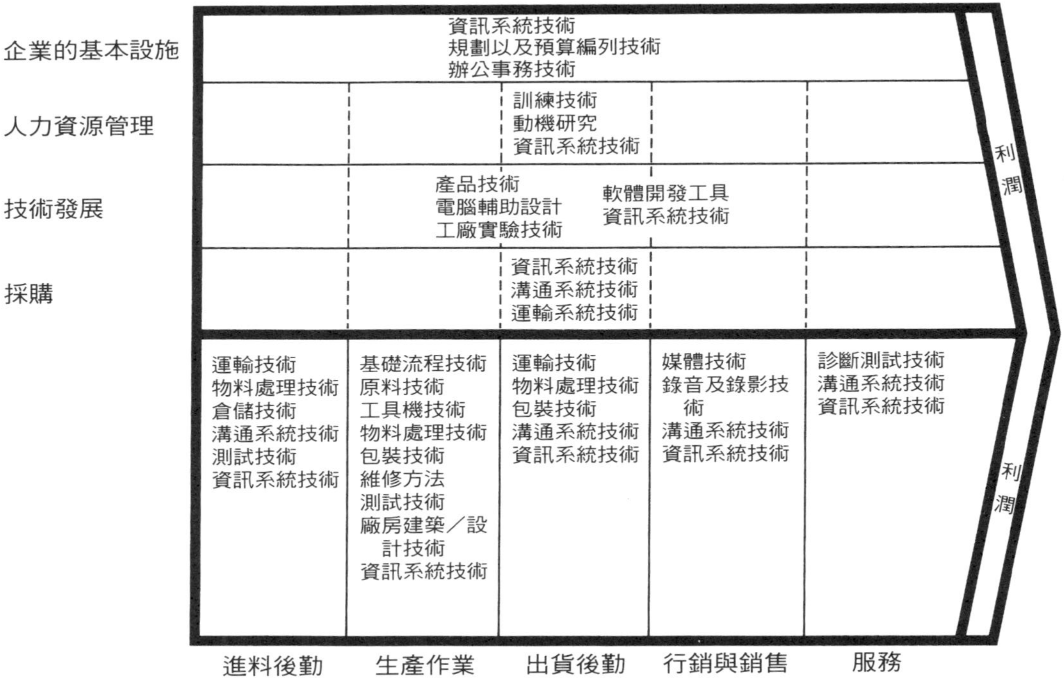

利潤　利潤

	進料後勤	生產作業	出貨後勤	行銷與銷售	服務
企業的基本設施	資訊系統技術 規劃以及預算編列技術 辦公事務技術				
人力資源管理	訓練技術 動機研究 資訊系統技術				
技術發展	產品技術 電腦輔助設計 工廠實驗技術 資訊系統技術 溝通系統技術 運輸系統技術		軟體開發工具 資訊系統技術		
採購					
	運輸技術 物料處理技術 倉儲技術 溝通系統技術 測試技術 資訊系統技術	基礎流程技術 原料技術 工具機技術 物料處理技術 包裝技術 維修方法 測試技術 廠房建築／設計技術 資訊系統技術	運輸技術 物料處理技術 包裝技術 溝通系統技術 資訊系統技術	媒體技術 錄音及錄影技術 溝通系統技術 資訊系統技術	診斷測試技術 溝通系統技術 資訊系統技術

程序，也包含了訂單處理、與供應商互動的相關技術。而近年來資訊系統技術的發展，更提供企業透過改變訂貨程序、引導供應商建立鏈結等方式，革新傳統採購方式的可能性。人力資源管理則需要運用工作動機研究和訓練技術等。企業的基本設施更涉及辦公室設備、法務研究、策略規劃等廣泛的技術。

　　由於每一項價值活動都會創造和應用資訊，因而整個價值鏈都離不開資訊系統技術。圖5.1就顯示出，在價值鏈中每一種價值活動都用到資訊系統技術。像安排進度、控制、作業最佳化、評量和完成作業都與資訊系統有關。以進料後勤為例，它需要資訊系統來控制物料處理、運送排程、原料庫存管理等活動。同樣地，訂貨流程、供應商管理、服務人員的行程安排等也需要資訊系統。由於鏈結的協調與最佳化，需要各種活動間通暢的資訊交換，使得資訊系統技術在不同活動間的鏈結方面，也扮演著重要的角色。資訊在價值鏈中的重要性，已使近年來快速變化的資訊系統技術，深刻地影響到競爭和競爭優勢。

　　由於許多價值活動都包含了文書作業，以及其他行政事務，因而使行政與管理成為另一項在價值鏈中普遍應用的技術。即使行政技術可以列在資訊系統技術之中，我仍然將它獨立出來，因為它很容易被忽略。企業對這方面的實際投資雖然不多，但是行政與管理技術的革新，絕對是當代技術變革趨勢中的重要類型之一。

　　不同價值活動所使用的技術可能互有關聯，這也正是價值鏈內部主要鏈結來源的基礎。譬如說，生產技術和產品維修技

術必定相互銜接，而零組件技術又與整個生產技術密不可分。因此，價值鏈中某部分所選擇的技術，必定會對其他部分產生牽制作用。在一些比較極端的例子中，改變一個活動的技術甚至會導致整個價值鏈的重新設計。例如，改用陶瓷引擎零件，不僅機械加工和其他生產步驟都會被汰換，也會對價值鏈產生其他連鎖影響。企業和供應商、配銷通路之間的鏈結也常常涉及技術上的互相依賴。

美國航空公司的指揮刀訂位系統（Sabre reservation system）就是一個技術上相互依賴的例子。美國航空公司將終端機租給旅行社，讓後者可以使用自動化訂位和售票系統。這套系統已成為美國航空在同業之間差異化的重要來源。同時，美國航空本身也以這套系統進行開機票、簽發登機證、安排航線等作業，美國航空甚至將這套系統提供的服務項目出售給其他航空公司。

企業的技術與客戶的技術，也明顯具有相互依存關係。前幾章曾經討論過，企業價值鏈與客戶價值鏈的接觸點，會決定可能相互依存技術的範圍。例如，企業的產品技術會影響到客戶的生產和產品技術，反之亦然。此外，在企業的訂單流程技術和客戶的採購方式之間，也會出現交互影響的情形。

因此，在企業裡，技術不僅無所不在、同時也受到客戶購買產品的通路和供應商技術的影響。在這種情況下，技術發展的涵蓋面將超出傳統對研發的界定，並包含了供應商與客戶。因此我在一般價值鏈中以「技術發展」一詞，取代比較有侷限性的「研究發展」。大部分價值鏈中的技術不涉及特定產業的

專屬特性。像辦公室自動化、交通運輸，正是兩個常見但不強調產業特性的技術。因此，與個別企業相關的技術發展也可能影響到其他產業。這些特質說明了技術在競爭優勢中的角色。

技術與競爭優勢

當技術是建立成本地位、或形成差異化的重要因素時，它就會影響到企業的競爭優勢。由於技術遍布在每一項價值活動之中，並且涉及活動之間的鏈結建立，因此在成本和差異化方面舉足輕重。一旦技術影響到成本驅動因素或獨特性驅動因素時，企業的成本或差異化表現也連帶受到影響。價值活動能夠選擇的技術，通常受到規模、時機、交互關係等其他驅動因素的牽制。比方說，要運用高速自動化裝配設備，必須具有一定的規模；搶占先機的電力公司，能夠取得適當的地點運用水力發電。在這些例子中，技術不是形成競爭優勢的原因，而是其他優勢造成的結果。然而，如果某項活動所採取的技術，反映出與其他驅動因素無關的獨立政策選擇，那麼這個技術本身就是一種驅動因素。能夠以比競爭者更優異技術來進行價值活動的企業，將因而獲得競爭優勢。

技術除了本身對成本和差異化的影響之外，也會影響或改變其他成本與獨特性驅動因素，並因而左右競爭優勢。技術發展會改變規模經濟，創造原本不存在的交互關係，製造搶占先機的可能，並且影響到幾乎每一種成本或獨特性驅動因素。因此，企業可以利用技術發展來改變驅動因素，使它對己方有利，或搶先、甚至成為唯一掌握某種特定驅動因素的廠商。

在改變相對成本地位方面，兩個煉鋁業的例子可以看出技術所扮演的角色。由於能源成本激增，使得電力成為氧化鋁熔煉過程中最大的單項成本，更導致許多廠商的生產成本大幅提高。絕大多數日本煉鋁業者都陷入同一困境。為了解決這個問題，日本業者積極發展碳熱還原（carbothermic reduction）技術，這項突破性技術使鋁礬土和其他礦石直接轉變成鋁錠，不需經過氧化鋁熔煉的過程，並因而大幅降低電力需求。在這個例子中，新技術本身就是一項政策性的成本驅動因素。碳熱還原技術不但減少電力消耗，也降低了地點和社會制度等成本驅動因素的重要性，因為地點和政府的能源價格政策會嚴重影響到電力成本。

第二個技術影響成本的例子出現在鋁業的半成品製造過程中。新的連續鑄造製程技術可能取代傳統的熱軋法。這套新製程雖然不能減少效率規模（efficient scale）的製造成本，卻能夠降低產業的規模敏感度。這套流程一旦成功，大型半成品製造商將喪失既有的規模優勢，工廠也能夠設在更接近客戶的地點，對於目前依賴遠地工廠供應產品的地區，運輸成本也會大為減少。在這個例子中，技術本身並不是成本驅動因素，但是卻影響到其他成本驅動因素，如規模和地點。它會依照各個企業成本地位與成本驅動因素的不同對應關係，對各個企業的成本地位產生不同影響。

技術對差異化的影響，可用聯邦快遞的情形來說明。聯邦快遞重新設計小包裹運輸的價值鏈，使得包裹的運送更迅速、可靠。它在價值鏈中採用的新技術就是一項政策性選擇，並且

同時兼具擴大規模經濟、和創造先發制人優勢的效果。當聯邦快遞占據龐大市場占有率時，競爭者要追上這種差異化所需要的成本變得非常高。這個例子說明，重要技術不一定是科學突破或尖端技術。企業稍稍修改價值活動的進行方式，或各種技術的組合型態，往往就足以構成競爭優勢。

由於企業和客戶在技術上相互依存，當客戶的技術改變時，必然牽動企業的競爭優勢。對於採取差異化策略的企業，這一點特別明顯。比方說，當下游零售商改用電子收銀機連線系統（POS）之後，過去倚靠傳統訂價和庫存管理功能為零售點提供服務、並據以形成差異化的經銷商必然頓失所恃。同樣地，當供應商改變技術並影響到企業的成本或獨特性因素時，競爭優勢必定也隨之消長。

檢驗技術變革的利弊

技術變革和競爭優勢之間的關係，隱含著檢驗技術變革方向有利與否的方法。在以下的情況下，企業進行技術變革將能夠帶來持續的競爭優勢：

技術變革本身能夠降低成本或增加差異化，並且企業的技術領先具有持續力：如果某一項技術能產生降低成本或增加差異化的結果，並且具有難以被模仿的障礙，它將提高企業的競爭優勢。後面將說明，決定技術領先持續力的因素有哪些。

技術變革使成本或獨特性驅動因素轉而利於己方：價值活

動的技術改變，或因產品的改變，而影響到價值活動的運作方式時，都會牽動價值活動的成本驅動因素或獨特性驅動因素。這類情況下，即使別人模仿這項技術變革，成本驅動因素仍然朝向對我方有利的方向移動，並形成我方的競爭優勢。譬如說，一套比原來流程更具有規模敏感度的新裝配流程，將對市場占有率高而又率先使用的廠商有利，即使競爭者隨後採用相同的技術也不例外。

率先進行技術變革，並能轉換成先發制人的優勢：如果某項技術變革，已經被競爭者模仿，先驅廠商雖然不再具有技術領先地位，但是在成本或差異化上仍具有許多先發制人的優勢。後面將分析，先發制人的利弊得失。

技術變革使整個產業結構獲得改善：即使是容易被模仿的技術變革，只要它能夠改善整體產業結構，仍然利多於弊。

如果無法通過這些檢驗，哪怕技術本身的成就再高，也無助於改善企業競爭地位，甚至還可能損害企業既有的競爭優勢。例如，當技術發展有利於對手的成本或差異性驅動因素時，企業可能未蒙其利，先受其害。企業也可能發現，某項技術變革一方面帶來好處，同時又傷及原先的相對競爭地位。

技術和產業結構

如果一項技術被廣泛應用，它就成為決定整體產業結構的

重要因素。技術變革的擴散可能會影響第一章中所提到的五種競爭力，也可能提高或降低產業吸引力。因此，即使新技術並未提升特定企業的競爭優勢，也可能提高產業內所有企業的潛在獲利能力。反過來說，能夠提高特定企業競爭優勢的技術變革，普遍被同業模仿之後，也可能損害整體產業結構。技術變革的潛在效應，提醒企業在制定技術策略時，必須考慮到它對整體產業結構的影響。

技術和進入障礙

技術變革會改變幾乎每一種價值活動的經濟規模，因此也判定了產業進入障礙（entry barrier）的高低。像彈性製造系統，通常會降低規模經濟。技術變革本身也可能提高技術發展活動的規模經濟，如加快推出新產品的速度、或是提高開發新機型所需要的投資。技術變革也是學習曲線的基礎，學習曲線是由產品設計、產出、機器速度等各方面的改進而來，這些都屬於技術變革的範疇。技術變革也可能形成其他絕對成本優勢，例如低成本的產品設計。技術變革也可能改變在某個產業競爭的資本需求。比方說，當玉米粉和玉米糖漿的製造技術由批次生產轉變成連續製程時，明顯提高了穀物濕磨（wet milling）加工的資本需求。

在塑造產品的差異化類型方面，技術變革也扮演重要的角色。譬如說，液化氣體的噴霧罐裝填因為技術變革而趨於標準化，並使得噴霧罐變成消費性商品，幾乎完全消除了噴霧罐裝填廠商以產品特質建立差異化的能力。技術變革也會左右移轉

成本。競爭對手所選擇的技術,決定了客戶要轉換供應商時,對人員再訓練或附屬設備再投資的需求程度。此外,技術變革也可能改變企業與現有配銷通路的關係,例如:電子商務的發展就可能降低企業對配銷通路的依賴。反過來說,如果技術變革使得產品的現場展示、與售後服務需求增加,則可能提高企業對配銷通路的依賴。

技術與客戶議價實力

技術變革會改變產業與客戶間的議價關係。技術變革在差異化和移轉成本方面所扮演的角色,相當於一種決定客戶議價實力的工具。此外,客戶的議價實力與它進行逆向整合的難易程度有關,而技術變革又會影響客戶逆向整合的難易,連帶影響客戶的議價實力。以電腦服務業來說,由於技術革新頻繁,電腦硬體成本快速下跌,許多客戶因而有能力自購電腦設備,這就影響到自動資料處理公司(Automatic Data Processing, Inc.)等提供電腦系統分時(timesharing)服務企業的實力。

技術與供應商議價實力

技術變革會改變產業與供應商的議價關係。由於技術的變化,原本實力雄厚的供應商可能遭到淘汰;反過來說,也有可能冒出強而有力的新供應商。以商用屋頂建材為例,由於橡膠材質的屋頂覆蓋材料問世,新的樹脂材料供應商就取代了實力較弱的瀝青材料供應商。另一方面,技術變革也會帶來某些產品的替代性材料,增加客戶對供應商的議價實力。像鋁罐技

術的變革，形成鐵、鋁材料的激烈競爭，罐頭產業明顯從中獲益。如果企業對技術方面的投資，能夠使企業本身具備關於供應商技術的知識，將使企業擁有運用不同供應商的能力，進而擺脫對單一供應商的依賴。

技術與替代品

技術對產業結構的各種影響中，最容易被發現的或許是在替代性產品上面。替代品是因為既有產品和競爭產品間，價格與移轉成本的相對價值而產生作用。我將在第八章做更深入的討論。技術變革會創造嶄新的產品或使用產品的不同方式，如玻璃纖維取代塑膠或木材，文字處理機取代打字機，微波爐取代傳統烤箱等皆是。這裡面，技術變革影響到相對的價值與價格，以及客戶採用替代品所需的移轉成本。整個替代過程的核心是，生產具有替代作用產品的產業之間，對於相對價值與價格的技術戰爭。

技術與企業之間的競爭

技術能以幾種方式改變企業之間的競爭基礎和狀態。它能戲劇性地改變成本結構，進而影響訂價決策。像穀類濕磨加工產業改採連續製程技術，固定成本隨之提高，而且產業競爭的規模也變大。同樣地，造船技術的改善使油輪載重噸位增加，連帶提高海運業的固定成本。技術對產品差異化和移轉成本的作用，同樣影響到企業之間的競爭。

技術對產業退出障礙的作用，也可能影響到競爭型態。

比方說，某些配銷產業的自動化物流技術，就需要專業化設備來搬運特定貨物，對於這些企業而言，從一般目的的通用型設備，轉變成高度專業化、資本密集的新設備，同時也提高了產業的退出障礙。

技術變革與產業範圍

在產業範圍的劃分上，技術變革扮演著很重要的角色。由於一個產業的產品和代替品、現有廠商和可能的新面孔、乃至於現有廠商和供應商或客戶間的區別是主觀而模糊的，產業的範圍通常也不會很明確。儘管如此，企業必須認清，無論它如何界定一個產業的範圍，技術變革都將擴大或縮小這些範圍。

技術變革會循幾種途徑擴大產業範圍。當技術變革使得運輸或其他後勤成本減少時，市場的地理性規模就擴大。一個明顯的例子是，六、七〇年代，先進的大型貨輪問世所造成的影響。當技術變革降低了由於不同國家市場差異所增加的成本時，也會促進全球性產業的興起。技術變革也可能提高產品性能，因而形成新的客戶與競爭者。最後，技術變革會增加產業間的交互關係。由於技術變革，金融服務、電腦和電訊等產業的界線逐漸模糊，全部融匯成一個產業。再以出版業而言，自動化排版和印刷技術的發展，也使出版業中原本不同類型的印刷作業開始合流。第九章將更詳細討論交互關係。

技術也會縮小產業的範圍。我將在第七章詳細討論。技術變革使得企業能夠依據特定產業區段的需求，重新調整價值鏈。結果，原本的產業區段開始成為新的產業。以手提錄音機

為例，由於先進技術改善產品性能，增加用途，使得它成為大型錄音機產業下，羽翼已豐的新產業。

技術變革和產業吸引力

雖然普遍認為技術變革有助於改善產業結構，但是先前的討論已經清楚顯示出它也可能產生反效果。技術變革對產業吸引力的效應，離不開它對五種競爭力的影響。當它提高產業的進入障礙，淘汰強大的供應商，或將產業與可能的替代品隔離時，這類技術變革會提高產業的獲利能力。然而，如果技術變革增強了客戶的議價實力，降低進入障礙，那麼產業吸引力可能因而式微。

由於技術變革在改變產業結構方面的影響力，使得有意進行創新的企業，面臨一項潛在難題。某一項能夠提高企業競爭優勢的創新，一旦被競爭者模仿之後，最後可能會逐漸破壞整體產業結構。因此，企業選擇技術策略和進行技術投資時，必須認清技術變革對競爭優勢以及產業結構的雙重影響。

技術策略

技術策略是企業發展和使用技術所採取的作法。由於技術對價值鏈的全面性影響，技術策略所涵蓋的範圍要比正式的研發組織更寬廣。由於技術變革會影響產業結構和競爭優勢，使得技術策略成為企業整體競爭策略中的本質要素。第十五章將提到，企業要挑戰實力堅強的對手時，創新是主要的攻擊形式

之一。不過，技術策略只是整個公司競爭策略的一部分，它需要與其他價值活動一致行動，並經由對價值活動的各種抉擇，強化它的效果。比方說，如果業務員的技術訓練不足，無法對客戶解釋產品的優異性能，或製造流程缺乏適當的品質管制，將使為了產品差異化而採取的技術策略，效果大打折扣。

技術策略必須強調以下三大問題：

❑ 發展哪一種技術。
❑ 是否要在所發展的技術中尋求領先地位。
❑ 技術授權的角色。

在這三個領域中，企業如何選擇，都必須從提升持續競爭優勢的基礎出發。

選擇發展技術

技術策略的核心問題是，企業打算尋求哪一種競爭優勢。企業要發展的技術必須能夠幫助企業實踐一般性策略、並且考慮新技術開發成功的可能性。無論企業尋求三種一般性競爭策略中的哪一種，技術策略都是有力的載具（vehicle）。表5.1顯示，當競爭策略不同時，技術策略也會明顯不同。

許多企業的研發計畫，表現出研發人員對科學的興趣，而不是為了尋求競爭優勢。然而，表5.1說明了研發計畫的首要焦點，應該和企業的一般性策略保持一致。譬如說，成本領導廠商的研發計畫，就應該特別著重在降低各種高成本價值活動

的成本，以及應用價值工程（value engineering）減少產品設計成本等研究計畫。成本領導廠商在研發產品時，必須維持等同於對手的產品性能，而非增加會提高成本的新性能，否則研發目標就和企業的競爭策略不一致。

　　表5.1也顯示，產品與製程的技術變革，對每一種競爭策略都會產生影響。企業常誤以為製程技術的變革完全是成本導向，而產品技術的變革則僅影響到差異化。然而，第三章已經說明，要達到降低成本的目的，產品技術非常重要。第四章也顯示，製程技術的變革可能是差異化的關鍵，這也正是日本企業最擅長的戰術。

　　技術策略的另一個重要概念是，它必須延伸並超越產品和製程研發的傳統定義。企業的價值鏈中，技術無所不在，而價值鏈的功能又會影響相對成本和差異化。因此，有系統地檢查內部所有技術，將可找出能夠降低成本或提升差異化的領域。比方說，某些企業的資訊系統部門，可能比研發部門受到技術變革的影響更強。其他如運輸、物料處理、通訊、辦公室自動化等重要技術，也同樣值得關心。最後，企業必須對所有技術性領域的發展進行協調，以確保一致性，並且善用它們之間的交互關係。

　　在技術策略和競爭優勢的聯繫上，皇冠瓶塞公司是個很好的例子。皇冠把焦點集中在經過謹慎選擇的客戶產業，生產金屬罐並滿足客戶迅速服務的要求。要做到這一點，皇冠公司本身不太進行基礎性研究，更不領先開發任何新產品。反而把研發部門的主要工作集中在，即時解決個別客戶的特殊問題，

表5.1 產品、流程技術以及一般策略

	成本領導	差異化	焦點成本	焦點差異
		技術政策		
產品技術變革	在產品開發上，透過減少材料、降低製造難度、簡化後勤需求等方式以降低產品的成本	在產品開發上，改進品質、功能、交貨能力，或移轉成本	在產品開發上，使產品功能僅止於滿足目標區段客戶的需求	在產品開發上，使產品比目標廠商的產品更吻合特定區段的需求
流程技術變革	改善流程的學習曲線，以減少材料的使用或就低投入的勞動力 發展流程，以增加規模經濟	發展流程，以支持高實容度、更嚴格的品管、更可靠的排程、對訂單的快速回應，以及其他提高客戶價值的作法	發展流程，使價值鏈吻合目標區段的需求，低經營目標區段的成本	發展流程，使價值鏈吻合目標區段的需求，以便提供高客戶價值

並盡快模仿市面上創新成功的產品。這種作法使得皇冠公司的技術策略與焦點化策略密切配合。這也使皇冠公司的技術政策與美國製罐公司（American Can）或大陸集團（Continental Group）明顯不同。後者除了金屬罐之外，還供應多種包裝用產品，並在基礎材料與新產品的開發上投下大量研發經費。

企業應該選擇價值鏈中的哪一種特定技術來全力發展，是依技術變革與競爭優勢的關係而定。企業應該專注於最能對成本或差異化產生持續影響的技術，不管它是直接或間接滿足前面所說明的檢驗方法。那些檢驗方法，能夠將技術變革按重要性分級，協助企業取得技術變革的最大競爭利益。企業改善技術時，必須注意成本與利益的平衡，同時也要衡量成功的可能性。

企業經常在改善既有技術、或發展新技術上面臨抉擇。以煉鋁業為例，企業可以全力改善慣用的霍爾—赫羅特製程（Hall-Heroult），也可以嘗試發展碳熱還原製程。技術本身似乎具有「早期主要改進為隨後發展鋪路」的生命週期現象，因此從利益／成本的權衡角度來考慮，改善成熟技術雖然較易於掌握，但是效益可能遠不及發展新技術。

然而，這可能是一種危險的假設。在認定一項技術是否已達成熟階段，企業必須特別謹慎。舉例來說：近年來取得重大效率改善的霍爾—赫羅特製程技術，早在一九〇〇年間就已問世。同樣地，柴油引擎技術已有八十年歷史，普遍認為是比汽油引擎更成熟的技術，但是低轉速柴油引擎的燃燒效率卻在一九七四年出現重大改進，甚至高於汽油引擎的燃燒效率。這兩

個例子都是因為產業界受到能源價格快速上漲的刺激，轉而重視燃燒效率所致。另外，材料科技、生產設備、電子等領域的科技改善，形成更佳的流程控制，耐高溫和其他有利條件，也對廠商改善技術產生正面幫助。

前面提過，大多數產品和價值活動是好幾項技術、或基礎技術的組合。只有以某種特定方式組合的基礎技術整體，可以被假設為進入成熟狀態，然而個別的基礎技術本身則不應該被視為成熟型技術。煉鋁和低速柴油引擎的例子顯示，產品或製程所包含的任何一種基礎技術出現明顯變化時，都可能創造新的基礎技術組合，並獲得重大改進。以微電子科技的發展來說，它本身是一個基礎技術，並且能與其他技術配合，由於它提供了各種新技術組合的可能性，因而對許多產業產生深遠影響。

因此，當企業考慮要對哪一項技術進行投資的時候，必須先充分了解價值鏈中的每一項重要技術，不能只靠簡單的指標，如技術的發展年代就驟下決定。有時候，只要努力加上投資，技術就會有重大改善，如前兩個例子所顯示的情形。在某些情況下，基礎技術的進步也可能導致現有技術的改進。然而，努力改進一項舊技術也可能徒勞無功。有些例子顯示，遇到這種情形時，企業最好越過它、直接發展新技術。要放棄既有技術，尤其是自行發展的技術，勢必難以割捨。不過，如果要維持競爭地位，這個選擇卻可能是關鍵所在。

在發展技術上，不應該侷限於少數可能獲得重大突破的項目。價值鏈中涵蓋的許多技術，包括與產品或生產流程無關的

部分，如果稍做改善，都可能成為競爭優勢的重大助益。累積自改進多項價值活動所形成的優勢，也可能比單一技術的重大突破更具有持續力，因為競爭對手通常都會關心技術上的重大突破，使得這種技術上的突破成為同業競相模仿的焦點。日本企業的技術優勢很少來自於重大突破，大多是整個價值鏈中多項改善的累積效果。

技術領先或是跟隨

　　技術策略的第二大課題是，企業是否應該尋求技術領先地位。技術領先的含意很清楚，當企業率先引進能夠支援一般性策略的技術變革，它採取的就是技術領先策略。在這種情況下，所有非領先的廠商，包含根本不在乎技術變革的企業，通通可以歸類為跟隨型企業。對於明顯選擇成為技術跟隨者的企業，它應該是自覺並主動運用這個策略。這也是本書檢驗它們之間差別的指標。

　　雖然一般認定的技術領先，是指在產品或製程技術的領先，但是本書對技術領先的定義範圍更廣。技術領先可以是任何價值活動所採用技術的領先。這裡要討論的是，在任何價值活動上率先變革、或等候別人先行變革的策略選擇。表5.2顯示，無論選擇技術領先策略或跟隨策略，都能夠達到低成本或差異化的目的。

　　企業經常將技術領先視為形成差異化的主要載具，選擇跟隨其後的廠商則更關心如何降低成本。不過，如果廠商的技術領先，是因為率先採用新的低成本製程技術時，照樣能成為低

成本製造商。反過來說，如果跟隨在後的廠商能夠從領先者的
錯誤中學習，改變產品技術使得產品更符合客戶需求時，一樣
能形成差異化。由於每一個產業都包含各式各樣的技術，而企
業尋求競爭優勢的方式也不盡相同，所以產業中可以同時存在
許多技術領先廠商。

　　企業選擇成為一項重要技術的領先者或跟隨者，必須考
慮下面二項因素（其他一般性價值活動，如行銷策略上的先驅
性，或採購方法等，也可以用同樣的方式評估）：

　　❏ 技術領先的持續力：在該項技術上，企業持續領先競爭
　　　對手的程度。

表5.2　技術領先與競爭優勢

	技術領先	技術跟隨
成本優勢	開創最低成本的產品設計	以領先廠商的經驗為借鏡，降低產品或價值活動的成本
	成為領先降低學習曲線的企業	藉由模仿，免除研發成本
	開發以低成本進行價值活動的方法	
差異化	開發能夠提昇客戶價值的獨特產品	以領先廠商的經驗為借鏡，使產品或交貨系統更合乎客戶的需要
	在其他活動中創新，以提高客戶價值	

❑ 搶先行動的優勢：企業率先採用新技術，所形成的優
　勢。

❑ 搶先行動的缺點：企業搶先行動而非靜觀其變的可能困
　擾。

　　綜合考慮以上三個因素之後，才能夠決定對個別企業最有
利的選擇。即使搶先行動能夠形成持續的技術領先，但是搶先
行動者可能面對的許多不利條件，也會削弱企業追求技術領先
的意圖。反過來說，即使不再擁有技術領先地位，搶先行動的
優勢也可能轉化為其他具有持續力的競爭優勢。企業選擇技術
時，必定會比較搶先行動的優勢與劣勢，但是這些因素對形成
競爭優勢的重要性，遠超過對技術策略本身。它們會提醒企業
考慮，採取行動的時機究竟會轉換成競爭優勢或劣勢，或是轉
換成產業的進入障礙與移動障礙等更廣泛的問題。

技術領先的持續能力

　　當（一）競爭者無法複製技術，或（二）對手根本追不上
企業技術創新的速度時，技術領先就有持續力，所形成的技術
領先地位也有利於企業。第二項條件的重要性在於，技術通常
會擴散，領先者必須持續創新，才能免遭技術擴散之害。柯達
能在業餘攝影領域維持領先地位，主要是因為在照相機系統技
術、底片化學技術，以及最近的碟型底片，持續不斷地取得領
先地位，而不是在哪一項技術上大幅領先競爭對手。如果技術
領先難以持續，領先者必須設法將最初的領先優勢轉換為搶先

行動的優勢，因為領先地位所需的成本遠高於跟隨者。

技術領先的持續力來自下面四種因素的作用：

技術變革的來源：新技術是由產業內部自行開發？或由其他領域引進？對領先技術的持續力具有重大影響。在技術變革中，相當重要的部分是來自於供應商、客戶或其他完全無關的產業等外部來源。例如在許多加工產業中，技術的主要來源是設計生產流程、建構廠房的營建工程公司。

如果技術來自產業外部，通常很難維持技術領先地位。因為其他企業都能借助外援發展技術，拆解了企業取得技術與研發投資、技術能力之間的關係。因此，外部技術變革在競爭者之間扮演平衡器的角色。具有關鍵性外部技術來源的技術領先廠商，必須以聯盟或獨占性協議的方式，充分掌握技術來源，或是擁有傑出的技術應用能力才能維持技術領先地位。

技術發展活動是否具有持續的成本或差異化優勢：如果企業所進行的技術發展活動本身具有成本或差異化優勢，技術領先的持續力就比較強。企業可用第三、四章的方法，分析它在技術發展活動上的相對成本和差異化程度。比方說，經驗豐富或市場占有率高的企業，會因技術發展活動的規模經濟或學習效果，而形成研發成本上的優勢。在新產品研發成本大致相同的時候，擁有較高市場占有率的企業，研發成本會相對降低，連帶著使它能夠在不影響成本的情況下，投入更多研發經費以維持技術領先。大型渦輪發電機就是一個很好的例子。從總金

額上看來，奇異（General Electric）的研發費用遠高於西屋公司（Westinghouse），但是從研發成本在營業額中的比例看來，卻仍低於西屋公司。當產品的開發成本提高時，對高市場占有率的企業更為有利。例如在農業化學產業中，開發一種新除草劑的成本已經超過三千萬美元時，領先企業的優勢也更加強大。

　　發展技術的相對成本或效率，也受到母公司旗下相關經營單位間交互關係的影響。這種交互關係使得企業能夠在相關經營單位之間，分攤研發活動的成本、或是轉移研發技術。技術領先廠商常常積極發展技術上的交互關係，並運用相關技術進入新事業領域。他們也會建立經營單位間的研發活動轉換機制，並且以企業整體的層次（corporate level），對可能影響旗下許多經營單位的核心技術進行投資開發。

　　對於形成持續的研發成本優勢而言，創新週期中的基礎研究、應用研究、產品或技術開發等等不同階段，分別提供了不同的機會。基礎產品開發的規模敏感度，明顯低於後續的快速推出新機型，以及增添新功能。這也是為什麼在後續產品改進方面無法保持領先的原創性美國企業，經常敗在日本企業手下的原因之一。許多成功的技術領先廠商，並沒有榨乾所有因規模、學習，以及交互關係而獲得的較高利潤；反而不斷地再投資，以保持技術領先；同時它們也利用任何研發方面的規模或學習優勢，快速推出新機型。本田公司（Honda）就是透過不斷推出新產品，強化它在摩托車方面的競爭優勢。

相對的技術能力： 在與競爭對手相較之下，擁有獨特的技

術能力，遠比在研發人數、設備和管理等方面優於競爭對手，更能夠持續既有的技術領先地位。除了規模、學習或交互關係之外，技術實力直接影響到，在既定技術投資金額之下所能夠達到的成果。技術實力是由管理、企業文化、組織結構與制度、科技人才聲譽和其他因素共同形成的。以恩益禧（NEC）為例，它是日本工程科系畢業生評價最高的企業。這使得它能夠吸引第一流的人才，進而強化本身的研發能力。

成功的技術領先廠商會刻意儲備研發能力。通常它們不會在不景氣、或利潤緊縮時削減研發人力。它們也會與相關領域的著名研究機構保持良好關係，並且努力塑造「研發人才的最佳工作環境」形象，以支持自己的技術策略。

技術擴散的速度：最後一項決定技術領先持續力的重要因素是，技術領先廠商的技術擴散速度。如果技術領先企業所發展的新技術，很容易被競爭對手抄襲，再卓越的技術能力或成本優勢都將被抵消。技術擴散的速度依產業性質而有所不同，但卻是無可避免的現象。以下是一些造成領先廠商技術擴散的機制：

- 競爭者對技術領先廠商的產品、與作業方式的直接觀察（逆向工程）。
- 設備供應商或其他賣主。
- 產業觀察家，如顧問、或商業出版品。
- 有意尋求其他合格供應商的客戶。

❏ 領先廠商的研發人員投向競爭對手或自行創業。
❏ 領先廠商科技人員的公開說明、或對外發表的研究報
　告。

　　一般說來，基礎產品和製程的技術創新，要比後續的技術
改進擴散得更快。產品和製程的改進，尤其是以製程為主的改
進，則比較可能維持專屬性。由於日本企業重視持續的製程創
新，因此往往比率先發展新製程的歐美廠商更能夠建立持續性
優勢。

　　影響技術擴散速度的因素，有些是企業可以控制，有些則
受制於產業的整體環境。比方說，大多數活動房屋製造商的技
術，很容易由產品中觀察學習，擴散速度也比較快。紙尿布的
相關技術，則因為隱藏在專屬生產設備與製造過程之中，所以
擴散速度相對比較慢。以下是一些可以減緩擴散速度的因素：

❏ 為企業的技術和其他相關技術申請專利。
❏ 保密。
❏ 企業內部自行研發雛型產品（prototype）與製造設備。
❏ 對能夠提供技術線索的關鍵零組件進行垂直整合。
❏ 採取能夠留住員工的人事政策。

　　成功的技術領先廠商會積極設法降低技術擴散速度。能
夠申請專利的技術，他們一定會以專利保護，並努力對抗侵權
者。他們將所有的對外接觸視為對專屬技能的威脅，就連與客

戶的互動也不例外。他們很少讓訪客參觀工廠，即使對客戶也不透露任何重要的創新技術。技術領先廠商經常進行垂直整合，在企業內部自行建造或修改設備，以保護技術，尤其避免公開透露技術。包括杜邦（DuPont）、柯達、寶僑家品、米其林等著名的技術領先廠商，同樣也是一等一的保密高手。

搶先行動的優勢

如果搶先行動能夠帶來優勢，技術領先地位才有策略上的價值。即使技術差距逐漸拉近，企業仍可因搶先行動的優勢，將技術差距轉換成其他競爭優勢。搶先行動的優勢與企業改善相對成本地位、或差異化的時機有關。一般說來，率先行動廠商擁有界定競爭規則的機會。

搶先行動具有下列優勢，同時也能夠讓企業率先進入某個地理區域，或成為某些與技術無關領域的先驅者。某些優勢不只出現在第一家行動的廠商，前期進入的其他廠商也能夠享有。

聲譽：搶先行動能夠為企業建立先驅者或領導者的聲譽，這是其他競爭者很難取得的。即使只是暫時的領導地位，也能夠為企業帶來競爭者無法比擬的長期良好形象。搶先行動廠商也是第一個提供某些特定服務的廠商，這使它更有可能建立客戶的忠誠度。領先廠商在聲譽上能夠取得多大的優勢，要看它的可靠性與市場投資能力而定。小公司因為缺乏資源，無法大力宣揚自己在某些領域的領先地位，倒不見得能因搶先行動而

提高聲譽。

先占地位：搶先行動廠商能搶占有吸引力的產品或市場定位，迫使對手轉戰比較差的領域。比方說，司徒福公司就在冷凍食品方面，搶先占據了「美食」的產品形象。搶先行動廠商也可能改變界定產品的方式，或是施展最有利的行銷手法。它也能夠事先投下產能，排除競爭者的獲利空間。

移轉成本：搶先行動者可以利用移轉成本，鎖定後續銷售業務。比方說，在醫院設施的管理維護方面，第一家與醫院簽約的管理公司在更新合約時就擁有明顯的優勢，如果醫院要更換管理公司，勢必付出實質成本。只有當醫院更換主管、採用新的電腦系統或出現其他變革時，移轉成本的優勢才會消失。

選擇通路：搶先行動廠商能掌握新產品或新機型的特有通路。它能夠選擇最理想的代理商、經銷商或零售商，跟進廠商只能找次等通路，自行建立新通路，或是設法爭取搶先行動者的通路。

專屬的學習曲線：當受到搶先行動影響的價值活動，能夠形成專屬的學習曲線時，廠商就能取得成本或差異化優勢。搶先行動者是頭一家開始縮短學習曲線的廠商，如果學習成果能保持專屬，它就能建立持久的成本或差異化優勢。

掌握設備、原料或其他稀有資源的有利形勢：由於廠商搶在市場力量尚未完全反映出新技術或新產品的衝擊前行動，它至少在採購項目與其他資源的取得上，暫時擁有優勢。比方說，它可以搶先選擇方便的據點，或與積極找尋原料供應商談妥比較有利的交易條件。航空業就是個很好的例子，早期的陽春型航空公司可以買到便宜的剩餘飛機、低成本的機場空間、雇用待業中的飛行員等。當其他業者模仿這套策略時，市場力量終將拉高它們的價格。

採礦業的情形也很類似。比起搶得先機的廠商，新的礦石處理工廠離礦場愈來愈遠，基礎設施的費用也愈來愈高。同時也必須面對更高的環境成本。

定義產品標準：搶先行動廠商也率先定義技術和其他價值活動的標準，迫使後進廠商遵循，進而持續本身的領先地位。比方說，美國無線電公司（RCA）首先訂定彩色電視機的標準，其他競爭對手必須照著做，而不是自行發展另一套標準。

建立社會制度方面的障礙：搶先行動廠商也享有社會制度對模仿者設限的好處。搶先行動的廠商享有專利的保護，或是因為率先進入某一國家而與當地政府建立特殊關係。社會制度因素通常也有利於搶先行動廠商設立產品標準。

初期的厚利：某些產業中，搶先行動廠商可能享有暫時的高獲利地位。比方說：在初期供不應求的階段，它就能夠以較

高的價格與客戶簽約，或是高價銷售給非常需要此一新產品的客戶。

　　成功的技術領先廠商不會一昧依賴技術優勢，而是主動發展搶先行動的優勢。他們會運用所有因技術領先所帶來的機會，界定有利的競爭規則。他們也會投資行銷活動，增強領導者的聲譽，並在價格上下功夫，儘可能建立移轉成本。過去幾十年來，產業界有一個明顯的趨勢，許多搶先行動的廠商迄今仍是該行業的領導廠商。以消費性商品為例，從一九二〇年代以來，奎斯可食用油（Crisco）、象牙肥皂（Ivory）、救生圈薄荷糖（Life Savers）、可口可樂、金寶食品、箭牌口香糖（Wrigley）、柯達軟片、立頓紅茶（Lipton）、固特異輪胎（Goodyear）等，一直都是領導品牌。

　　話說回來，除非搶先行動者能夠進一步投資、運用搶先行動的優勢，既有優勢會因後繼廠商的積極大力投入而煙消雲散。電子計算機產業中，堡碼公司（Bowmar）的起落顯示，當先驅廠商規模較小時，通常會被後繼者超越。他們喪失領先地位，不是因為缺乏搶先行動的優勢，而是沒有足夠的資源來開發這些優勢。IBM在個人電腦方面，則是後繼廠商投入大量資源，並利用旗下經營單位間的交互關係，超越先驅對手的例子。

　　當率先行動廠商缺乏足夠資源時，真正贏家會是其他實力雄厚的先驅廠商。以迷你電腦為例，迪吉多（Digital Equipment）並非第一家推出迷你電腦的廠商，卻因率先積極發

展這類產品而獲得許多搶先行動的優勢。它大量投資於擴張產品線，縮短學習曲線，增加業務人員等，盡量開發並利用搶先行動的優勢。同樣的故事也出現在錄放影機產業中。安培公司（Ampex）雖然是第一家推出錄放影機的廠商，但是日本企業大量投資，改善技術、降低產品單價，進而將技術領先優勢轉換成有利的搶先行動優勢。

搶先行動者的弱點

搶先行動廠商有優勢、也有弱點。搶先行動的弱點在於，成本和主客觀條件變化的風險。

先驅成本（Pioneering Cost）：搶先行動廠商通常必須忍受比較高的先驅性成本，包括：

- ❏ 必須獲得政府管理單位的批准。
- ❏ 必須符合現行法規。
- ❏ 教育客戶。
- ❏ 發展基本設施，如服務性配備、人才培訓等。
- ❏ 開發原料、新設備等必要的資源。
- ❏ 投資開發附屬產品（見第十二章）。
- ❏ 由於缺乏供應商、或需求規模不足的影響，早期採購項目的成本相對比較昂貴。

先驅成本的高低，主要看技術創新的型態。如果有良性競爭對手齊頭並進，這方面的成本可能會分散而相對降低（見第六章）。話說回來，廠商要搶先行動，這些成本就無可避免。

需求的不確定：搶先行動廠商要承擔未來需求不確定的風險。後繼廠商做決策時，可以參考較確定的市場資訊。率先行動廠商則必須冒險，預先投下產能。率先生產一項產品，本身具有某些優勢，但是風險相對的也比較高。比方說，美國無線電公司是第一家發展彩色電視機的廠商，它等於在一種新開發的技術上下注。其他後繼廠商從美國無線電公司的經驗中得知，彩色電視的需求多年之後才出現，因而避免了前期投資的虧損。

客戶的需求改變：客戶需求改變會殃及搶先行動廠商，削弱新技術的價值。如果客戶需求改變，而搶先行動廠商的技術又被視為「過時」技術時，既有的聲譽也將一併喪失。但是，除非客戶需求徹底轉變，並且從根本改變了滿足原有需求所需的技術，搶先行動廠商通常都能夠隨時間而修改技術，以維護本身的領先地位。

對先期產品或生產條件的專屬投資：如果先期投資發展的技術，無法經由簡易的改進而轉換成下一代新技術，則廠商先前的大量投資反而變成包袱。以半導體為例，飛歌公司（Philco）搶先興建大型自動化工廠，不料後來開發出來的晶片

製程技術，與它所投資的技術型態明顯不同。這些變化使飛歌公司只享受到短期的甜頭，而既有的成功條件卻變成後來的障礙。如果產品或製程變動涉及生產成本或產品品質時，同樣會對先驅廠商產生不利的影響。

　　技術的不連續：對搶先行動廠商而言，技術無法延續是非常不利的現象，因為早期對技術的投資勢必完全報廢。技術的不連續性源自現有技術的重大轉變，先驅廠商受到對早期技術的既定投資所牽制，而無法迅速反應。相反地，快速跟進的廠商通常會因而受益，因為它避開了搶先行動的高成本。反過來說，當技術演進具有連續性時，對搶先行動廠商比較有利。因為它可以將既有的技術經驗轉換到新技術上，並且在學習曲線上取得領先。

　　模仿成本低：如果模仿成本低於創新本身，也不利於搶先行動廠商。比較有利於搶先行動廠商的情況是，後進者要模仿時必須投入相當的模仿與調整成本。

技術授權

　　技術策略的第三項重大課題是技術授權，這涉及企業和其他廠商結盟的形式。當企業擁有獨家技術時，通常其他機構會要求它授權使用，或是政府法令強迫它必須授權。由於專利授權是取得技術的一種途徑，當技術是競爭優勢的重要來源時，如何進行專利授權就非常重要。許多廠商因為粗糙的專利授權

決策，而喪失了它的競爭優勢。

何時應該進行專利授權？

當企業的競爭優勢來自技術時，對其他廠商授權是一著險棋，只有在特殊情況下才應該採用。技術授權所獲得的權利金，幾乎都不足以彌補因此而流失的競爭優勢。但是在下列情況下，技術授權則是合理的策略性行動。

缺乏利用技術的能力：當企業無法運用自己所開發的技術時，對外授權並收取權利金是一種適當的作法。會出現這種情形，可能是因為企業缺乏足夠的資源、或技術能力，而無法建立具有持續性的地位，也可能是因為準備收割旗下經營單位的成果，或競爭對手在市場上早已建立穩固、難以匹敵的地位。當今產業中，生物科技與電子科技是最早應用技術授權策略的產業，因為某些有創意的新公司缺乏將新技術或產品商品化的能力。有時，廠商也許不乏資源，但是競爭對手難以搖撼、或政府限制由本國廠商經營時，光有新科技仍無法在市場上獲得實質利益。史丹達公司（Standard Brand）可能就是因為前一個原因，雖然開發了糖的替代品——玉米糖漿，卻採取廣泛授權收取權利金的作法。

如果企業無法自行開發市場、又不願授權，將會造成競爭對手開發類似技術的動機。遲早一家或數家競爭對手會開發成功，這時企業只能得到剩餘的些許市場地位。然而，透過技術授權，使得競爭對手除了自行研發之外，多了一種相對便宜

而低風險的選擇。企業與其坐等競爭者模仿，主動進行技術授權，或許可以設定業界標準，並且在自己的市場地位之外，還能夠收取權利金。

開發不易觸及的市場：技術授權也可以使企業進入某些原本無法進入的市場，進而獲得回收。這種情形包括：該技術對某個產業非常有價值，但是企業本身不可能進入該產業；或是企業無法或無意進入的其他地區市場。

技術快速標準化：技術授權也能夠加快己方技術成為產業標準的過程。當好幾家廠商競相發展類似技術時，技術授權不但能使企業本身的技術合理化，也會加速這個技術的發展。比方說，錄放影機產業中，開發VHS和Beta兩種規格的先驅廠商莫不廣泛授權，以爭取成為業界標準。因為產品標準化之後，才有可能增加視聽軟體。

惡劣的產業結構：如果產業結構不佳，企業也可以考慮採取技術授權。在這種情況下，企業與其投資在一個回收不高的市場，倒不如授權並收取權利金。企業在權利金上的議價實力愈強，就愈該授權並僅保持適當程度的市場介入。

創造良性的競爭對手：技術授權也是創造良性競爭對手的工具，良性競爭對手在刺激需求、阻隔新進入者、分攤先驅成本等方面都有好處。像馬格納弗斯公司（Magnavox）就大量

授權它的電視遊樂器專利，以鼓勵競爭對手推出更多產品，加速擴張這個市場。從另一方面看來，電視遊樂器的市場進入障礙並不高，馬格納弗斯企業也很難建立能夠持續的市場地位。第六章將討論如何界定良性競爭對手，以及它所帶來的潛在利益。

交換：企業可藉著技術授權，換取另一家企業的技術。IBM就是個中高手。不過，企業必須先確定這一項交換是公平合理的。

選擇性授權

技術授權的對象應該不具競爭威脅或者是良性的競爭對手。由於原來不具威脅的廠商可能搖身一變成為競爭對手，企業必須確信對方不會成為競爭對手，或是在授權條款上盡量降低這種風險。為了確保對方不致於成為潛在的競爭對手，除了考慮它目前所在的市場或產業區段之外，還要注意它未來可能進入的市場。對客戶進行授權，使客戶能夠自行滿足部分需求，也可以縮減競爭者或潛在競爭者的市場空間。

當企業授權給競爭對手時，對方必須是良性的競爭對手。即使政府強迫企業進行技術授權時，仍應堅持這個原則。當企業對不具威脅性的對象進行授權時，最理想的選擇是，即使後來決定進入市場，也會是良性競爭對手的對象。同樣地，授權合約應盡量包含定期更新合約的條款，而非永久同意對方使用這項技術，以避免授權對象變成競爭對手時仍然擁有此一技

術。

授權的陷阱

技術授權對企業本身的競爭地位，通常是弊多於利。最常出現的兩種授權陷阱是，在授權過程製造了不必要的競爭對手，以及因些許權利金而犧牲本身的競爭優勢。授權能夠帶來短期的利潤，卻也會腐蝕長期利益並喪失競爭優勢。

一般說來，企業很難察覺誰是它的潛在競爭對手，因此授權後反遭其害的例子比比皆是。它們可能對外國廠商授權，但是對方隨即侵入本國市場。同樣地，許多企業對其他產業的廠商授權，卻導致後者進入同一個產業競爭。技術授權協議質變的過程很微妙。開始時，被授權的對象往往聲稱，將會維持彼此長期聯盟關係，也強調這是雙贏作法。但是時間一久，被授權廠商學會了相關技術、也摸清授權廠商的其他價值活動之後，它可能對授權廠商展開攻擊並成為強大的競爭者。廣泛獲得授權的亞洲廠商，有時候就是運用這種模式發展。

技術演進

由於技術變革對競爭優勢的重大影響，預測技術演進的途徑就變得十分重要，它使企業更能夠預見技術的可能變革，進而改善本身地位。產業界對技術變革的研究大多延伸自產品生命周期的概念。根據這個模式，初期當生產流程仍然具有很大彈性的時候，技術變革的焦點是產品創新。產業逐漸成熟之

後，產品設計方面的進展減緩，而大量製造技術開始登場。此時，製程創新取代產品創新成為技術活動的主軸，研發焦點轉移到在產品逐漸標準化的狀況下如何降低成本。最後，在產業成熟的後期，所有創新活動都開始減緩，由於產業已到達效益遞減的轉捩點，各種技術投資也開始降低。

這套模式是由亞伯拿斯（Abernathy）和奧特巴克（Utterback）兩人所提出。在他們的理論中，產品生命周期開始時，產品設計是浮動而不確定的，產品也有多樣化發展的傾向。產品創新主導一切，重點在改善產品效能而非降低成本。成功的產品創新會導出主流產品，並形成最佳的產品功能形式。一旦產品設計穩定之後，自動化生產方式逐漸被採用，製程的創新成為重點，目標在降低成本。最後，產品創新和製程創新雙雙開始減少。近年來，亞伯拿斯增添了「反成熟」（dematurity）的概念，承認主要技術的大幅變革，可能迫使產業重回最初的浮動狀態。

雖然對許多產業而言，這一套對技術變革的假設是正確的，但是並非所有產業都能一體適用。像產品沒有差異性的礦產和化工產業，不是根本沒有發生這種循序漸進，達到主導性產品創新的過程，就是在相當短的時間內已經達成。軍用、民用航空器，以及大型渦輪發電機等產業，也從未達到大量自動化生產的模式。在這些產業中，大部分創新都是產品導向，而非製程導向。正如其他的產業特質一樣，技術發展也會因產業而異。技術發展型態是許多產業特質的綜合結果，必須從整體產業結構發展的角度加以了解。技術創新受到產業結構變化的

牽動，同時也改變產業結構。

產業的技術進化是下面幾種力量互動的結果：

❑ 規模變化：當企業和產業的規模擴大時，新產品和製程技術會更容易出現。

❑ 學習：企業長期摸索產品設計和如何進行各種價值活動，也會改變它所應用的各種技術。

❑ 不確定性減弱與模仿：當企業更了解客戶需求、並且相互模仿時，自然會形成產品標準化的壓力。

❑ 技術擴散：前面提過，技術會經由多種機制擴散。

❑ 價值活動中技術創新的效益遞減：技術可能達到極限，並使得往後的改進更為困難。

當這些力量以下列方式互動時，技術變革就會表現出產品生命週期模式。成功的產品創新與模仿，會降低尋找最適產品的不確定性，也會形成主流產品設計。規模擴大使得大量生產更為可行，而產品逐漸標準化更進一步強化大量生產的可能性。技術擴散使得產品差異性減少，並迫使企業專注於製程創新以維持成本競爭力。最後，製程創新的效益遞減現象出現，各種創新活動同時減少。

一個產業是否出現這種技術創新生命週期，或其他型態，要看某些特定的產業特質：

形成實質性差異的能力：像汽車或工具機。產品具有實

質性差異，並且能夠形成許多不同的設計與功能。差異小的產品則會很快走上標準化，使得其他形式的技術活動占據主導位置。

　　客戶需求的區隔：當客戶需求差別很大時，競爭者會發展出更多專業化設計，以滿足不同的產業區段。

　　規模和學習敏感度：與整體產業規模相關的規模、或學習敏感度會成為產品標準化的壓力。雖然客戶需求會出現區隔，但是高規模經濟會成為標準化的壓力，而低規模經濟則促使產品發展多樣化。

　　價值活動間的技術鏈結：產品或價值活動的技術常常相互關聯。當產品的基礎技術出現變革，通常會引發其他技術的連鎖改變。比方說：改變生產流程，就會牽動對進出貨後勤的需求。價值活動之間的技術鏈結意味著，其中某一項活動的技術產生變化，可能受到其他價值活動技術的影響、也可能引起其他價值活動技術的改變，進而形成整個技術發展的模式。

　　取代邏輯：替代品的壓力是影響技術進化模式的重要因素。無論替代品的威脅來自成本或差異化，都將引發相對應的技術變革。以紙尿布為例，這項產品一開始的挑戰是，如何將成本降低到傳統尿布的水準，並提供與傳統尿布類似的功能。因此早期的創新大多集中在製造方法上。

技術限制：某些技術在降低成本或提升效益方面，比其他技術提供更多的可能性。比方說：在產品創新的效益遞減現象上，民航機和半導體業就比其他產業出現得晚。價值鏈中不同技術和基礎技術的限制，會因而影響到技術變革的發展方向。

技術來源：最後一種影響技術變革模式的產業特質，就是技術的來源。當變革是由產業的專業技術主導，且外界技術對產業的影響有限時，技術變革的路徑也比較容易預測。

連續與不連續的技術進化

產業不同，技術發展的模式也有明顯差異。主要的區別在於技術變革是靠技術本身的累積、或是不連續的跳躍進展。當技術變革是由累積形成時，進化過程比較能從產業成員的行動、或其他技術擴散的狀況決定。此時，這個產業的外部技術來源，大多來自現有的供應商。

當技術的發展不具有連續性時，技術大多來自產業外部，其中新競爭者或新供應商更可能扮演著重要的角色。與產業中的研發單位相比，產業外的技術來源較不受既有產業環境的影響，因而技術的不連續發展，往往跳脫目前產業成熟度下的預期模式。

技術的不連續性是企業改變競爭地位的最大機會。它會破壞以現有技術為基礎的搶先行動優勢與移動障礙。技術的不連續性也促成整個價值鏈的全面轉變，而不僅是某一項價值活動的轉變。因此，如果產業界出現一段時期的技術不連續性，會

使得市場地位呈現不穩定的狀態，廠商的市場占有率也會出現劇烈的消長。

預測技術變革

企業可以用這一套架構來預測，所處產業技術變革的可能路徑。以民航機為例，這類產品具有高度的差異性，但是產品設計方面卻受到規模經濟的影響，而限制了已開發產品的種類。另一方面，生產方式的彈性意味著生產流程不會妨礙持續的產品創新。因此，可以預期民航機產業是一種持續產品研發的產業。彈性的生產流程則容許廠商不斷尋求新材料和新零組件。這種情況就不太可能出現在大量自動化生產的產業中。

當企業能洞察產業進化的可能模式時，它就能提早行動因應變遷，攫取競爭優勢。但是，只要涉及技術就永遠帶有不確定性。這也是為什麼企業會在策略選擇上應用情境模擬（scenarios）的原因。第十三章將更詳細討論產業的情境模擬。

制定技術策略

為了使技術研發不只是滿足科學上的好奇，而能夠成為真實的競爭武器。這一章的各種概念提供了幾個制定技術策略的步驟：

1.清楚劃分價值鏈中的各種技術和基礎技術：每一項價值活動都涉及一項或多項技術。無論這些技術多不起眼，制定技

術策略的起點就是先明確列出企業本身，以及競爭者所採用的各種技術與基礎技術。此外，企業即使不作深入探究，至少也要了解上游供應商與下游客戶價值鏈中的技術，因為它們通常與企業的技術相互依存。企業常會把焦點鎖定在產品技術或生產作業技術，卻忽略其他價值活動的技術，或「發展新技術」的技術。

2. **標示出其他產業中的相關技術，或可能相關的科學發展**：新技術常常來自產業外部，這些技術往往形成技術的不連續發展，並且摧毀產業內原有的競爭關係。因此，企業應該仔細檢查每一項價值活動，了解是否可能應用外來技術。尤其是資訊系統、新材料、電子科技方面更應該做完整的檢查。這三種科技對創新技術或調整傳統技術的組合方式，具有革命性影響。

3. **判斷主要技術的可能變遷路徑**：企業必須評估每項價值活動中，技術的可能變化方向。評估範圍除了企業本身之外，還需要包含客戶與供應商價值鏈中的活動，以及與本業無直接關係的技術來源。任何技術都不應視為成熟技術。看似成熟的技術，可能只是因為技術創新的努力還不夠，而且其中所包含的基礎技術也可能出現變革。

4. **判斷眾多影響產業結構與競爭優勢的技術中，哪種技術或潛在技術變化的影響最為明顯**：價值鏈中，並非所有的技術

變化都與競爭有重大關係。重要的技術變化必須符合本章提過的四項測試：

❏ 能自行創造並持續競爭優勢。
❏ 形成對企業有利的成本或獨特性驅動因素。
❏ 形成搶先行動的優勢。
❏ 能改善整個產業結構。

企業應該特別挑出這些技術，了解它們如何影響成本，差異化或產業結構。供應商與客戶的技術，也必須運用此一原則找出其中最重要的部分。重要的技術必然對成本或差異化產生重大、並具有持續性的影響。

5. 評估企業在重要技術上的相對能力，以及改進技術所需要的成本：企業必須知道它在關鍵技術上的相對實力，並務實地評估它跟上技術變革的能力。千萬不要因為企業的自尊與驕傲，而模糊了這一項評估的結果，否則企業可能會將資源浪費在對競爭優勢毫無貢獻的領域。

6. 選擇技術策略，而且這個策略必須包括，所有能夠強化企業整體競爭策略的關鍵技術：技術策略要能夠強化企業正在追求和維持的競爭優勢。對企業的競爭優勢而言，最重要的技術是，使它保持領先地位、使成本或差異化驅動因素對己有利、或是能夠轉變成搶先行動優勢的技術。前面提過，企業對

其他領域的技術投資，也能強化本身的競爭優勢。

　　企業的技術策略應該包含下列各點：

❏ 按照對競爭優勢的重要性，區分研發計畫的等級。無法
　對成本或差異化效果提出合理說明的專案，不應該被批
　准。

❏ 在重要技術上選擇領先或跟進。

❏ 技術授權政策要能夠提高整體競爭地位，而不是反應短
　期利潤壓力。

❏ 設定取得所需外部技術的方法，必要時，可以透過取得
　授權或其他方式進行。

　　7.從企業整體觀點強化經營單位的技術策略：技術雖然與
各經營單位關係密切，但是在強化企業的整體技術地位上，總
公司可以起兩個關鍵作用。第一個是協助觀察可能影響經營單
位的技術。企業集團可以投資在分析、評估各種可能產生廣泛
影響的技術，再將相關資訊通知各經營單位。對於資訊系統、
辦公室自動化、工廠自動化、材料和生物科技等方面，企業的
觀察能夠產生很大的作用。

　　在技術策略上，整體企業層次的第一個作用是發掘、運
用、創造各經營單位間的技術交互關係。如果經營單位能夠運
用姊妹單位間的技術交互關係，更能夠形成競爭優勢。這部分
在第九章會有更詳細的討論。

　　以下是在企業（corporate）、事業部（sector）、營運群

（group）層次進行，有助於強化整體技術地位的具體行動：

- 找出會影響許多經營單位的企業核心技術。
- 確保主動或共同進行的研究工作持續進行，所發展的技術也能夠被各經營單位所採用。
- 支持企業內部的重要技術研究，以累積重要的技術知識和人才。
- 運用購併或聯合投資等方式，引進新技術和技能、或加強既有技能。

第六章

選擇競爭對手

　　競爭對手固然具有威脅性，但是在很多產業中，企業的競爭地位會因適當的競爭對手而增強。

　　這一章將說明企業如何了解和影響競爭對手陣營，以提升自己的競爭優勢、並改善整個產業結構。其次解釋辨認「良性」競爭對手的方法，並進一步說明企業如何影響競爭對手，避免在競爭過程中損及產業結構。接著從企業的觀點，分析產業中最理想的競爭對手組合，以及維持產業穩定的適當作法。最後再指出企業選擇競爭對手時應該留意的陷阱。

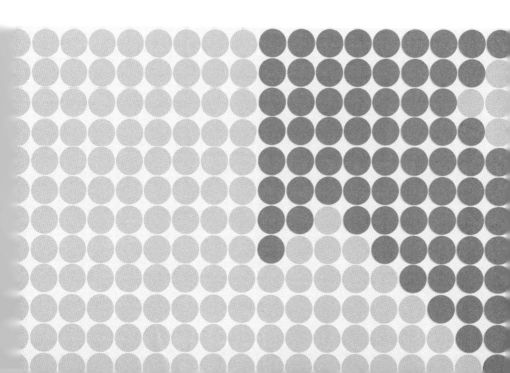

　　大多數企業將競爭對手視為一種威脅。關注的焦點總是放在如何與競爭對手爭奪市場占有率，如何防止競爭對手進入市場。這一派的觀點認為，競爭對手是敵人、必須徹底殲滅。篤信經驗曲線的人士也認為，增加市場占有率比降低更有利，這個論點更增強了前述的信念。

　　競爭對手固然具有威脅性，但是在很多產業中，企業的競爭地位會因適當的競爭對手而增強。「良性」競爭對手可以激發企業旺盛的企圖心，因而強化具有持續性的競爭優勢、並改善整個產業結構。根據這種論點，企業應該擁有一家，或是多家良性競爭對手；甚至於為了此一目的，而蓄意放棄部分市場占有率。更高的市場占有率所帶來的結果，常常不如降低一點市場占有率。在企業與「良性」競爭對手保持相對競爭地位的同時，還應該盡力打擊「惡性」競爭對手。這些原則同時適用於市場上的領導廠商和跟隨廠商。

　　這一章將說明企業如何了解及影響競爭對手陣營，以提升自己的競爭優勢，並改善整個產業結構。這能夠協助企業認清真正應該打擊的競爭者，並避免與對自己和產業結構有利的競爭者纏鬥。其次，我將解釋辨認「良性」競爭對手的方法，以及如何區分良性與惡性競爭對手。在認識競爭對手的特質之後，我將進一步說明企業如何影響競爭對手，並避免在競爭過程中損及產業結構。我也將從企業的觀點，分析產業中最理想的競爭對手組合，以及維持產業穩定的適當作法。最後再指出企業選擇競爭對手時應該留意的陷阱。

　　競爭對手不但有益於競爭，對企業本身更具有意想不到的

好處。競爭者讓企業不致於自滿、自傲或停止發展競爭優勢。畢竟，持續的競爭優勢是企業達到卓越績效的不二法門。在此同時，企業也必須知道誰是應該打擊的對象？競爭者的陣容又會對產業結構造成何種影響？競爭者各自發展不同的競爭策略，企業的因應方式也必須隨著改變。

競爭對手的策略性利益

適當的競爭對手帶給企業許多策略上的益處，大致可以分為以下四類：提升競爭優勢、改善現有產業結構、協助發展市場、投下產業進入障礙。企業能因競爭對手獲得哪些益處，又與產業性質和所採取的策略息息相關。

增加競爭優勢

企業的競爭優勢會因競爭者的存在而增強。以下將解釋形成這種狀況的機制，以及增強這些機制重要性的產業特質。

吸收需求的變動：競爭者能夠吸收市場週期性、季節性或其他因素造成的需求波動，長期來看，能夠幫助企業充分利用本身產能。第三章就提過，企業可以利用競爭對手，控制成本驅動因素中的產能使用率因素。例如，景氣好時，領先廠商的市場占有率通常會降低；景氣差時，它的市場占有率又會回升，就是一個很好的例證。由於領導廠商不能或不想在景氣佳時，增加產能應付需求，競爭對手因而有增加市場占有率的機

會。景氣差時，領導廠商因為客戶的信賴度較高，市場占有率自然回升，同時產能也足以應付需求。因此，企業要以本身產能長期滿足週期性需求，較可行的作法是，讓競爭對手去吸收市場的需求變動。這種作法的前提是，企業必須確定產業的整體產能可以滿足關鍵客戶群的需求，不致於引來其他新的競爭者，如果產品是一般日用品時，它還要有足夠的超額產能來控制市場價格。

提升差異化的能力：客戶會以競爭者為比較標準，因而提高企業差異化的能力。如果市場上沒有競爭者，客戶可能不易察覺企業所提供的價值，因而更在乎產品的價格或服務。結果是，客戶會更傾向於對價格、服務、或是品質討價還價。如果客戶以競爭對手的產品做為評估效益的基準，企業在展現本身優越性方面反而更有說服力、或是因此降低差異化成本。因此，就產品而言，競爭對手可以是企業的一種價值訊號。以消費性商品為例，在一般品牌的襯托下，使得名牌產品在某些情況下擁有較高的利潤。不過，競爭對手產生這種作用的前提是，客戶必須能辨認產品間的差異性，企業也要確實尋求差異化，否則反而會損及己方溢價的持續能力。

另一個競爭對手可能增強企業差異化的情況是，企業大幅領先多數競爭對手，又沒有居於兩者之間的競爭者存在，此時，領先企業的產品即使物超所值，也無法要求較高的溢價。比方說，在商用軟體市場上，據說，IBM的管理資訊系統開發事業，始終難以維持高價，直到八大會計師事務所進入同一市

場，並開出極高的價格之後，情況才有所改變。八大會計師事務所本身的知名度很高，它們的價格使得想找軟體開發公司的客戶，轉而接受IBM高於一般獨立軟體公司的溢價。

當產品品質和服務內容尚未出現公認標準前，產品的成本／品質之間還有很大的權衡空間，客戶也因為很難察覺產品的差異性，而對價格特別敏感。這時候，以競爭者做為比較標準的好處很明顯。因為在這種情況下，因為缺乏基準，客戶不斷要求改善品質和服務的壓力，必然迫使企業降低獲利能力。

服務缺乏吸引力的產業區段：良性競爭對手可能樂於接下企業不感興趣的產業區段。否則，基於防禦、或轉進其他區段等需要，企業勢必被迫經營這些區段。對企業而言，缺乏吸引力的產業區段通常具有某些特性，可能是經營成本高、或客戶議價能力強又在乎價格、或是企業地位缺乏持續力；也可能是因為，進入這個區段會傷害企業在較有吸引力區段的地位。第七章將會討論如何標示具有策略關聯性的產業區段和它們的吸引力。

當企業的產品系列中某些項目很難差異化，又無法獲得合理利潤時，競爭者的價值就很明顯。如果客戶需要這些產品，提供該項產品的供應商，就能夠在整個產品系列的銷售上占有一席之地。在這種情況下，由良性競爭對手供應這些產品，威脅遠低於由客戶發掘的全新供應來源。由於這些產品維持整個產品系列的完整，更能凸顯出良性競爭者的價值。

另外，當特定客戶群在乎價格，又具有議價實力時，也會

出現同樣的效果。如果缺乏良性競爭對手，企業可能為了防禦惡性競爭對手，不得不服務一些缺乏吸引力的客戶，以便切斷競爭者的進入途徑。以西爾斯等大型零售業者為例，它們的規模龐大，成本的競爭遠勝於差異化的競爭，因而比小型連鎖店更具實力、也更重視價格。企業與這類大型零售商交易時的利潤，比不上與小規模連鎖店的交易。而且，除非這類大型客戶的採購量增加到足以改善企業的相對成本地位，否則企業的獲利能力也會降低。碰到這種兩難局面時，由良性競爭對手來滿足大型零售商的需求，將是最好的解決辦法，否則大型零售商就成為具威脅性新進對手的目標。

當政府機關也是客戶的時候，企業也常有為了供應某個產業區段，卻傷害其他產業區段的尷尬情況。由於政府採購案大多公開招標，因此其他較不在意價格的客戶，也會知道企業的得標價格，這使得企業很難再維持原有溢價。如果有良性競爭對手共同經營這種區段，問題將較為單純。所以，當企業在某個產業區段屈居劣勢，並可能波及在其他產業區段的信譽時，讓競爭者加入不失為一種有利的作法。

對於需要高成本才能夠提供服務的產業區段而言，有良性競爭者搭配往往利多於弊。當企業受法律限制不能因不同的服務成本，而對客戶群進行價位區隔；或因客戶之間可能互相轉賣而無法採取差別定價時，如果競爭對手能以更低的成本或獲利標準，服務高成本客戶，將有助於提高企業的利潤。

但是，競爭對手是否帶來這些益處，取決於該產業區段是否確實缺乏結構上的吸引力。有時候，看來不具吸引力的產業

區段，其實是錯誤的價格或服務所造成的。果真如此，與其引來競爭對手，企業大可自行經營這些區段。關於錯誤價格所帶來的風險，在第三章中有詳細的分析。

提供成本保護傘：對於低成本企業而言，高成本競爭對手有時可以提供成本保護傘，增加己方的獲利能力。一般認為，領導廠商是其他追隨者在價格上的保護傘，這種情況也確實在某些產業出現。可是，大家往往忽略，市場價格通常是由高成本廠商設定，尤其在比較穩定或成長中的產業更是如此。如果高成本廠商所定的價格與成本很接近，低成本廠商自然能以相同價格獲得較高利潤。當市場上缺乏高成本的競爭者時，客戶的價格敏感度就會提高，因為大幅的溢價空間會吸引客戶對價格的注意力。因此，當客戶（包含零售商）希望有第二或第三個採購來源，並因而將部分生意交給高成本對手時，它所帶來的成本保護傘特別有價值。

不過，任由高成本廠商制定價格，可能會引來新的競爭者。企業要確保這種策略能夠成功，還需要製造一些進入障礙。另外，高成本廠商也要有足夠的生意才能存活，否則萬一它歇業讓市場出現空缺，也可能引來惡性競爭對手。

改善企業與勞工或立法者的談判地位：競爭對手的存在，也有助於企業與勞工、或政府立法單位進行產業議題的談判。一般而言，產業龍頭的弱點是，它經常被迫在工會談判中讓步，或必須面對嚴苛的產品品質、污染防治等標準。如果產業

內競爭者的獲利較差、資本不足或地位不穩定，對於勞工或政府在產業議題的要求上，就可以產生緩衝的效果。此外，在某些投資報酬率受到法律限制的產業，法規允許的報酬比例通常是由競爭者的平均成本決定，因此競爭對手會使一個有效率的企業獲利更佳。

較低的反托拉斯風險：具有一定實力的競爭對手，也能夠降低政府和人民團體對企業進行反托拉斯控訴與調查的風險。柯達和IBM是反托拉斯調查的常客，這不但消耗它們大量的時間，也分散了事業經營的注意力。當企業的市場占有率過高時，即使政府不動用反托拉斯法進行調查，每當它推出新產品、進行技術授權或調整價格時，仍不免招來私人團體的控告。市場占有率高的企業在被控告的風險顧慮下，行事不免趨於謹慎，也有礙於本身的競爭優勢。這種情況會因為具有一定實力的競爭對手出現而改善。

增強動機：在激發企業的事業動機方面，競爭對手扮演著無可替代的重要角色。具有相當實力的競爭對手可能是企業降低成本、改進產品、跟上技術變革的重要激勵來源。競爭對手是企業全體成員的共同敵人，它會促使員工團結，努力達成共同目標。由此可見，有實力的競爭對手能在組織內發揮很重要的心理影響。全錄公司就是一個很好的例子，因為影印機產業出現好幾家強勁的競爭者，使得全錄本身出現了良性的應變跡象。過去，在影印機產業中，企業是否成功與成本沒有重要關

聯，而如今全錄的製造成本明顯改善，開發新產品的步調也跟著加快。另一方面，產業界仍不乏企業因擁有壟斷地位、或準壟斷地位而自滿，以致於無法正視變遷、回應現實的事例。

改善目前的產業結構

競爭對手對產業結構的正面影響，可由以下方式產生：

增加產業需求：競爭對手的出現可使整個產業需求增加，企業的營業額也會隨之增加。舉例來說，如果某項產品的需求主要倚賴廣告的效果，一家企業的銷售量將會因其他競爭者的廣告效果而受益。一般而言，追隨型廠商的規模小、無法達到廣告的規模經濟，因而對廣告的投資也偏低，這時產業全體的累積廣告效果就具有很大幫助。企業和競爭廠商有規律地推出新產品能夠擴張產業的訴求，提高外界的注意力，進而增加需求量。此外，競爭廠商的加入有時也會增加產品知名度，像個人電腦就因為IBM的介入而出現類似效果。

如果產品系列包含各種附屬產品，如照相機與底片、刮鬍刀與刀片、實驗用儀器與耗材等，相關產品的競爭廠商加入時，也會增加整個產業的需求。所以，如果企業擁有某項產品的專利，出現經營附屬產品的競爭廠商則對它有利。以柯達公司為例，它將相機的專利技術授權給很多競爭廠商，藉此刺激相機市場的需求，結果大幅提高了柯達軟片的銷售量。這種策略能夠成功，是因為競爭廠商具有透過整體市場效果，提高主要需求的能力，同時擴大了附屬產品的市場需求。當企業很難

在附屬產品上獲利，也只期望能滿足其中部分需求時，這種策略也很適合。

提供第二或第三個供應來源：在某些涉及重要原料或採購項目的產業中，客戶會希望有第二或第三個採購對象，以減輕供應中斷的風險、或壓低供應商的議價實力。在化工、製糖、金屬罐和渦輪發電機等產業，這類客戶行為尤其明顯。以良性競爭對手充當客戶的第二或第三個供應源時，企業本身的競爭壓力會相對減輕。因為這有助於防止客戶引來更具威脅性的競爭廠商，或延遲、減少客戶自行逆向整合的風險。

京瓷（Kyocera）是京都陶瓷（Kyoto Ceramics）的美國子公司。做為半導體產業的上游供應商，它的困擾就是缺少可靠的競爭對手。京瓷公司的市場占有率，已經足以支配半導體晶片的陶瓷封裝材料供應，美國半導體廠商因而積極尋找新的供應商，甚至主動投入資源，協助新供應商進入這個領域。如果當時市場上另有可靠的競爭對手，京瓷就不會碰到客戶如此不尋常的行為，客戶也可能不會對價格斤斤計較。

不僅工業產品的情形如此，消費性商品也不例外。零售商通常希望陳列更多品牌，以平衡個別製造商的影響力。因此，良性競爭對手的存在，將可避免零售商以更好的陳列架位、大力促銷或其他支援行動，協助新的競爭者進軍這個產業。

強化產業結構中的有利因素：良性競爭廠商會強化產業結構，或促進產業結構改變，使整個產業更具吸引力。譬如說，

一個重視品質、耐用程度與服務的競爭對手，將可減輕客戶對價格的敏感度，並減緩產業的價格競爭。如果競爭對手大量投資於廣告，則有助於讓產業形成少數強勢品牌與高度進入障礙。反過來說，惡性競爭對手只為追求自己的競爭優勢，甚至不惜傷害整體產業結構。以嬰兒食品為例，必曲那公司（Beech-Nut）在一九七〇年代中期被施貴寶公司（Squibb）買下之前，它採取大量廣告、快速推出新產品、維持穩定價格等作法，始終有助於強化該產業的表現。另一方面，亨氏公司（Heinz）為了趕上施貴寶公司，採取低價位／低成本的策略，反而傷害了整個產業結構。施貴寶買下必曲那之後，後者的目標和策略都有所改變，並成為一家惡性競爭對手。

協助發展市場

對於正在發展的產業，或產品與製程技術尚未成熟的產業而言，競爭對手還能夠協助開展市場：

分攤市場開發成本：競爭廠商可以分攤新產品或新技術的市場開發成本。這類成本包括吸引客戶試用、對抗替代品、法令的要求，以及推動基本設施的興建等方面。另外，改善基礎技術、解決潛在客戶面對的移轉成本問題、發展通用的安裝和服務流程等，也都需要整個產業投入更多研發經費。此外，當競爭者的行銷開支遠超過相對應的業績比例，或開發市場的行動正好切中產業整體性問題時，競爭廠商有助於減輕企業的市場開發成本。

降低客戶的風險：在一個新的市場、或一項新技術中，競爭廠商具有提供客戶其他選擇的功能。即使客戶不需要，滿足其選擇權仍是必要的。當市場上只有一兩家公司提供某種新產品或技術時，客戶通常會觀望。如果移轉成本很高，或客戶擔心供應商服務能力不足，甚至可能一走了之時，觀望不前的態度更為明顯。

協助技術標準化或合法化：如果競爭對手也使用同樣的技術，將會加快技術合法化或形成產業標準的過程。當某項技術只有一家廠商使用時，客戶通常不願意認定那是業界標準，甚至可能觀望、等待進一步的技術變革。一旦知名廠商也加入推動該項技術（並分攤市場行銷成本）時，客戶的抗拒態度就會軟化。錄放影機就是一個很好的例子。率先發展 VHS 和 Beta 兩種錄放影機的廠商，莫不積極授權其他大廠使用相關技術。競爭廠商應用相同的技術，也會加快政府或其他標準制定機構的核准流程。

提升產業形象：適當的競爭廠商會提高產業的形象。其他產業的知名廠商加入，無形中強化了產業的正當性，也意味著這個產業的其他廠商同樣值得信賴。

當市場在發展階段時，競爭對手的助益通常是暫時性的。這種效果又以產業萌芽或成長階段最為顯著。因此，理想上，在產業發展階段，大量的競爭廠商確實具有策略上的助益。但

是，在此之後競爭者的數目最好減少到有限的幾家。

進入障礙

在防止其他廠商進入，或提高企業競爭優勢的持續力上，競爭對手的重要性不容小覷。適當的競爭廠商有助於企業達成防禦性策略，其作用包括下列幾方面：

增加報復強度與可能性：競爭對手能夠讓有意進入產業的廠商，更清楚地感受到遭受報復的可能性與嚴重性。競爭對手也可以扮演第一道防線，採取削價等手段與新進入者競爭。因為削價可能導致全面性的營收減少，對於擁有龐大市場占有率的企業而言代價太高。進一步觀察，由於主導性廠商在經營特定區段時，需要兼顧較多層面，往往給焦點化策略廠商可乘之機。所以，當新進廠商必須面對多家知名廠商，而非獨大且容易受到攻擊的對手時，它就會三思而行。

然而，競爭廠商如果太弱，就無法打消新進廠商的企圖心。即使新進廠商不敢直接攻擊產業領導者，脆弱的競爭廠商，卻提供了新進廠商進入產業的灘頭陣地。

象徵成功進入產業的困難：競爭對手本身就能夠證明，領導廠商難以搖撼的優勢，並點出跟隨廠商獲利不易的處境。寶僑家品的佛吉斯（Folgers）咖啡就是一個很好的例證，寶僑家品在進入咖啡市場時，遭遇通用食品公司（General Foods）旗下的麥斯威爾咖啡（Maxwell House）圍堵，無論市場占有率或

獲利率都極為有限。如果企業沒有競爭對手，有意進入的廠商將會低估進入障礙的難度和領導廠商的實力。

封殺合理的進入途徑：企業可以透過競爭對手在進入市場的合理途徑上把關，封殺可能進入的廠商。以堆高機產業為例，對小規模客戶出售小型堆高機，是進入這個產業的合理途徑。因為小型堆高機不需要太多服務，規模小的客戶通常也只用一台堆高機，沒有機型搭配問題，更換供應商的移轉成本也比較低。所以由此一產業區段進入堆高機產業的障礙也比其他區段低。但是，由於這個區段的獲利率相對較低，美國堆高機產業的領導廠商也因此忽略它。不幸的是，由於這個區段中沒有任何具知名度的美國廠商來阻擋新進入者，使得日本廠商成功地循此管道打進美國堆高機市場。話說回來，即使產業龍頭親自經營這個區段，如果它的結構性吸引力不如核心事業時，將這部分讓給良性競爭廠商經營，不失為一種有利的作法。

競爭廠商也能夠填補龍頭廠商無法兼顧的小型產品利基，或配合龍頭廠商的多重目標行動。如此一來，有意進入市場的新廠商將被迫以同樣的產品建立橋頭堡，而無法占據足以立足、擴張的利基。這也會提高進入障礙。客戶通常希望有第二或第三個採購來源，這也是競爭廠商最合理的進入路徑。如果企業有良性競爭廠商填補這些位置時，就能阻擋更多具有威脅性的新進廠商。

填補配銷通路：競爭對手使經銷商和零售商能夠銷售許多

不同品牌產品，並增加新進入者取得配銷通路的難度。換一個角度看，當一兩家廠商壟斷這個產業時，下游通路可能希望新的競爭者加入，以削弱上游的議價實力、或代為生產私有品牌（private label）商品。一旦企業與競爭廠商的品牌塞滿通路的貨架，新進廠商就必須承擔更高的成本才能夠取得通路。

如果產業中缺乏良性競爭對手來服務私有品牌市場，領導廠商本身生產私有品牌產品，也是一種防禦方法。許多產業龍頭可能認為，私有品牌會削弱製造商品牌的地位，像電視機產業的美國無線電公司和增你智公司（Zenith）等，就不願生產私有品牌產品。事實上這種觀點相當短視，因為它並未考慮到可能引入新進廠商的風險。以電視機市場為例，西爾斯公司因為無法在美國無線電、增你智等美國大廠中，找到符合品質要求的私有品牌生產者，而主動鼓勵日本業者進軍美國市場。

良性競爭對手的條件

競爭廠商絕不是非好即壞。競爭廠商如果能表現出前面提過的一些正面功能，又不會帶來太嚴重的長期威脅，就是良性的競爭對手。它們會挑戰企業，使它不敢自滿，也能使產業達到穩定且有利可圖的平衡狀態，而非永無休止的征戰。惡性競爭對手的特質則正好相反。

沒有哪一家廠商能完全符合良性競爭對手的條件。由於競爭廠商通常兼具良性和惡性競爭對手的部分特質，有些經理人乾脆聲稱世上絕無良性競爭對手。這種觀念忽略了，本質上某

些競爭對手就是會優於其他競爭對手，而且會對企業的競爭地位產生不同效應。在實務上，企業應該認清競爭對手的特質、與介於良性到惡性之間的相對位置，並依此採取相應作法。

檢驗良性競爭對手

良性競爭對手有很多特徵。由於競爭對手的目標、策略和能力都不是靜態的，它是良性或惡性的競爭對手，也絕非一成不變。

可信賴的聲譽和生存能力：良性競爭對手具有充分的資源與能力，能夠令客戶信賴並欣然接受，也足以激勵企業努力降低成本和增強差異化。對企業而言，適當的競爭對手必須具有能夠維持長期生存的資源，並且能夠被客戶認可、接受，否則就不能被當成比較的標準，也無法幫助市場發展。良性競爭對手的聲譽和存活能力，也是它阻擋新進廠商的重要條件。良性競爭對手的實力必須強大到，使它的反擊足以對新進廠商構成威脅，它也必須是客戶汰換既有供應商時的考慮對象之一。此外，競爭對手還必須強大到足以令企業不敢自大自滿。

清楚、自覺的弱點：良性競爭對手除了聲譽和生存能力之外，還要有相對於企業而言清楚、明顯的弱點。理想上，良性的競爭對手自知它的弱點不易改善。它並不需要在每一方面都有弱點，但是要有某些明顯的弱點，使它了解，要在企業感興趣、並積極耕耘的產業區段爭取相對地位，很可能徒勞無功。

了解遊戲規則：良性的競爭對手了解產業競爭規則，依規則行事，並能解讀市場訊號。良性的競爭對手會協助市場發展，推展現有技術。不會為了增強本身地位，而採行可能使技術、或競爭產生不連續狀況的策略。

務實的假設：良性競爭對手對於自己的競爭地位，以及產業狀況的假設也很務實。它不會高估產業成長的潛力，而過度增加產能，也不至於因投資不足，而給予新進廠商可乘之機。良性競爭對手也不會因為高估自己的實力，貿然發動市場占有率的爭奪戰，或低估自己的實力，而怯於對新進廠商採取報復行動。

對成本的認識：良性競爭對手了解成本，並依此訂定價格。它不會茫然無知地交叉補貼生產線，或低估經常性開銷。在這些方面長期蒙昧無知的競爭者，絕非良性競爭對手。

採取能夠改善產業結構的策略：良性競爭對手的策略，有助於維持或強化產業結構的有利條件。比方說，它的策略可能提高產業的進入障礙、強調品質與差異化而非削價競爭，或藉銷售方式降低客戶的價格敏感度。

先天的侷限性策略概念：良性競爭對手所採取的策略，先天上就侷限於對它而言有意義，但是企業不感興趣的部分或區

段。比方說：如果它採取品質導向的焦點化策略，而且無意擴張市場占有率時，它就可能是良性的競爭對手。

適度的退出障礙：良性競爭對手的退出障礙，必須重要到讓它成為新進廠商進入產業的阻力，但又不致於高到將良性競爭對手綁死在產業內。退出障礙太高，可能導致良性競爭對手在遭遇策略性困境時，因無法退出而破壞了整個產業秩序。

目標不衝突：良性競爭對手的目標與企業的目標不衝突。它對自己的市場地位很滿意，因而使得企業能夠獲得較高的利潤。這類良性競爭對手通常具備以下特徵：

☐ **適度的策略性賭注**：好的競爭對手不會為了尋求主導產業，或不尋常的高度成長而孤注一擲。它視產業為能夠持續參與、獲得合理利潤的環境，不會因為策略或情感因素，而盲目追逐競爭地位。相反地，惡性競爭對手則將產業視為擴張經營目標的樞紐。譬如說，外國廠商進入一個它所認為的策略性市場時，往往是惡性競爭對手。它會下太大的賭注，而且可能完全不了解既有市場的遊戲規則。

☐ **合理的投資報酬率目標**：良性競爭對手會以獲得有吸引力的投資報酬率為優先，而非玩弄稅法、雇用家庭成員、提供就業機會、賺取外匯差額、為上游產品提供

市場，以及其他可能轉換成非產業正常利潤的目標。競爭廠商有合理利潤目標時，不會隨便壓低價格，或以巨額投資攻擊競爭對手。以民航機產業為例，根據目標的差別，麥道公司（McDonnell-Douglas）是波音公司（Boeing）比較理想的競爭對手，而國營的空中巴士（Airbus Industries）則不然。

❏ **滿足於現有的獲利能力**：好的競爭對手在追求更高利潤時，也對既有利潤感到滿意，並理解進一步改善獲利絕非易事。在共同經營的產業區段中，理想的情況是，競爭對手能夠接受比企業略低的獲利能力。此時，競爭廠商不會因企圖改善本身的相對獲利能力，而破壞產業平衡。另一方面，它的有限利潤也會讓潛在競爭者打消進入的意圖。

❏ **期待現金回收**：良性競爭對手會期望以現金回饋股東或母公司，而不會大幅調整產能或產品線而危及產業的平衡。它也不會濫用市場地位，在產業內殺雞取卵、榨取利潤。因為這麼做將會威脅到自己的信譽和生存能力。

❏ **有限度的短期纏鬥**：競爭對手在挑戰企業的地位時，不會因為長遠的經營視野，而發動漫無止盡的長期競爭。

❏ **排斥風險**：良性競爭對手會考慮風險因素，因而不會冒

大風險改變既有地位。

多角化企業中，不屬於長期策略重點的小型事業部門，通常會是良性競爭對手。這些事業部門的獲利目標通常較為嚴苛，並肩負周轉現金的目的。不過，將目標侷限於追求成長的事業部門也可能成為惡性競爭對手。像施貴寶購併必曲那嬰兒食品公司之後，認定必曲那具有十足的成長潛力，因而為它訂下高成長目標，迫使必曲那採取某些行動。事後看來，這些行動不僅毫無效果，同時也傷害到整個產業。

即使是實力強悍的競爭對手，如果它的策略和目標能創造與企業共存的形勢，仍會是一個良性競爭對手。因此，清楚而自覺的弱點，並不是良性競爭對手的先決條件。相反地，從產業平衡觀點看來，不論競爭對手有無實力，如果它有意長期纏鬥、不在乎短期的資金周轉、或寧可承擔實質風險，通常都會成為惡性競爭對手。

有時候，競爭廠商可能是企業的良性競爭對手，而企業卻是它的惡性競爭對手。也可能其中一家肯依遊戲規則行動，而另一家卻執意攻擊對方。相反地，產業成員也可能互為良性競爭者，每個成員都有自己屬意的產業區段，彼此互不衝突，此時，產業將處於最穩定的狀態。互為良性競爭對手的廠商彼此量力而為，並能在自訂標準中擁有成功表現。

良性的市場領導廠商

檢驗過良性競爭廠商之後，良性領導廠商的應有條件也

呼之欲出。當企業還未邁入所處產業的領導廠商行列時，它的成功與否，與產業中是否擁有良性領導廠商關係密切。對一般廠商而言，良性領導廠商最重要的特質是：它的策略和目標能提供追隨者一個有利的保護傘，使得追隨者在這個保護傘之下有利可圖。比如說：領導廠商具有較高的投資報酬率目標、重視產業的「良性發展」、發展差異化策略、對產業的部分區段缺乏興趣等。良性領導廠商的事業動機參雜著這些考慮，使得追隨者能夠在還算穩定的市場中賺取相當的利潤。反過來說，如果領導廠商不了解追隨者的好處，滿足於低利潤、或採取的策略會腐蝕產業結構時，就不能為追隨者提供具吸引力的產業環境。舉例來說，在客戶實力強大而且對價格敏感的產業中，領導廠商以低價快速壓低學習曲線的策略，通常會使得追隨廠商、甚至領導廠商自己難以立足。

辨別良性競爭對手

　　企業要判斷對手是不是良性競爭者，必須仰賴完整的競爭者分析。舉凡競爭廠商的目標、假設、策略和產能等，都是判定對方是良性或惡性競爭對手的重要因素。由於廠商不可能完全符合良性對手的標準，企業要判斷的是，競爭者的正面特質是否大於它對企業地位或產業的傷害。

　　企業如何衡量競爭者的特質，判斷對方是「好」、「壞」、或「介於其中」，可用幾個實例來解釋。在電腦產業中，對IBM而言，克雷電腦似乎是個良性競爭對手，而富士通（Fujitsu）則不然。克雷電腦有一定實力，在所選擇的焦點區

段中進行合理競爭，也不會錯估自己的實力，而對IBM造成干擾。相反地，富士通投入大量資源與IBM直接競爭，並且以低獲利的作法滲透市場。它的策略可能會破壞企業間的差異化，同時也傷害整個產業結構。

在影印機產業中，柯達是全錄的良性競爭對手。柯達全力發展高印量機種的市場，同時強調品質和服務。它雖然從全錄手中拿下部分有利可圖的市場，但是本身也定出高標準的投資報酬率目標，而且所遵循的遊戲規則與全錄相同。因此，促使全錄努力改善產品品質。此外，對柯達而言，影印機只是一個可獲利的事業領域，而非辦公室自動化策略的關鍵產品，因此不會採行低利潤路線。

另一方面，在肥料和化工產業中來回縱橫的石油公司就是典型的惡性競爭廠商。它們投下過量的資金，努力尋找大型市場、並爭取龐大市場占有率，目的只是要讓財務報表看來更光鮮亮麗。此外，大多數石油公司不強調研究發展和客戶服務，一味在價格上競爭，使得它們所涉足的產業快速消費品化。它們對未來的預測能力也很差，因此常在產業週期的高點大量投資建廠，而非趁著景氣走下坡時採購設備。這意味著它們是在製造或惡化產能過剩的問題。

電腦斷層掃瞄器（CT Scanner）的競爭則是另一種型態，後繼的競爭廠商似乎了解良性領導廠商的重要性。以色列的愛樂斯丁公司（Elscint）是這個市場的第二大或第三大廠。它公開宣稱不會試圖取代奇異公司的龍頭地位。它視奇異公司為良性的領導廠商，因為奇異具有保持產品高價、以服務和信譽建

立差異化，以及大量投資於開拓市場等特質。可口可樂是另一個由來已久的良性領導廠商，它選擇政治家兼容並蓄的態度、避免和追隨者進行價格競爭、或激烈報復的策略。因此，多年來，百事可樂、派柏汽水、七喜汽水等追隨者一直擁有穩定的利潤。然而，可能是因為百事可樂換上一批新主管，再加上判斷失誤，企圖從可口可樂手中奪取更大的市場占有率，使得可口可樂也展現出它的攻擊性。百事可樂顯然觸動了改變可口可樂行為的機制，誤蹈與良性領導廠商互動的陷阱。關於企業和良性對手互動時可能的陷阱，我將在後面詳細討論。

當競爭對手太惡劣時，即使企業具有明顯的競爭優勢，也可能覺得產業不再具有吸引力。以洋菇產業為例，拉史東─普瑞納公司（Ralston-Purina）原本具有很大的發展潛力，但是碰上許多低投資報酬目標的家庭工廠，加上來自台灣和中國大陸的進口貨。拉史東公司最後退出了這個產業。

影響對手的競爭型態

由於良性競爭對手具有許多助益，使得企業在攻擊競爭對手時、傾向於避開良性的競爭對手，並且鼓勵新進廠商成為良性對手。由於產業發展初期，競爭廠商數目愈多，而產業進入成熟期之後，競爭廠商數目少一點比較好，因此，鼓勵長期看來不容易成功的廠商及早進入產業，不失為合理的策略。這並不是鼓勵企業面對競爭者時心存自滿、或不必積極追求競爭優勢。相反地，企業主動選擇競爭對手的原則意味著，它必須以

更為成熟、周延的觀點來看待競爭對手。

決定誰將成為競爭對手的因素很多，而且這些因素大多不是企業所能掌控。對企業而言，哪個競爭對手會選擇進入它所在的產業，多少有些運氣的成分，這部分將在第十四章詳細討論。無論如何，競爭廠商會在特定期間看好特定產業，又擁有足夠資源揮軍進入，總是有點機緣湊巧。不過，一旦部分廠商進入這個產業，其他觀望者可能會自認契機不再，特別是當早期進入廠商具有相當的知名度時。如果企業能在產業發展初期，引導特定競爭廠商加入，整個產業的競爭者陣容就有可能完全改觀。

因此，企業主動選擇競爭對手時，不僅要能影響進入者的陣容，還要設法使那些競爭者有足以存活的市場，甚至引導它們在特定產業區段中競爭。以下是企業選擇競爭對手的戰術：

技術授權：在有利的條件下，企業可在產業初期對良性競爭對手進行技術授權。如果它選對競爭者，後來企圖進入的廠商就會受到攔阻。以半導體產業為例，由於客戶普遍希望有第二或第三家供應商，技術授權的情形就比較普遍，謹慎選擇授權對象也為企業帶來應有的好處。另外，像英特爾授權IBM和准將公司（Commodore）製造八〇八八微處理機，看起來這項授權使得客戶變成競爭對手，然而卻有效地封殺了其他更有威脅性的競爭者。

選擇性報復：企業可以針對惡性競爭對手進行猛烈報復，

同時保留良性競爭對手的進入空間、或市場占有率。譬如說，企業選擇推出何種新產品、進入哪個區域性市場，往往對特定競爭對手形成衝擊，但是對其他競爭者則沒有明顯影響。

選擇性的進入障礙：在某些產業區段，良性競爭對手有助於企業地位的提升。這時候，企業應該減少對這個區段的投資，以免形成不必要的進入障礙。但是，這種作法也具有風險，萬一企業選錯競爭對手，將任由它長驅直入，並激勵它採取野心更大的進攻策略。

藉由聯盟拉攏新進廠商：企業可以讓潛在的良性競爭對手，成為產品系列中某些產品的供應商之一，並以本身的配銷管道兼售對方產品。這類競爭對手能夠藉此逐步擴張，服務企業不感興趣的其他產業區段。激發良性競爭對手的聯盟形式還包括，訂定供應零組件的協議、或是安排對方產品使用我方品牌上市。這些作法都能夠降低良性競爭對手的進入障礙。

避免池魚之殃

當企業和惡性競爭對手競爭時，很難不波及並傷害良性競爭對手。比方說，為了攔阻惡性競爭對手的擴張，企業可能採取增加廣告量、推出新產品、或改變產品保固政策等行動，這可能會減少良性競爭對手的市場占有率，甚至威脅到它的生存。良性競爭對手的實力一旦受損，可能會降低整個產業的吸引力、或是引來更多的競爭者。

因此，企業在對惡性競爭對手進行攻防時，必須盡量降低對良性競爭對手的傷害。有時候，由於惡性競爭對手嚴重威脅某些產業區段，良性對手不可能不受影響。企業的挑戰就在於，它要在改善本身地位與激烈回應威脅之間取得微妙的平衡，同時又要維護良性競爭對手。此外，企業還要設法讓良性競爭對手察覺，本身並非被攻擊的目標，否則對方可能會改變既定目標，做困獸之鬥。在此同時，企業也必須與良性競爭對手持續競爭，防止它們從良性對手變成惡性競爭廠商。

改變惡性競爭對手

惡性競爭對手有時也能變成良性競爭廠商。理想上，唯一必須採取的動作就是，藉由市場訊號，讓競爭對手修正原先的錯誤假設。以煉鋁業為例，美鋁（Alcoa）就一直試圖影響對市場需求過度樂觀的競爭者。另外，時間也可能使惡性競爭對手轉為良性競爭者。當時間證明競爭對手的策略無效時，它會自行改變策略和目標，逐漸成為較佳的競爭對手。

然而，企業仍然必須隨時備戰，促使對手由惡性轉為良性。企業為了凸顯對手的弱點，或打消對方蠶食市場的念頭，也許不免一戰。雖然戰鬥的代價很高，但仍低於防禦性的長期圍堵。當競爭對手中出現惡性競爭者時，拖延耗時的圍堵通常是無可避免的。

有些對手惡性難改。面對他們時，企業必須覺悟，既有地位將面臨永無止境的挑戰。本書所提出的攻防行動，就是企業持續競爭優勢，避免傷害產業結構的必要條件。

最佳的市場狀態

　　由選擇競爭者的原則來看，企業想維持百分之百的市場占有率，不但可能性低，也並非最佳選擇。有時候，企業應該明智地以退為進，讓出部分市場給良性競爭廠商，而非一味維持或增加己方市場占有率。這種說法雖然有違一般企業經理人的信念，甚至被視為異端邪說，但是長遠來看，卻可能是改善本身競爭優勢和產業結構的最佳方法。企業應該關切的問題是：哪種程度的市場占有率，以及何種競爭對手陣容才是最佳的市場狀態？在討論過如何界定並影響良性競爭對手之後，進一步要介紹，對企業長期策略性地位最有利的競爭者陣容。

　　對企業而言，決定最佳市場占有率的關鍵因素又多又複雜。但是，評估適當的市場占有率、和理想競爭對手陣容的一般性原則，並不難建立。首先，我將介紹決定理想市場狀態的因素，再說明企業應該如何行動，使現有競爭對手朝理想狀態發展。

最佳的競爭對手陣容

　　企業在產業中的理想占有率不能太低，以免引誘競爭對手發動攻擊。企業應該具備足以左右產業平衡的市場優勢（其他與市場占有率無關的競爭優勢需一併納入考慮）。在維持產業穩定上，產業性質不同，龍頭廠商和追隨者的市場占有率落差也不相同。

　　產業龍頭的最佳市場占有率會受到某些結構性特質的影響，當產業出現下列情形時，龍頭廠商應該握有高度市場占有率：

❑ 明顯的規模經濟。
❑ 陡峭的專屬學習曲線。
❑ 有限的產業區段。
❑ 客戶願意從單一供應商進貨。
❑ 沒有提供多種品牌的配銷通路。
❑ 競爭對手與相關事業單位共用價值活動，使得它只需少許的市場占有率，就能有效地對領導廠商發動攻擊。
❑ 其他的高度進入障礙。

　　產業出現下列情形時，領導廠商應該維持較低的市場占有率：

❑ 不具有規模經濟。
❑ 學習曲線平滑。
❑ 擁有不具吸引力的產業區段。
❑ 客戶需要第二或第三家供應商。
❑ 配銷通路具有議價實力、並希望多元的供應商來源。
❑ 競爭對手是單一事業廠商，因此無法共用價值活動。
❑ 需要其他廠商，做為對有威脅性競爭者的進入障礙。
❑ 其他廠商需要相當程度的市場占有率才能夠存活。

❑ 產業曾出現反托拉斯問題，或很難抗拒這方面壓力。

　　產業成員的市場占有率，能否形成產業的最大穩定狀況，取決於產業結構和競爭者的好壞。決定理想分配型態的結構性變數包括：競爭者之間的差異化程度、移轉成本的高低，以及產業區段化程度等。當產業區段不多、廠商之間的差異化不大、或是移轉成本低的時候，明顯的市場占有率差異有助於維持產業的穩定。相反地，如果產業區段很多、或廠商的差異化程度很大時，即使彼此的市場占有率接近，仍然能夠和平共存，因為廠商較不會因著眼於相同的需求或機會，而彼此攻擊。

　　競爭者的本質也很重要。當企業面對惡性競爭對手時，為了維持產業穩定，它有必要拉大市場占有率的差距。惡性競爭對手只要有任何可乘之機，通常都會採取破壞產業穩定的競爭方式。反過來說，當競爭成員屬性良好，差距不大的市場占有率反而能降低彼此間的火藥味。圖6.1是這些分析面向的不同組合。

　　產業穩定與否，產業成員的一般性策略型態，也是一項很重要的因素。當所有企業採取相同策略，彼此摩擦的可能性就增高，策略不同時，彼此反而容易和平共存。因此，企業評估產業內競爭對手陣容時，不能只看市場占有率。

　　理想中，除了領導廠商所占有的市場之外，其他市場由一群緊隨在後的廠商平分，會比由單一廠商獨享更好。這意謂其他成員會彼此競爭，而無暇注意龍頭廠商的地位。當其他競爭

圖6.1　競爭者、結構與產業穩定

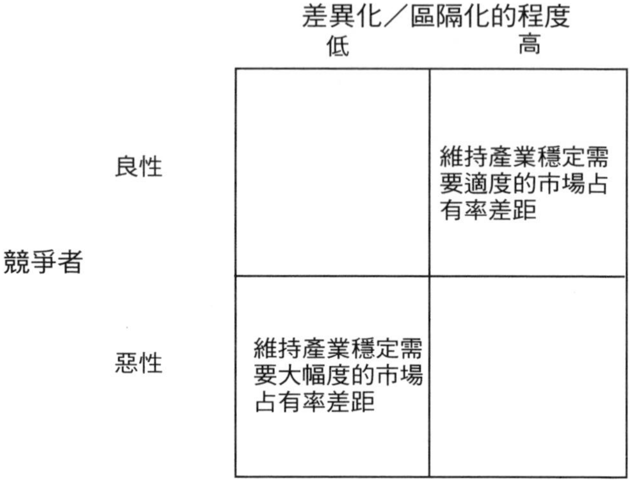

差異化／區隔化的程度

	低	高
良性		維持產業穩定需要適度的市場占有率差距
惡性	維持產業穩定需要大幅度的市場占有率差距	

競爭者

廠商各自採取不同的焦點策略時，又比彼此之間面對面直接競爭要好。另一個理想的情況是，所有產業成員都有存活能力，足以形成阻擋新進廠商的有力障礙，否則成員之間的消長可能引來新進廠商。

維持競爭者的存活能力

企業必須密切注意良性競爭對手的體質。如果不能生存，良性競爭對手也就失去作用。如果競爭者必須放手一搏才能存活，即使良性對手也可能會傷害企業的競爭優勢或整個產業結

構。被逼急的競爭者通常會做出有違常情的舉動，或採取有損產業結構及形象的作法。它們也傾向於向外求援，造成引進新競爭廠商的威脅。此外，狀況不佳的競爭者經常更換經營管理人員，原本良性的競爭者可能就因一組新的管理人馬，而轉為惡性競爭者。

產業的進入與移動障礙不同，競爭者存活所需的市場地位也不同。在飲料業，企業的市場占有率即使低於百分之五，仍可存活；但是對冷凍食品業者而言，百分之十的市場占有率幾乎已經是最低條件。因此，企業必須清楚良性競爭對手存活所需的最低占有率，以及一旦產業結構演進時，存活標準又將如何改變。企業還得容許良性競爭對手適度成功，使它們持續相同的策略，而非一味打壓，迫使它們改弦易轍。

促成理想的競爭對手陣容

前面的分析點出，企業應該設法配置競爭對手陣容。不過，實際行動前，企業必須計算提高市場地位需要多少成本，或反過來說，持續讓出市場的可能風險。讓出市場占有率可能誘導競爭者得寸進尺，或是對潛在的新競爭者發出不利於企業的訊號。

如我們所見，企業提高市場占有率時，不僅只著眼於增加本身營業額，同時還要能形成更穩定的競爭對手陣容，以改進產業結構。在提高市場占有率的過程中，必然有同業失去市場。增加市場占有率所耗用的成本，要看誰是失利者，特別是它的目標、產能，以及所面臨的縮減障礙（barriers to shrinkage）

都具有重大影響。因此，評估重點應該包括競爭對手的目標、事業企圖心，以及既有市場占有率對它的重要性。企業爭取客戶的成本，則與競爭者的產能有關。

　　縮減障礙是企業降低（雖然不是完全退出）市場地位的障礙。它與退出障礙類似，如果固定成本很高，縮減障礙也很高，因為設備固定，產量減少勢必造成嚴重損失。當競爭廠商在產業中投下大量賭注、或是以市場占有率為目標，以及縮減障礙高的情況下，增加市場占有率的代價也很高。在這類產業中，取得理想市場占有率的步伐必須放慢，並且要利用產業內重大事件借力使力。

　　當企業藉由讓出市場占有率，改善競爭優勢或產業結構時，所冒的風險要看本身與競爭者之間的實力差距。如果彼此的差距很大，讓出一些市場並不會引發對方（或潛在的新競爭者）得寸進尺的野心，破壞產業原有的平衡。風險大小也涉及企業以往在報復競爭者方面的聲譽——原本作風強悍的企業讓出市場的風險，會比平時形象溫和者來得低。最後，讓出市場占有率的風險也與所採取的行動方式有關，企業的作法必須讓競爭對手（包含潛在的新競爭者）認為合理，而非軟弱。

維持產業穩定

　　由於競爭對手的處境和目標隨時會改變，企業即使遇到良性競爭對手，仍然需要持續關注，才能夠維持產業的穩定性。譬如說，當競爭廠商長年處於獲利良好的第二大廠地位時，它可能企圖更上一層樓。當對手的母公司改變、或高階主管更換

時，也將導致它在目標或想法上的變化。舉例來說，艾默生電子買下畢瑞德—波倫公司（Beaird-Poulan）時，這家地區性鏈鋸製造商的企圖心也隨之大增。此外，產業結構改變時，競爭廠商因為存活條件的改變，也會面臨短期或長期必須提高市場占有率的壓力。處於此種困境時，即使良性競爭廠商也會走上摧毀整個產業的路子。

這些考慮說明，企業必須持續掌握競爭對手的期望和想法。這可能需要定期採取競爭動作，主動發布市場訊號，投資於建立移動障礙。這些動作主要是讓競爭廠商不會錯估自己的實力，或誤判企業對該產業的長期關注。寶僑家品定期推出新產品，不斷投資於行銷活動，就是掌握競爭對手期望的高明例子。如果企業光靠著領導者的聲譽來迎戰競爭對手，等於啟動了惡性競爭的定時炸彈，會把原本穩定且獲利良好的產業，變成不計代價爭奪市場占有率的殺戮戰場。

選擇競爭對手的陷阱

企業選擇競爭對手沒有絕對的原則。以下是一些最常見到的陷阱：

未能區別良性和惡性競爭對手：許多企業並未真正認清誰是良性競爭廠商，誰又是惡性競爭廠商。這導致它們對競爭對手一視同仁，或者更糟的是，不理會惡性競爭廠商，卻攻擊良性競爭對手。在攻擊的過程中，產業結構常常遭到嚴重的破

壞。典型的例子是，某一家特殊橡膠製造商視另一家同業為主
要競爭對手，並因而緊迫盯人。從兩家公司旗鼓相當的市場占
有率看來，這種作法似乎沒有錯。但是對方其實是很理想的良
性競爭對手，並且盡量避免直接衝突。事實上，這個企業的真
正敵人應該是輪胎業的特殊產品部門，因為它們將特殊橡膠市
場當作過剩產能的傾銷領域。本末倒置的結果，這家廠商因為
傷害產業中的良性競爭對手，反而協助輪胎廠商在特殊橡膠產
業中站穩腳步，並降低整個產業的吸引力。

　　企業常把市場占有率相近，或採取相同競爭策略的廠商
看成最大敵人。它們也常常持續攻擊這類廠商，而忽略其他競
爭對手。事實上，這種競爭對手通常是良性的，而且威脅性很
低。

　　將競爭對手逼上絕路：企業常忽略一再壓迫競爭對手的
後果。前面提過，將對手逼到困獸之鬥的地步時，常會帶來嚴
重後果。以軟性隱型眼鏡產業為例，博士倫目前正嚐到自己種
下的苦果。一九七○年代後期，這家公司以削價競爭方式，積
極打擊其他同業，表現得完全像是經驗曲線的忠實信徒。結
果，它的市場占有率果然節節高升，被逼得走投無路的對手只
好一一轉手。新的買主包括露華濃公司（Revlon）、嬌生集團
（Johnson & Johnson）和先靈葆雅公司（Schering-Plough）等，
規模遠大於博士倫的大廠。新東家們認為隱型眼鏡市場潛力龐
大，並撥更多資金給旗下的子公司。博士倫因為將良性競爭對
手轉為惡性，如今正陷入苦戰之中。

企業本身的市場占有率過高：企業成長超過一定程度，問題也會隨之而來，倒不如讓出一些市場給良性競爭對手。此外，龐大的市場占有率也可能導致投資報酬率變低。對一家市場占有率很高的企業而言，比較穩當的作法是將目光移往其他領域，而非一味追求原產業中的更高占有率。同樣地，企業的市場占有率高，應該設法擴大整個產業的規模和獲利能力，而非繼續提高本身的占有率。如此一來，它們才能享用大餅膨脹後的最大部分，同時又避開產業不穩定的風險。問題是，當企業自認實力強大時，通常很難抗拒繼續擴張的誘惑。

攻擊良性領導廠商：後進廠商有時會犯下挑戰良性領導廠商的致命錯誤。一旦領導廠商被迫反擊，後進廠商原本還不錯的利潤空間轉眼就縮水。比方說，哈利伯頓公司（Halliburton）原本走差異化路線，西方公司（Western Company）的獲利情形也一直很好，西方公司卻企圖搶下哈利伯頓在油井工程和模擬服務的市場。哈利伯頓的回應除了使自己更為強大之外，也重創了西方公司的獲利能力。

進入一個惡性競爭對手充斥的產業：企業即使擁有競爭優勢，一旦進入存在太多惡性競爭對手的產業，必然難逃陷入重圍的命運。要把多家惡性競爭對手轉為良性競爭者的成本太高，也會使進入這一行的利潤蕩然無存。此時，最佳的作法是趕快抽腿轉戰其他產業。

競爭對手是助力也是阻力。只把競爭對手看成敵人，不但可能傷害本身的競爭優勢，也將影響整個產業的結構。企業競爭是天經地義，但是如何選擇競爭對手，卻是一門大學問。

第二部

產業內的競爭範疇

- 個別產業的競爭範疇為何？
- 競爭範疇對競爭優勢有何影響？

第七章

產業區段和競爭優勢

產業區段，是企業為了發展競爭策略，因而將產業區分為許多次級單元。產業區段包含一般熟悉的市場區隔概念，但是比市場區隔的概念更廣。

這一章的目的是協助企業了解，如何依據策略目的來界定產業區段，找出能夠創造、並持續競爭優勢的實際作法。首先介紹形成產業區段的基本因素，以及一些界定產業區段的指標。接著提出由區段概念引申而來的重要策略觀點。然後描述企業如何選擇能夠採取焦點化策略經營的區段，以及如何檢驗在這個區段中持續對抗競爭對手的能力。最後說明如何以各個產業區段，描述整個產業的定義。

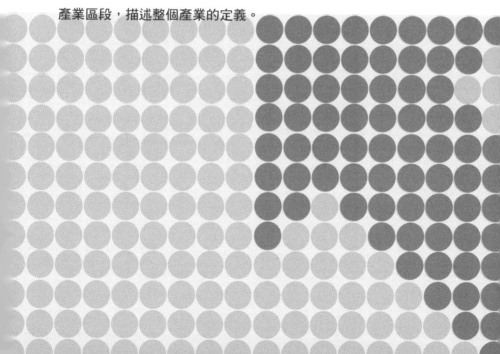

　　不同產業有不同的區段結構。對於產業內的不同區段，五種競爭力的強度也不一樣。同樣地，不同產業區段內，客戶的價值鏈，或企業滿足客戶需求的價值鏈也有所不同。此外，不同產業區段的結構性吸引力、與形成競爭優勢的條件，也會有很大差異。因此，企業面對所處產業，它的重大策略性問題是：（一）應該在哪一部分競爭，以及（二）在哪個區段可以建立區段之間的障礙，使得焦點化策略能夠發揮最大持續力。

　　產業區段，是企業為了發展競爭策略，因而將產業區分為許多次級單元。產業區段包含一般熟悉的市場區隔概念，但是為了配合競爭策略，必須比市場區隔的概念更廣。市場區隔，是界定客戶需求與採購行為的差異性，好讓企業依本身能力與行銷計畫，服務最適當的區隔。因此，它的重心在價值鏈內的行銷活動。產業區段，則是連結不同的價值鏈，形成一個更大的價值鏈。這裡面包含了客戶的採購與成本特性，還有企業生產不同產品與服務不同客戶的成本。產業區段會揭示各個區段在結構性吸引力上的差別，以及企業兼顧不同區段所可能引發的衝突。企業可以從比較寬廣的產業區段著手，洞察並接近新的區段，形成創造和持續競爭優勢的基礎。

　　面對企業在產業中的競爭範圍等核心問題時，產業區段概念的重要性不言而喻，它有助於企業研判，該服務產業中的哪個區段、該採取哪一種方式來服務等根本問題。產業區段會暴露出大範圍競爭對手無法兼顧的弱點區段，在這些區段中，焦點化策略兼具了持續性、與獲利能力的兩項優點。因此，產業區段也是選擇焦點化策略的基礎。反過來說，經營範圍寬廣的

廠商也應該了解產業區段。因為它能夠標示出自己面對焦點化策略廠商的弱點，以及無利可圖，可以讓給其他競爭者經營的區段。從策略觀點看，由於科技的發展正在改變區隔產業的傳統規則，產業區段的重要性也與日俱增。無論採取焦點化策略或大範圍經營的廠商，都能從了解產業區段中獲得重大啟示。

　　這一章的目的是協助企業了解，如何依據策略目的來界定產業區段，找出一些能夠創造、並持續競爭優勢的實際作法。首先，我會介紹形成產業區段的基本因素，以及一些界定產業區段的指標。這些原則能夠幫助企業建構產業區段矩陣，並做為評估產業區段的基礎。了解產業區段如何界定之後，接著，我會提出由區段概念引申而來的重要策略觀點、各種使不同區段間產生策略性交互關係的因素，以及使區段具有結構性吸引力的情況。然後，我將描述企業如何選擇能夠採取焦點化策略經營的區段，以及如何檢驗在這個區段中持續對抗競爭對手的能力。最後，我將說明，如何以各個產業區段，描述整個產業的定義。

產業區段的基礎

　　圖7.1顯示，一個產業其實就是一個市場。在這個市場裡，企業與客戶以相似或密切相關的產品進行交易。本書所謂的「產品」包含了實質產品和服務，因為大多數產業生產產品、同時也提供部分服務，這一點對產業區段的分隔非常重要，而且無論實質產品或服務，都可以運用相同的原則來分

圖7.1　產品和客戶構成的產業矩陣

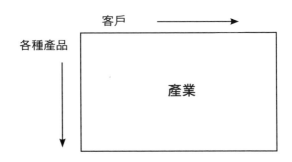

析。在某些產業中，可能是同一種產品賣給許多不同類型的客戶。不過，更具代表性的是，由各種不同大小、性能、功能的既有或潛在產品，構成整個產業的完整產品線。修理、裝機、應用工程等輔助性服務，事實上也是一種產品，而且能夠、並經常與實體產品分開來提供。

　　某些產業可能只有一個客戶（如國防和航太產業）。一般產業則大多具有很多既存或潛在的客戶。這些客戶並不完全相似，而是因人口分布、產業的競爭特質、地理位置等因素而有所不同。企業的功能就是將產品與客戶連接起來。企業透過價值鏈進行生產、銷售和產品運送、並且彼此競爭。在某些產業中，企業與客戶之間存在著獨立的銷售通路，並涉及部分或整個產業的銷售。

　　產業的界限通常是動態的。產品線也很少一成不變。企業

可以運用發展新功能、現有功能的重新組合、或拆解特定功能構成不同產品等方式創造許多新產品。同樣地，產業內也可能冒出新客戶，老客戶則可能退出或改變它們的採購習性。一般而言，產業內現有的產品與客戶分布，僅反映出企業目前生產的產品，以及已經選擇購買這些產品的客戶，並不包含此一產業可能的潛在產品與潛在客戶。

產業區段的結構性基礎

由於一個產業內的產品、客戶、或是兩者的不同對應關係，對兩者之間原有的吸引力，以及企業透過提供產品、服務客戶以獲取競爭優勢所採用的方法，都會產生不同影響。因此企業必須先分辨產業區段、再據以形成競爭策略。結構性吸引力的不同；以及在產品與客戶之間，建立競爭優勢時必須滿足的條件不同，就構成了不同的產業區段，產業區段與產業的產品、客戶的特質有關，而與企業的既有策略無關。產業區段的形成可能來自於客戶行為的差異，也可能來自提供不同產品、或服務不同客戶時經濟因素的差別。某些產品特質或客戶差異性（如產品的顏色）對於生產或行銷可能很重要，但是並不影響產業結構或競爭優勢，因此不是競爭策略的核心問題。

結構性差異和產業區段：當產品或客戶的差異，造成一項或多項競爭力的改變時，就會形成不同的產業區段。第一章解釋了五種競爭力如何決定整體產業的吸引力，這種結構性分析也可以應用在產業區段上；因為在產業區段中，同樣也具有

圖7.2　五種競爭力在區段上的差異

五種競爭力的作用。舉例來說：不同產品在規模經濟、或供應商實力方面都不盡相同，甚至於面對同一個客戶時情況也是如此。產品不同，特定客戶採用替代品的傾向也不盡相同。同樣地，對同一產品而言，客戶的議價實力、或產品本身受替代品威脅的程度，也會因客戶而異。圖7.2是不同產業區段中，這五種競爭力的關係。一般而言，替代品和潛在競爭者這兩種競爭力，在產業區段中的威脅程度，大於這兩種競爭力在整體產業中的威脅程度。因為其他相關產品都有可能變成替代品，而原本經營其他產業區段的廠商，隨時都有可能進入這個區段，因而都是潛在的競爭對手。

　　電視機產業的例子可以說明，五種競爭力因為產品不同而消長的情形。電視機一般可依類型劃分產業區段，如手提式、桌上型、落地型和組合型。小銀幕手提型電視在相當程度上已經消費品化了；而落地型電視無論在風格、配備、表面處理、功能等方面都還有很多發展差異化的空間。甚至於，落地型電視機的生產方式在供應商、製程方面，都和手提式電視機不同，也更不受規模經濟的影響。這些差異都會影響到產業內的移動障礙、供應商與客戶的議價實力，以及相同區段內的競爭壓力。其他類型的電視機上，同樣也可以看到影響這五種競爭力的一些差異。

　　大型渦輪發電機的例子則說明，產品常常會因客戶不同，而產生結構性影響，從結構性觀點來看，私營企業擁有的電力設備與政府機關不同。私營企業對於發電機的要求通常在技術上比較複雜，而且採用議價方式採購。政府機關的設備要求則比較簡單，並且透過公開招標採購。這種差異導致不同價格敏感度，以及企業面對這兩種不同客戶時，建立品牌認同、移轉成本、產品專屬性等移動障礙的能力差異。

　　不同產品與客戶，對於五種競爭力各自產生不同的潛在影響。以電視機產業為例，落地型電視機與手提式電視機的差別，就會影響到移動障礙、供應商實力、競爭程度等因素。在渦輪發電機產業中，私營企業與政府機關的差異，也會影響到議價實力、競爭對手、建立移動障礙的機會等方面。甚至於，當最終客戶對產品的認知不同時，即使是同一種產品，供應商的實力也會受到影響。以自行車產業為例，自行車迷會特別注

意輪軸、煞車等主要零組件的品牌，這使得零件商對以自行車迷為主要客戶的生產商擁有更強的議價實力。而面對一般休閒用自行車的生產商時，零件商的氣勢就相對減弱。

產業區段與價值鏈的差異：當產品與客戶影響到企業建立競爭優勢所必須滿足的條件時，它們的差別就會形成不同的產業區段。這種區段可以用價值鏈來辨別。當產品或客戶具有以下情形時，就會形成產業區段：

❑ 影響到企業價值鏈中的成本或獨特性驅動因素。
❑ 改變了對企業價值鏈型態的要求。
❑ 形成不同的客戶價值鏈。

不同產品對企業價值鏈的影響，可以用一般價位與高價位自行車的差別來說明。一般價位自行車採自動化生產，高價位自行車則常以手工裝配。除此之外，其他相關價值活動也有差異，形成兩者在價值活動上不同的成本與獨特性驅動因素。因此，這兩種自行車具有相當不一樣的競爭優勢來源，並使它們成為兩個不同的產業區段。另一個類似的範例則是生啤酒與罐裝啤酒。同樣是啤酒，但是它們的許多價值活動並不相同。

絕緣建材產業的例子，則說明了不同客戶對企業價值鏈的影響。由於絕緣建材產業的許多成本受到區域性規模，以及客戶與工廠相對地理位置的影響，不同地理位置的客戶，會自成一個產業區段。這個例子顯示，即使產品完全一樣，不僅客戶

還是有不同的採購特性，甚至服務客戶的成本特性也可能截然不同。

　　企業面對不同的客戶時，它的價值鏈也不一樣。同樣是購買電視機，連鎖旅館業者與一般家庭的考慮就大不相同，這兩種客戶的差異，會強烈影響到使用條件與價值訊號（詳見第四章）。不同客戶對使用條件和價值訊號的不同要求，自然劃分出不同產業區段，因為這將會影響到形成競爭優勢的條件。企業也必須了解，當相同客戶採用不同產品時，對它的價值鏈也會造成不同影響，比方說，使用新型零件、或是僅更換原有零件，就會影響生產流程的價值活動。此外，如果產品的差異性影響到客戶的使用條件與訊號條件時，也會形成不同的產業區段。

　　產業區段的排列：理論上，產業內的每一個客戶、或每一種產品都可能自成一個產業區段，因為對不同產品、或不同客戶而言，五種競爭力與價值鏈都會有某些差異。例如，不同螢幕尺寸、或不同特性的電視機，都可能成為獨立的產業區段。同樣地，每一種渦輪發電機的價值鏈都有些許差異。然而，實際上企業必須依照產品或客戶的重要差異加以歸類。產業區段的劃分是否成功，關鍵在於：如何將產品和客戶分類，才能充分呈現出不同區段間的重要差異？關於這部分後面會有詳細的討論。

　　一個產業區段是一種、或多種產品與某些客戶群的組合。有時候，客戶之間並沒有重要的結構性差異，產業區段完全依

不同產品來劃分，反之亦然。然而，通常產業中的各種產品和客戶都會有結構性差異，形成某些產品賣給某些客戶的現象，並進一步形成產業區段。從電視機和渦輪發電機的例子，我們可以發現不同產品通常各有特定型態的客戶。

企業劃分產業區段時，應該避免被現有競爭對手的既定活動範圍所影響。產業區段來自產業內部的結構性差異，競爭廠商可能注意到這種情形，也可能渾然不覺。因此，競爭對手不放在眼裡的產業區段，未必就不重要。換句話說，產業區段除了既有的產品和客戶群之外，也要包括潛在的產品和客戶群。企業在劃分產業區段時，固然要看已知的產品和客戶差異。但是，也不能忽略適合但尚未出現的產品，以及具有潛力但尚未形成的客戶群。企業應該努力標示出這些被忽略、或具潛力的產業區段，因為它們提供企業搶占競爭優勢的機會。

形成產業區段的變數

企業要劃分產業區段，必須將這個產業的每一種產品（或其他潛在種類）標示出來，並檢查它們在結構上、或價值鏈上的不同之處。各式各樣的產品，可以視為劃分產業區段的變數。客戶所在的區段，也可以藉著檢查產業內所有客戶在結構上、或價值鏈上的差異而判定。由於形成客戶差異性的因素非常多，根據經驗，企業可以從三個能夠觀察的大方向著手進行。這三個方向分別是：客戶型態、客戶的地理位置、和它們的採購通路。客戶型態包含了客戶規模、所屬產業、採取的策略或人口統計分類等。

　　這三個方向通常關係密切，但是每個面向各有它獨特的意義。比方說，即使其他特性都相同，客戶所在的地理位置不同時，就會影響到它們的採購特性，以及企業提供服務所需的價值鏈。同樣地，在許多產業中，雖然通路大多與客戶型態、產品種類相關，但是不同的通路可以接觸到相同的客戶。舉例來說，當電子零件公司採購少量、急需的晶片時，它會找經銷商，但大訂單則直接交給晶片製造商。

　　因此，企業要劃分產業區段時，應該單獨、或組合應用以下四種顯而易見的區段變數，來掌握製造商之間，以及客戶之間的差異。任何產業都可以根據這四種變數的某一種或全部，定義出與策略相關的產業區段：

❑ 產品種類：既有的或可能出現的每一種產品。
❑ 客戶型態：已經採購、或可能採購某種產品的終端客戶型態。
❑ 通路（中間客戶）：為了接觸到終端客戶，已使用或可能使用的配銷通路。
❑ 客戶所在的地理位置：根據地點、地區、國家、或跨國地區歸類的客戶所在地。

　　在企業劃分產業區段的過程中，辨別各種不同區段可能是其中最富創意的部分。因為這涉及企業對各個面向中，會對結構、或價值鏈產生重大影響的產品與客戶差異的理解。要做到這一點，企業必須清楚了解產業結構，以及本身與客戶的價值

鏈。

產品區段

　　企業要標示出產品區段時，這個產業內所有已生產、或可能生產的不同產品，以及各種額外的輔助性服務，都應該單獨列出。各種替換零組件，也要當作單一產品看待。此外，除了單獨銷售的各項產品，可以整套銷售的產品組合也該列為一項產品。以醫院管理業為例，有些企業將完整的管理服務組合起來，以單一價格銷售，有些則是按個別服務項目計價，例如招聘醫師的人力資源服務等。基於劃分產業區段的目的，每一種不同組合的套裝產品，都應該被視為一個獨立的產品。同樣地，需要售後服務的產業，一般至少包含三類產品——單獨銷售的產品、單獨銷售的服務，以及將產品與服務組合銷售。經過這樣的整理之後，許多產業的產品清單是很驚人的。

　　由於結構或價值鏈的不同，以及因而形成的不同產業區段，使得一個產業的各種產品可以有許多分類方式。以下列出某些最能夠反映不同結構或價值鏈的產品差異，並說明它們為何能反映出不同的產業區段：

　　實體尺寸：產品的尺寸通常反映出技術複雜性、或使用產品的方式，而技術與使用方式都會影響到產品差異化的可能性。比方說，不同規格的堆高機，各有不同用途。產品尺寸的差異也意味著生產各種不同規格產品時，對價值鏈的不同需求。因為產品尺寸與生產設備、零件規格密切相關。比方說，

迷你相機對零組件精密度的要求，比普通相機更高，製造過程也與普通相機不同。

價格水準：產品的價格水準通常和客戶的價格敏感度有關。在某些產業中，價格更是生產或銷售等，規劃及必須價值活動的指標。

產品特性：不同特性的產品可能和技術的成熟程度、不同的生產流程，以及不同供應商有關。

技術或設計：由不同技術（如類比式或數位式手錶）或設計（正面開啟或側面開啟的活瓣）形成的產品，涉及不同程度的技術複雜性，以及不同的生產流程等其他因素。

使用零組件：有時候，產品會因為使用原料或零組件（如用塑膠還是金屬零件）的不同而形成明顯差異。這種差異也會對生產流程或供應商的議價實力造成影響。

包裝：產品會隨包裝及傳遞方式而形成差異，如散裝或小包裝的糖，罐裝或桶裝啤酒。這種差異會對企業與顧客的價值鏈分別產生影響。

功能表現：壓力比、耗油率與準確性等產品的功能表現，與技術和產品的設計有關。這些特性反映出研究開發、生產線

的熟練程度和測試等差別。

新產品與替換零組件：一般而言，替換零組件與新產品具有完全不同的下游價值鏈；同時客戶的價格敏感度、移轉成本和交貨時間等方面也不一樣。

產品與附加服務、附加設備：產品、附屬產品或服務之間的差別，通常是判斷價格敏感度、差異化能力、移轉成本與所需價值鏈的主要指標。

組合或單獨銷售：企業將不同的產品組合銷售，或單獨銷售其中一項，會影響到移動障礙、差異化能力，以及所需的價值鏈（詳見第十二章）。

從產業區段角度來看，重要的產品差異必須能反映重要的結構性差異。通常，產品的許多不同特性之間都相互相關。像價格水準，技術和功能表現，可能有密切的關係，且反映出產品之間的基本差異。當各項特性的衡量結果差異不大時，企業應選擇最接近、或能表現結構性或價值鏈差異的衡量結果。

企業要劃分相關區段時，不能只觀察單一面向，而必須列出所有會影響到結構的產品差異。另一個重點是，產品區段必須包含適合，但尚未生產的產品，像可以與產品分開銷售的服務，或是重新整合現有產品特性的各種新產品。無線電話，以及近年來在雜貨店銷售的「無品牌」食品等，都是很好的例

子。

客戶區段

　　要劃分客戶區段，企業必須檢查產業內各式各樣的終端客戶，找出它們在結構上或價值鏈上的重要差異。大多數產業中，客戶分類方法都不只一種。以消費性商品為例，關鍵因素包括年齡、收入、家庭規模、採購決策者等。在工商業或機構用產品方面，客戶規模大小、技術複雜程度、產品用途等，也都是區別客戶的因素。

　　如何有效區別客戶，一直是行銷界的熱門議題。其實，並沒有哪個變數能完全抓住所有的客戶差異，進而定出客戶的區段，尤其是服務不同客戶所需成本，以及價值鏈的差異，重要程度並不亞於客戶採購行為的差異。客戶區段的劃分目的，是為了找出客戶之間的差異，因此必須表現出不同客戶的基礎結構、與價值鏈差異，而非遷就單一的分類方式。

工商業型客戶

　　以下是一些從結構或價值鏈的差異性，區分工商業型客戶的一般因素，以及這些因素如何轉換為區段的例子：

　　客戶的產業別：客戶所在的產業，通常是一項產品在客戶價值鏈中如何使用，占客戶總採購比重多寡的指標。比方說，同樣採購巧克力，糖果商和酪品商在採購和使用態度上，就有很大的差別。酪品商採購巧克力的數量比較少，也比較不在乎

品質。這類差異會影響到客戶對價格的敏感度，產品受替代品影響的程度，以及企業提供產品的成本等因素。

客戶的策略：客戶的競爭策略通常是一項產品如何被客戶使用，以及客戶價格敏感度等事項的重要指標。客戶的策略會改變它的價值鏈，並影響企業產品在其中扮演的角色。舉例來說，與只在成本上競爭的私有品牌業者相比，追求差異性、高利潤的食品業者必然更重視材料的品質和一致性。

技術的熟練程度：客戶在技術上的熟練程度，是它對差異化的察覺能力，以及價格敏感度的重要指標。例如，在油田服務和設備的採購上，大型石油公司就比一般獨立石油公司更為老練。

代工（OEM）或是真正使用：在採購動作上，將企業產品當成一種原料的代工業者通常比直接使用該項產品的企業，更關心價格並更為老練。

垂直整合：客戶在某一項產品上進行部分整合，或進入附屬性與相關產品領域，對於它的議價實力、與企業產品差異化的能力都會有重大影響。

決策單位或採購流程：涉及採購決策流程的特定人士，往往會對採購決策的熟練程度、所期望的產品特性和價格敏感

度，產生重要影響。許多工業產品的採購流程複雜，而且涉及許多人或單位。此外，同一產業內的不同客戶，在採購程序上仍可能有明顯的差別。比方說，某些電子零組件的客戶，透過訓練有素的專業採購代理進行採購，他們對價格的敏感度就高過由工程師，或一般採購人員進行採購的客戶。

規模：客戶的規模會表現出它的議價能力、使用產品的方式、採購流程與最適切的供應商價值鏈型態。有時候，訂購數量的大小與客戶規模相關，在某些產業中，客戶一紙訂單可能就是它全年度的採購數量。然而，在其他情況下，公司規模可能是判定客戶議價實力、與採購程序的最佳指標。

所有權：客戶的企業所有權結構，可能影響到它的企圖心強弱。例如：私人企業對各種產品特性的評價就不同於公營事業，而多角化企業旗下的事業部，可能是由母公司來指導、並決定各項採購。

財力：客戶的獲利能力和資金來源，會決定它的價格敏感度、帳期和採購頻率等事項。

訂貨型態：客戶的訂貨型態，也會影響客戶的議價實力、或企業供應產品的價值鏈型態。對於訂貨規律而且可預測的客戶，企業提供產品所需要的成本，就比訂貨不規律的客戶為低。有些客戶的訂貨有季節性或週期性，這也會影響到企業的

產能使用型態。

消費性商品客戶

　　以下是一些界定消費性商品區段的客戶差異因素，所舉例子則在說明它們如何表現出這些產業區段的差異：

　　人口統計：客戶的人口統計特性會反映出所期待的理想產品性質、價格敏感度，以及使用和訊號條件。像單身貴族對冷凍調理食品的購買與需求，就不同於有孩子的家庭。家庭規模、收入、健康、宗教信仰、性別、職業、國籍、年齡、婦女就業、社會階級等都是重要的人口統計項目。以銀行業為例，客戶的財產、年所得和家庭成員的教育程度，都會決定他們對銀行服務的需求，以及對價格的敏感程度。

　　心理狀態或生活型態：生活型態或自我形象等因素雖然不易評估，卻是決定消費者採購行為的重要因素。舉例來說：習慣於四處旅遊的人，與作風保守的人，評估產品的態度也會有所不同。其他如人格特質、品牌忠誠度等，也是分辨消費者的可能方法。

　　語言：語言也可能界定產業區段。以唱片業為例，全球的西班牙語市場就可自成一個區段。

　　決策者或採購流程：家庭的決策流程對產品特性的需求、

和價格敏感度而言非常重要。比方說，夫妻之間，可能一方認為汽車的性能表現很重要，另一方則重視舒適與安全。

採購用途：採購用途代表客戶採購一項產品時，是自用、或當作禮品，只在特殊場合才需要、或有經常性的用途。如果採購用途不同，即使是相同客戶，類似產品，在使用條件和訊號條件上仍有所差別。以鋼筆為例，採購用途是為了送禮時，客戶會傾向購買高仕（Cross）等知名品牌，自用時，則比較不在乎品牌。

辨別客戶區段時，應該綜合考慮多重層面。以油田設備為例，客戶規模、技術熟悉程度、客戶的企業所有權等，都是相關變數。在冷凍調理食品上，家庭規模、成員年齡、是不是雙薪家庭、收入情形等都是相關的變數。潛在的客戶也有可能形成產業區段。劃分客戶區段的變數可能彼此相關，分辨時必須選擇最能夠反映出結構、與價值鏈差異的變數。

通路區段

如果企業要根據通路來標示產業區段，應該列出所有能接觸到客戶的通路。企業使用的通路會影響到自己的價值鏈設計，以及因而出現的垂直鏈結關係。通路也會反映出訂單規模、出貨規模、從定貨到交貨的時間等重要成本驅動因素。比方說，同一個客戶，採購電子零組件的大額訂單通常由製造商直接接單出貨，而小額訂單則經由經銷商出售。通路不同，議

價實力就不相同。在議價實力上，西爾斯和Ｋ商場等大型連鎖商場，就比一般獨立經營的百貨商店要強。

定義產業區段的通路差異性，可由以下的面向思考：

直接銷售、或是透過經銷系統：直銷就不需要透過其他通路，這也意味著直銷的價值鏈，將與透過經銷系統時的價值鏈完全不同。

直接郵購、或零售、批發：採取直接郵購方式，能夠消除中間商的可能議價實力。同時也會對後勤系統等價值活動產生影響。

經銷商或代理商：代理商通常不負擔庫存，它經手的產品種類也可能不同於經銷商。

經銷商或零售商的型態：經銷商和零售商都可能具有不同的銷售型態，不同型態的經銷商或零售商，各有不同的產品組合與分類方式，並且在採購流程和策略上都不一樣。

獨占或非獨占：獨家經銷或代理會影響通路的議價實力，以及通路和企業各自的活動表現。

一個產業通常會有好幾種通路。以影印機產業為例，這項產品可以直接銷售，也可以透過影印機經銷商、辦公事務機器

經銷商，以及零售商進行銷售。企業劃分通路區段，必須納入潛在的可行通路。像蕾克絲發現將褲襪直接配銷到超級市場的新通路，使得褲襪市場出現新的區段。

地理區段

企業的地理位置會影響到客戶的需求，與服務客戶所需的成本。地理位置可能是一種重要的成本驅動因素，並且對為了接觸客戶所需的企業價值鏈產生影響。一般說來，地理位置通常代表了不同氣候、風俗、政府法規等類似因素，對產品特性的不同需求。以美國為例，南方的商業建築，對屋頂的絕緣需求較北方為低，而北方商業建築的屋頂較常鋪設碎石，因為屋頂的設計必須能夠承載積雪，因而可以負荷額外的重量。

典型的地理區段受以下變數影響：

地點、地區或國家：地理位置不同時，運輸系統和法規也可能不同。客戶的地理位置，對於界定企業的規模經濟而言相當重要。根據規模經濟的地理範疇，不同大小的地理區域，可能成為相關的產業區段。以一般住宅的屋頂建材產業為例，由於可觀的後勤成本限制了工廠出貨的效率範圍，使得地區成為劃分產業區段的適當條件。在食品配銷業中，考慮消費者的密度，以及使用貨車運送，很適合按不同都會區劃分產業區段。

氣候：一般說來，氣候條件會對產品需求，或是服務一個地區所需的價值鏈，產生強烈影響。

　　國家發展階段、或其他國家群（country groupings）：開發中國家的客戶需求不同於已開發國家。這也導致產品包裝、後勤系統、行銷系統和價值鏈等方面的明顯差異。在界定市場區段時，其他的國家群也具有類似的影響。

　　以地理位置劃分產業區段時，適當的評估標準會因產業而異。一般而言，在劃分區段時所謂的地點，應該是一項產品確實被消費或使用的地方。然而，有時候產品的發貨地點（如發貨倉庫），可能關係更密切。另一種情況下，即使客戶在不同地點使用這項產品，它的公司總部所在地，仍是重要的地理性區段的變數。

　　以地理位置劃分產業區段的方式可能不只一種。比方說，如果關鍵性價值活動的成本受到地區規模影響，企業要爭取成本優勢時，地區可能是劃分產業區段時的重要因素。反之，要發展更理想的產品和提高差異化能力時，國家可能是更適當的劃分因素。

尋找新區段

　　有些產業區段源自產業傳統或競爭者行為。在這種情況下，通常從同業公會或政府機構長期蒐集的數據，就能夠看出區分客戶或劃分地理區域的方式。以石油產業為例，業者已經很自然的將大型石油公司與其他獨立石油公司區分成不同產業區段。另一個典型的分法是，按照這個產業傳統上對產品的分

類方式。此外，競爭者按照自己的焦點策略，也能夠明顯地區分出不同區段。

然而，產業區段的劃分，必須超越傳統觀點或既定分類。正確的產業區段必須反映出不同產品、客戶、通路或地理位置等因素，在結構或價值鏈上的重大差異，無論是否已經被認知、或運用。一般說來，企業創造競爭優勢的最大機會，就是新的區段劃分方式。如此一來，企業就能夠比競爭者更切合客戶的需求，或改進它的相對成本地位。

要找出潛在的產品區段，企業通常必須考慮以下問題：

- ❏ 是否有其他能夠滿足客戶價值鏈需要的新技術、或新設計？
- ❏ 是否能透過改良產品，形成更多功能？
- ❏ 是否能減少一些產品功能，使產品更符合某些客戶的需求、並同時降低價格？
- ❏ 是否有不同的產品、服務組合方式，更適合以配套方式銷售？

折扣零售商（Off-price retailer），就是以減少產品功能形成新產業區段的實際例子。像Loehmann公司就採用簡單樸實的陳列架，取消額外的試衣間或服務人員，並且不提供信用交易和退貨等高成本服務。這個作法省略許多傳統上必備的價值活動，緊縮了價值鏈，並創造了全新的產業區段。在旅館／汽車旅館產業，業者也有相同的作法，像拉昆達連鎖旅館，只提供

房間而省略了餐廳、酒吧等服務，其他連鎖事業也正以新的組合方式提供服務。

企業也可以嘗試可能的新通路。對於習慣透過代理商或經銷商的產業，企業不妨試試直接銷售、或使用新型態的經銷商或代理商。手錶業的天美時（Timex），化妝品業的雅芳（Avon）都是很好的例子。任何可行的通路都是一個潛在的產業區段。

在標示新的地理區段和客戶區段方面，需要兩種創意。第一是找出能表現結構或價值鏈差異的新方法，重新區分地理或客戶區段。前面提過，司徒福公司藉著區分單身與雙薪家庭的特質，找出他們購買冷凍調理食品的重大差異。第二是找出仍未被發覺的潛在客戶型態或地理區域。有時候，企業必須修改產品才能夠接近新客戶或新的地理區段，但是在許多情況下，企業需要的只是更了解客戶需求和產品潛在的新用途。比方說，亞韓公司將烘烤用蘇打當作冰箱除臭劑，因此發掘另一個龐大的市場；嬌生公司的嬰兒洗髮精同時受到成年人的歡迎。這兩家公司並沒有在產品上做任何修改，就達到接近新客戶的目的。

產業區段矩陣

企業標示出結構或價值鏈中的區段變數後，下一步是將它們和整體產業結合起來。這項工作的困難在於，劃分區段的變數很多，有些產業的變數甚至多達數十個。這一步的挑戰就在如何彙整這些變數，形成對發展競爭策略而言最有意義的區

段。

過程的第一步是，測試每個區段變數的顯著性，只有真正對競爭策略來源、或產業結構具有明顯影響的變數，才需要作進一步的策略分析。其他較不重要但仍然有意義的變數，可以做為調整行銷或作業管理之用。

要從區段變數轉換成產業區段，基本工具是產業區段矩陣。一個簡單的產業區段矩陣至少包含兩個變數。圖7.3中，油田設備產業的兩個區段變數分別是，石油公司（即客戶）的規模，和客戶所在國家的發展階段。

建構區段矩陣的第一個實際問題是，每個區段變數要分成幾種項目。圖7.3選擇了三種不同客戶規模，以及兩種國家發展階段。在現實中，客戶規模是一個連續性的變數，而國家的發展也會經過許多階段。將區段變數分割成不同項目時，要

圖7.3 油田設備產業的簡單區段矩陣

	客戶型態		
	主要石油公司	大型獨立公司	小型獨立公司
已開發國家			
開發中國家		無效空格	無效空格

地理位置

能夠表現出結構或價值鏈中最顯著的差異，並且要顧及實際需求，將區段數目控制在可以管理的程度。從策略角度考慮如何選擇區段變數的項目時，需要主觀判斷，而且是不斷重複的過程。

　　圖7.3的方格代表這個產業的各個區段。有些方格所代表的區段，可能尚未被占據。此外，如果開發中國家並沒有小規模、獨立經營的石油公司，而且看起來不會有這樣的可能，那麼這就是一個無效方格。圖7.3在大型和小型獨立公司下標出無效空格。這些無效空格可以拿掉。但是，分析者要注意，無效空格應該是區段變數無法組合的結果，而不是目前沒有廠商活動的區段。如果只是目前無人經營、但區段變數仍然有可能組合的空白方格，則代表潛在的機會，這樣的區段應當被凸顯，而不是淘汰。

　　圖7.3是有兩個相關區段變數的個案。實務上，產品、客戶型態、通路、地理區域等四個變數，會產生非常多的變數組合。更詳細的觀察，每個產業都有自己的特性。隨著許多顯著的區段變數，區段矩陣的數目會快速衍生。因此，緊接的問題是，如何將區段變數轉為數目較少的區段矩陣，以顯示制定策略的過程。

區段變數之間的關係

　　要將許多區段變數轉換為有意義的區段矩陣，首先要仔細檢查它們之間的關係。將互相關聯、或是意義相同的變數合併，能夠減少原本數量龐大的區段變數。比方說，地理位置可

能與特定型態客戶有關（如座落在中西部的汽車廠），客戶型態可能與通路緊密聯繫（小型屋頂建材商大多透過經銷商提供服務）。以相關的區段變數建構成區段矩陣，將會出現許多無效空格。

關聯度高的區段變數能夠被組合，是因為其中一個變數就足以表現出其他變數的效果。一般說來，區段變數之間多少會有關聯性，但是一個區段矩陣總會有許多無效方格，刪掉它們就會明顯減少可能區段的數目。分析者必須了解區段變數的各種關係，並進行合併，以標示出無效空格。

此外，分析者要了解變數之間為何會產生關聯，因為產生關聯的原因不同，通常也會導致重要的差異。如果某一項變數只是反映出目前的企業行為、或偶發事件，而不能充分代表另一個變數，那麼，就不應該將它們合併。因為這麼做等於模糊了一個可能有開發機會的產業區段。比方說，如果小型屋頂建材商透過經銷商提供服務的現象，不是因為經濟因素，而是因為業界的歷史傳統。那麼，在產業區段中將直接銷售的項目取消是不智的。因為透過電話行銷、或是讓業務員以筆記型電腦透過網路下訂單，就有可能形成一個目前不存在、但具有可行性的產業區段。

合併區段矩陣

經過前面的過程之後，剩下重要、獨立區段變數，代表產業區段矩陣的可能座標軸。如果產業區段矩陣的變數超過兩個時，產業區段矩陣已不是平面的二維座標圖所能涵括。一種作

法是，將變數兩兩配對，建構成一些不同的區段矩陣，並依策略考慮分析每個矩陣。不過，這並非最理想的作法，因為重要的區段可能是由超過兩個以上的變數組合而成，而且可能會被忽略。

　　分析者要處理超過兩個以上的變數時，建構一個合併區段矩陣通常是較為實用的作法。圖7.4就是建立合併區段矩陣的方法。在油田設備產業的例子中，除了客戶型態和客戶地理位置外，至少還有石油公司的技術純熟度和企業所有權兩個變數存在。我在圖7.4中將這四個變數分開配對，淘汰掉無效空格之後，再把兩個矩陣合併起來。

　　合併矩陣會淘汰一些無效空格，並顯露出變數之間原本被忽略的相互關係。圖7.4中，我已經把不適當的組合型態標示出來。合併矩陣最好先把同種類的所有區段變數集合起來。圖7.4是將所有的客戶區段變數合併。

　　合併同一類區段變數之後，下個步驟是合併不同類的變數。最好的作法是設計一個區段矩陣，一個座標軸代表合併之後的產品區段變數，另一軸則涵蓋所有與客戶相關的變數（如客戶型態、通路、地理位置）。如果區段變數有限，企業就能夠運用這套程序，建構一個二維的產業區段矩陣。這類矩陣可能非常龐大，但有助於企業對整個產業的策略分析。圖7.5是一個油田設備產業的新矩陣，它包含特佳或標準品質、深井或淺井設備等兩項產品的區段變數。

　　有時候，相關區段變數太多，很難使用單一矩陣。碰到這類大型的整體性區段矩陣，必須複查其中的區段變數和各個類

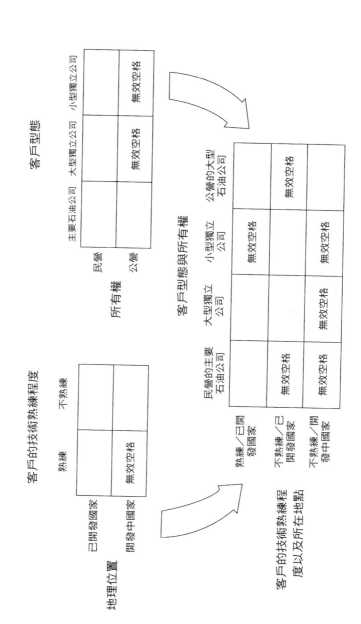

圖7.4　油田設備產業的合併區段矩陣

圖7.5 油田設備產業的產業區段矩陣

各種產品 \ 客戶	熟練：民營主要石油公司	熟練：已開發國家的公營主要石油公司	熟練：大型獨立公司	不熟練：大型獨立公司	不熟練：小型獨立公司	不熟練：開發中國家的公營主要石油公司
特優的／深鑽						
標準的／深鑽						
特優的／淺鑽						

別，以確定變數間確實有明顯差異。理想的作法是，改以兩到三個區段矩陣作連續分析，以避免錯失重要的策略性意涵。

產業區段矩陣除了包含現有區段之外，也應該加入潛在區段。它可能是一個全新的產業區段變數（如新的通路，因為直銷有可能取代原有配銷通路），也可能是現有變數的新類別（如合金產品的新等級）。

區段矩陣只是一個分析工具，完成它不等於大功告成。為了避免疏漏，分析要從最完整的區段變數清單著手，直到變數被淘汰或合併，可操作的區段矩陣被精簡後，才算真正完成。整個過程可嘗試一些不同的區段設計，以顯示產業結構中客戶與產品的重大差異。

區段矩陣也必須透過對競爭對手策略的分析加以檢驗。如果競爭者的活動範疇可在矩陣中標示出來，分析者很可能發現新的產業區段或區段變數。反過來說，如果競爭對手的活動集中在某些區段內，則意味著對這些區段的服務，必須一併進行。這一部分，當討論到區段之間的交互關係時，再深入討論。圖7.6顯示出劃分產業區段所需的步驟。

產業區段與競爭策略

不同產業區段的吸引力、與形成競爭優勢的因素都不相同。企業要在區段中脫穎而出，要考慮兩個關鍵性策略問題：

❑ 應該在這個產業的哪個部分競爭。

圖7.6　劃分產業區段的步驟

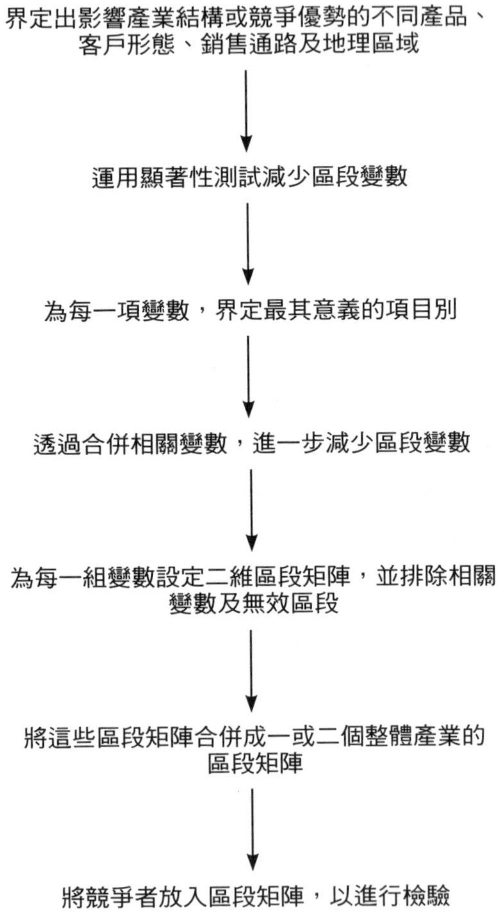

界定出影響產業結構或競爭優勢的不同產品、
客戶形態、銷售通路及地理區域

↓

運用顯著性測試減少區段變數

↓

為每一項變數，界定最其意義的項目別

↓

透過合併相關變數，進一步減少區段變數

↓

為每一組變數設定二維區段矩陣，並排除相關
變數及無效區段

↓

將這些區段矩陣合併成一或二個整體產業的
區段矩陣

↓

將競爭者放入區段矩陣，以進行檢驗

❑ 何種策略最能滿足這個區段的特性。

企業一般有兩種作法，採用多目標策略以涵蓋許多產業區段，或以焦點化策略專注於少數區段。企業採廣泛、多目標策略時，必須注意到這種作法的弱點，因為區段之間是有差異的。同樣地，採取焦點化策略的企業也必須未雨綢繆，一旦廣泛多目標型的企業侵入所經營區段時，可能會形成威脅。產業區段是動態的，它會隨產業結構變化而改變。

一個產業區段的吸引力

了解各個產業區段的吸引力，是企業決定在哪個區段競爭的第一步。形成一個產業區段吸引力的相關因素包括，它的結構性吸引力、規模和成長表現，以及企業是否具有滿足這個區段需求的能力。

結構性吸引力

所謂產業區段的結構性吸引力是指，五種競爭力在區段層面的強弱表現。在區段層面分析五種競爭力的方法，與在產業層面分析五種競爭力的作法有所不同。在區段層面的分析中，可能的進入者除了經營其他區段的廠商之外，還有在其他產業活動的企業。替代品可能來自這個產業，也可能是其他產業的產品。競爭對手除了已專注在這個區段的廠商之外，也要考慮其他區段的廠商。雖然產業區段內的客戶與供應商，一般具有區段導向的特性，但也不能排除它們向其他區段銷售或購買的

可能。因此，雖然產業的結構分析較不受其他產業影響，但是
區段的結構分析，則必須正視其他區段條件的影響。

　　同一產業的不同區段之間，結構性吸引力的差異通常很
大。以大型渦輪發電機為例，自用型客戶區段具有很強的結構
性吸引力，因為大型渦輪發電機的技術非常複雜，因而對這一
類發電機的研發與生產，形成很高的規模和學習曲線障礙。大
型機組也比小型機組更易於形成差異化。大型機組的熱耗效率
較高，相對降低了客戶的使用成本，並減少客戶的價格敏感
度。此外，由於大型機組的客戶大多具備較高的技術能力，並
且要求更多的功能，也有助於提升競爭廠商間的差異化能力。
使用大型機組的客戶，必定具有相當的財力，也使得他們比較
不重視價格。最後，自用大型機組的銷售，大多涉及私下議
價，而非公開招標。

　　企業要決定在產業的哪個部分競爭，首先必須分析每個區
段的吸引力。一種作法是，計算各個產業區段的獲利能力，並
與區段的結構性吸引力，以及各區段已知的獲利數據作比較。
有些獲利數據可以從特定競爭對手身上找到，例如分析對某一
區段採取焦點化策略的競爭對手，就可能獲得此一特定區段的
獲利數據。每個區段的獲利能力可能差別很大。不過，不同區
段可能需要不同策略，和不同的工作重點，區段現有獲利能
力，不必然等於潛在的獲利能力。

區段規模和成長表現

　　不同區段的絕對規模與成長速度也不盡相同。企業選擇在

何處參與競爭時，必須考慮區段的成長與規模。這些條件也會影響區段本身的結構性吸引力。對大企業而言，區段的規模大小與吸引力成正比；但是一般廠商則較在意每個區段的預期成長進度，這也會反映出區段內的競爭，與進入者的威脅程度。有時候，企業可能因為大廠對小型區段缺乏興趣，而得以在其中稱霸。

要判斷產業區段的規模和預期成長速度並不容易，因為所蒐集到的相關資料，很難切合對產業區段的界定。特別是，當區段的劃分脫離產業傳統，而由需求與成本考慮重新劃分時更難以判斷。這也是為什麼企業必須投資於資料蒐集或市場研究，以掌握產業區段規模和預估成長率的原因。

企業與產業區段的對應

在眾多區段之間，企業價值鏈中的資源與技術，通常都會有一個最適切的區段；同時也會影響到此一區段對該企業的吸引力。前面介紹如何建構區段矩陣時提過，每個區段都有一些發展競爭優勢的不同條件。第三、四章是幫助企業了解，自己在不同區段競爭時的相對地位，以及改變地位可能性。

產業區段的交互關係

產業區段之間通常存在許多對企業目標區段具有重要影響的相互關係。當不同區段之間，能夠共享企業價值鏈中的許多活動時，這些區段就彼此關聯——我稱這種機會為區段的交互關係。比方說，同一個業務單位能夠對不同型態的客戶進行銷

售動作，同一組生產設備也可能生產不同的產品等。

圖7.7與7.8是，一個價值鏈服務兩個關聯產業區段的例子。對企業而言，緊密相關的產業區段，代表區段間共享的價值活動，在各自的總成本中占有很高的比重，或是對差異化具有重大影響。產業區段的交互關係很像經營單位在相關產業間的交互關係。但是，產業區段的交互關係是在同一個產業裡面，而經營單位的交互關係出現在不同產業之間，而且產業內和產業間的交互關係強度，會決定一個產業的策略範圍。這種交互關係類似於企業經營不同地理區域時，地理區域之間的交互關係。

關於交互關係的分析，將在第九章作詳細分析。由於所使用的概念也適用於產業區段。因此，這裡先作簡單摘要。當區段之間分享價值活動所帶來的利益大於所需的成本時，這種交互關係在策略上相當重要。如果價值活動的成本，受到規模經濟、學習等方面的明顯影響；或是共享有助於改善價值活動的產能利用型態，那麼共享這些價值活動對企業極為有利。企業能夠在產業區段之間，共享具有規模經濟或學習效應的價值活動時，就比在單一區段競爭的對手擁有更大的成本優勢。當產業區段共享價值活動，能夠增加價值活動的差異化，或降低差異化的成本時，也會帶來許多利益。當某項價值活動明顯影響到企業的差異化，分享它又能夠降低差異化的成本，或進一步提高獨特性時，這類價值活動的共用將是企業發展差異化最重要的動作。比方說，如果服務是差異化的重要因素，而且共享能夠降低雇用優秀服務人員的成本時，能夠跨區段共用服務人

圖7.7 不同區段間,價值鏈的交互關係

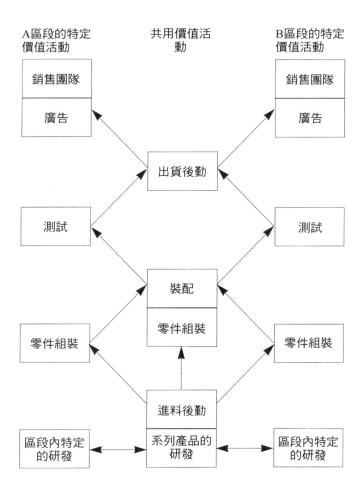

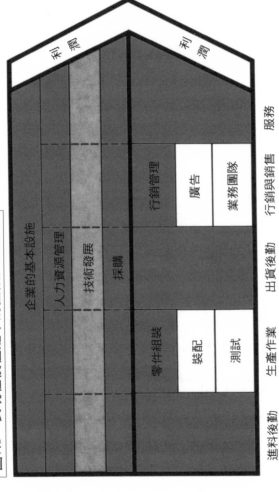

圖7.8　表現在價值鏈中的區段交互關係

進料後勤　生產作業　出貨後勤　行銷與銷售　服務

企業的基本設施

人力資源管理

技術發展

採購

零件組裝　　行銷管理

裝配　　　　廣告

測試　　　　業務團隊

利　潤

■　共用價值活動

□　區段的特定價值活動

▨　部分共用的價值活動

員的企業，就比單一區段的競爭者更具有優勢。同樣地，在不同產業區段間共用相同品牌，也能夠形成企業與競爭對手間的差異。

運用交互關係所帶來的好處，常常會被「協調、妥協所需的成本」、以「共用價值活動缺乏彈性」所抵消。協調所需的成本，來自於區段間共享價值活動所增加的複雜性。妥協的成本則因為價值活動原本是針對特定區段而設計，不完全切合另一個區段的需要，一旦要同時服務不同區段，反而降低了個別區段應有的表現。譬如說，高價位產品的品牌、廣告與形象，不太可能符合低價產品系列的需要，反之亦然。如果企業想要同時在這兩個產業區段競爭，它必須創造和宣傳兩個不同的品牌名稱。如服部公司（K. Hattori）以精工（Seiko）代表它的高級錶，又以寶時（Pulsar）發展中價位錶，即使如此，零售商通常會告訴消費者，寶仕錶實際上就是精工錶。

常見的妥協成本是，企業服務某一產業區段的最適價值鏈，多少會不同於另一個區段所需的最適價值鏈，而以相同價值鏈服務這兩個區段時，就會造成成本或差異性上的損失。例如，同一個業務單位同時經營兩個客戶區段的效率，就比專責經營單一客戶區段的業務單位為差。一條生產線彈性生產兩種不同產品的效率，也比不上為了生產單一產品而特別設計的生產線。

區段外溢（segment spillover）現象也是一種妥協的形式。有時候，某個產業區段的客戶，會要求和另一個區段相同的待遇。比方說，因為客戶要求一視同仁，所以其他區段的客戶，

也會要求比照為某一特定客戶區段所訂定的價格，這也是經營單一區段的企業所沒有的困擾。由於最適價值鏈的差異正是形成產業區段的基礎之一，所以企業要對不同區段作聯合服務時，通常都需要某種程度的妥協。

同時服務不同區段所需要的妥協，可能蠶食或完全消弭企業因跨區段共用價值活動所形成的競爭優勢。企業往往需要在，以多種平行價值活動分別服務各區段（如不同的生產流程或不同品牌）的成本、與妥協的成本之間權衡輕重。在一些極端的案例中，這種妥協的成本，不僅使企業失去共用價值活動的優勢，甚至造成反效果。比方說，因為品牌形象、生產流程的嚴重落差，即使是在兩個完全不同的價值鏈中，企業在某個區段的競爭，仍然是經營另一個區段時的負數。

企業在不同區段間共用價值活動的最後一項成本是，缺乏彈性。共用價值活動會限制企業在不同區段間調整策略的彈性，也會造成自己在某一個區段的退出障礙。缺乏彈性的成本也會在第九章，與其他共用價值活動成本一起作更周延的討論。

與專注於單一或少數產業區段比較之下，在多重產業區段中競爭的優勢，來自於共用價值活動的優勢與各項成本平衡之後的淨值。大多數產業的區段間交互關係型態是不對稱的。某些區段之間比其他區段更能搭配。企業也可能在一組區段中共用某些價值活動，在另一組區段共用另一部分價值活動，而且兩組區段之間互相重疊。

由於產業區段的交互關係型態，也會使廠商在所經營的

產業區段中形成聚群（cluster）的狀態。以影印機產業為例，全錄、柯達、IBM在高印量機型的競爭由來已久，而理光（Ricoh）、賽敏（Savin）、佳能、美樂達（Minolta）及其他幾個品牌則在一般低印量機型競爭。低印量影印機採取大量生產和配銷商通路的作法，高印量影印機則具有量小、直接銷售、不同技術層次等特質。全錄是靠富士全錄（Fuji-Xerox）形成新區段，才能打開完整的產品系列。佳能則必須大量投資於高階產品競爭時所需的全新價值活動，小心翼翼地擴充產品線。這些例子顯示，如果產業區段間共用價值活動的成本愈高，想要成功經營多目標的企業，愈需要為每個區段，建立個別的價值鏈。問題是，各自獨立的價值鏈又否定了擴大戰場的好處。

企業要檢查自己對產業區段交互關係的了解程度，一個很好的方法是，試著區分競爭者在產業區段矩陣中的位置（見圖7.9）。當在某一區段中競爭的廠商，都出現在另一個區段時，表示這些產業區段間的交互關係很強，企業的機會也很高。觀察競爭者的型態，也能增加企業對產業區段間交互關係的洞察力，同時也能夠弄清楚它在每個區段的地位優劣。不過，企業必須提醒自己，競爭者未必察覺或運用所有的交互關係。

觀察產業區段間的交互關係，也能夠幫助企業預見產業區段矩陣未來是否有可能解體。如果企業經營某個產業區段時，不可避免地必須涉足另一個產業區段，那麼這兩個區段間的交互關係很強，兩個區段甚至可能合併。企業一旦進入這類區段，它要轉戰鄰近區段的障礙相當低。因此，藉由檢查區段間的交互關係，也可以策略性地簡化產業區段矩陣。

圖7.9 競爭者在區段矩陣內的位置

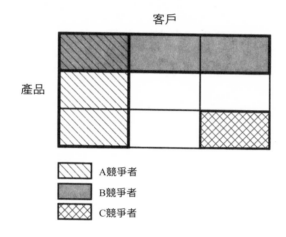

客戶

產品

A競爭者
B競爭者
C競爭者

產業區段交互關係與多目標策略

如果區段之間的交互關係確實能夠帶來競爭優勢，那麼這種交互關係，就是企業跨產業區段制定多目標策略的合理基礎。區段間緊密的交互關係，還能界定出企業應該經營的產業區段聚群（cluster of segments）。緊密的交互關係，也會點出企業在產業區段間移動的合理路徑。當產業區段間的交互關係緊密時，企業在其中一個區段競爭，很可能誘使它跨入另一個區段的競爭。

企業會採取多目標競爭的原因是，它認為區段間交互關係的好處遠超過所需的成本，它的策略也會朝強化區段交互關係，盡量降低協調與妥協成本的方向設計。近年來，生產設備的彈性提高，生產技術也朝向降低妥協成本發展。這類能在不

增加成本、或喪失差異性情況下增加彈性的發展，對多目標的
競爭者相當有利。

　　然而，多目標的競爭者通常也不應該全面進軍所有區段。
因為某些產業區段間共享價值活動的利益，幾乎不可能高於妥
協的成本，而且，並不是所有區段都具有結構上的吸引力。但
是，當經營缺乏結構性吸引力的產業區段，對於共用價值活
動的整體成本、或因而形成的差異化具有貢獻；或是有助於保
護企業在具吸引力區段的地位時，多目標企業也會經營這些區
段。第十四章將會說明，企業占據一些缺乏吸引力的產業區
段，可能只是為了防止競爭對手從此處建立灘頭堡，進而利用
交互關係打入企業所在的產業區段。以美國汽車產業為例，廠
商退出某些低利潤的小型車區段，似乎提供了日本汽車業者進
軍美國市場的機會。

選擇焦點

　　焦點化策略是建立在產業區段的差異上。這些差異可能是
企業最佳價值鏈的不同，或是因為客戶價值鏈差異所造成的不
同採購條件。多區段經營時協調、妥協與缺乏彈性所造成的成
本，正是焦點化策略的策略基礎。與必須妥協的多目標企業相
較之下，採取焦點化策略的企業能夠針對單一、或少數幾個區
段，建立最適切的價值鏈，並因而在這些區段中取得成本領導
權或建立差異化。焦點化策略所涉及的不僅是行銷活動，而是
整個價值鏈。

　　焦點化策略可以針對單一區段，或是包含具有緊密交互關

係的幾個產業區段。然而，通常目標區段增加，企業切合任一區段需求的能力也會隨之降低。必須注意的是，雖然企業在某個產業中採取焦點化策略，並不影響它利用與經營其他產業事業單位之間的交互關係，只要這種交互關係不會強迫企業在目標區段妥協。競爭範圍的選擇涉及企業對跨區段，以及跨產業兩種不同層次交互關係的了解（參見第十五章）。

　　企業也可以同時在不同的產業區段群中採取焦點化策略，這些區段可能相互重疊、也可能完全無關。圖7.10是一些廠商對金融業提供資訊產品的案例。A企業的焦點化策略以產品為

圖7.10　金融資訊產業中可選擇的焦點化策略

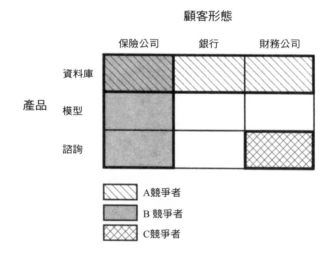

基礎，同時對所有客戶提供資料庫。B企業的焦點策略則以客戶為基礎，將完整的產品系列賣給保險公司。C企業的焦點策略則是集中火力，提供財務公司諮詢服務。C企業的客戶可能自行蒐集資料，也可能自其他廠商取得資料。C企業的焦點區段與前兩家沒有重疊。企業的策略並不需要涵蓋在區段矩陣上水平或垂直相關的區段。但是，由於產品、客戶、通路或地理位置上的相似性，焦點化策略經常會出現這種情況。

前面提過，焦點策略如要涵蓋多個產業區段，它們之間需要有緊密的交互關係，並且能抵消同時服務多重區段的不利之處。以A公司為例，它藉由區段間共用資料庫研發與生產活動的交互關係取得優勢，但是它的優勢也會因不同企業對資料庫型態、或是供應方式的需求差異而削弱。B公司則採取不同的作法，它的焦點策略以客戶為基礎，由僅針對保險公司提供最佳的銷售與供應服務，取得自己的競爭優勢。C公司選擇只對財務公司提供諮詢服務的潛在差異化利益，以及產品專業化的內在利益，放棄同時服務更多焦點目標的規模經濟力。因此，每家廠商根據不同的交互關係和不同的競爭優勢，建立起自己的焦點化策略，同時也面對不同程度的妥協成本。

當焦點化策略出現在有重疊交互關係的產業區段，競爭會變得很有趣。以圖7.10為例，矩陣左上方的區段就出現這種有趣的現象。同在這個區段競爭的A公司與B公司，就因為不同的焦點化策略，各自獲得不同的競爭優勢與劣勢。A公司提供成本較低的資料庫，並且充分掌握資料庫設計技術；B公司則具有對保險公司的深入了解，並且在提供完整產品系列時擁有

成本優勢。企業應用交互關係能夠帶來競爭優勢，同時也會影響它在特定產業區段的彈性。以A公司為例，它很難因應保險業客戶的需求，而修改資料庫管理系統，因為這樣的動作將會影響到它對應於銀行和財務公司的價值活動。在重疊的產業區段中，A、B兩家公司表現的優劣，取決於相關產業區段間交互關係對競爭優勢的影響。交互關係對於企業應變能力的限制，也會帶動企業間的競爭性互動。企業會試圖將重疊區段中的競爭方式，導向能夠凸顯本身所擁有的交互關係、或優點的方向，並迫使競爭對手在區段間安協。

選擇能夠焦點化的新區段

企業針對某個產業區段擬訂焦點策略時可不可行，要看區段的大小以及是否能夠支持專屬價值鏈的成本。有時候，即使專屬價值鏈更能夠滿足特定新產業區段的需求，這個價值鏈的成本卻可能大於可能的回收。因此許多潛在產業區段，並不適合以焦點化策略來經營。

一般說來，當新的產業區段出現以下四種狀況時，企業就能夠對這些區段採取焦點化策略。第一種狀況是專屬價值鏈的成本正在降低。譬如，規模經濟的降低就會提高焦點化策略的可行性。第二種狀況是這個區段已經擴大到足以支持經營該區段的固定成本。第三種是企業藉著產業區段間的交互關係，能夠克服經營這個區段的規模門檻。最後是地理性交互關係。當企業朝全球化發展時，藉著由許多國家所累積形成的總產量也可以克服特定區段的規模經濟的問題。

　　如果企業能察覺或掌握形成新產業區段的機會，它就可以搶先採用焦點化策略。近年來，規模經濟隨著電腦輔助設計、電腦輔助製造等科技的進步而逐漸降低。另一方面，這些新科技也提高了發掘區段間交互關係（見第九章），以及進行全球競爭的能力，使得一九八〇年代不斷出現創造新焦點化策略的機會。

焦點化策略的持續力

　　我們已經討論過，企業根據產業區段的吸引力與其間的交互關係，可以選擇一個或一小群產業區段來採取焦點化策略。而選擇焦點化策略的最後一個問題也就是：與競爭對手相較之下，這些在焦點化策略是否具有持續力。焦點化策略的持續力由下面三個因素決定：

- ❏ 對抗多目標競爭者的持續力：與多目標競爭者相較之下，藉由焦點化策略所創造競爭優勢的強度與持續力。
- ❏ 對抗模仿者的持續力：防止競爭者模仿焦點化策略的移動障礙，或是因為競爭者採取更小範圍的焦點化策略而失去焦點的可能性。
- ❏ 對抗替代性區段的持續力：客戶被引導到焦點化策略未涵蓋區段的風險。

對抗多目標競爭者的持續力

　　對於採用焦點化策略的企業而言，多目標競爭者可能已經

在相同區段中競爭，或可能以所經營區段為基礎延伸到這個區段來。焦點化策略廠商與多目標競爭者之間競爭優勢的強弱受到以下兩個因素的左右：

□ 多目標競爭者同時經營焦點化策略廠商所在區段以及其他區段時，必須妥協的程度。

□ 多目標競爭者在所經營的產業區段中，以共用價值活動形成的競爭優勢。

當焦點化策略廠商的價值鏈和其他區段價值鏈的差異程度愈高，焦點化策略愈具有持續力。

以空調設備產業為例，歐美國家工業用空調設備的配銷通路與住宅及商業用空調設備不同。而拉丁美洲、亞洲和中東地區則沒有這樣的區別，都是由相同的配銷商經營。由於在歐美地區，廠商能夠針對不同目標區段的配銷通路設計專屬的價值鏈，因此焦點化策略較容易成功、而且能夠持續。當目標區段客戶的需求愈特殊、與其他區段間的差異愈大，焦點化策略就愈能持續。

在飲料產業中，榮冠公司的困境是個很好的反面教材。不同於可口可樂、百事可樂經營多種口味的軟性飲料，榮冠公司專注在「可樂」這一種產品上。問題是，單純生產可樂和供應更多樣軟性飲料，在價值鏈上並沒有明顯的差異。除了可樂的愛好者之外，一般人對可樂和其他飲料的需求、及購買行為並沒有明顯差異。倒是廠商提供多樣產品系列時，具有共用生

產、配銷和行銷等價值活動的明顯好處。因此，榮冠公司以焦點化策略迎戰多目標競爭者時，未蒙其利反受其害。相反地，賓士汽車（Mercedes）則運用量身訂製的專屬價值鏈；專注於生產汽車，來對抗多目標競爭者，因而形成它的強大優勢。

　　米德公司（Mead）在紙箱產業的策略演變，則反映出支撐焦點策略持續力的因素如何改變。一九七〇年代末期，米德企業為了回應高承載量紙箱的劇烈成本競爭，而針對低承載、高附加價值的產品區段發展焦點策略。但是一九八〇年代初期，由於新式的連續型瓦楞紙軋製機問世，紙箱的生產速度變快，同時機器的製程調整時間也大幅縮短。導致原本生產全系列產品的競爭者，更容易進入小規模訂單的市場。米德企業因此被迫修正它的焦點策略，它一方面投資添購新設備，同時也經營更多樣的產品區段。在這個案例中，經營米德企業目標區段的價值鏈，與經營高承載紙箱區段的價值鏈之間，差異性事實上是變小了。

　　如果（一）產業區段之間的差異性日漸降低；（二）技術的變遷降低了同時經營多重產業區段的妥協成本、或提高了運用交互關係的能力（見第九章），（三）產業區段專屬價值鏈的成本，比一般標準價值鏈高出很多，都會傷害焦點化策略的持續力。因此，企業選擇焦點化策略的目標區段時，必須把動態因素納入考慮。動態因素會反映出企業在特定產業區段採取焦點化策略，或是同時經營多重產業區段時，競爭優勢的消長變動。

對抗模仿者的持續力

焦點化策略廠商面對的第二種風險是，其他廠商模仿這個策略。模仿者可能是這個產業的新進廠商，也可能是已在產業內、但對目前策略不滿意的廠商。對抗模仿者時，焦點策略的持續力是建立在競爭優勢的持續力上。運用第三、四章介紹過的觀念來分析，焦點化策略廠商對抗模仿者的移動障礙包括，規模經濟、差異性、通路的忠誠度、或是焦點化策略其他特性形成的障礙。障礙的高低則依這個產業區段的結構而定。比方說，如果要仿效柯達公司在影印機市場的高階產品策略，模仿者必須克服的障礙包括，受專利保護的技術，建立企業內部銷售和服務網路的規模經濟等問題。

產業區段的規模會影響焦點化策略遭模仿的威脅程度。在規模小的產業區段，假如交互關係無法克服該區段對規模經濟的要求，即使最小的規模經濟都相當顯著。競爭者也可能因而興趣缺缺。反過來說，在一個成長的產業中，不但焦點化策略被模仿的可能性很高，更小的新產業區段陸續成形，也會讓原來的焦點化策略「失焦」。以快速發展的資訊工業為例，由於廠商不斷針對更小範圍的目標客戶，開發更專業化的資料庫，失焦的現象相當普遍。

對抗替代性區段的持續力

最後一項決定焦點化策略持續力的因素是，來自產業中替代性區段的威脅。企業針對特定區段採取焦點化策略的弱點在

於，該區段可能因環境、技術或競爭者行為改變而消失。一般說來，分析替代性區段風險的方法和分析替代性產品相同（見第八章）。競爭者對產業內區段替代性的影響，絕不小於它們對整個產業替代性的影響，甚至猶有過之。競爭者常常試圖以行銷、技術創新等技巧，轉移焦點化策略廠商目標區段的需求，甚至對政府進行遊說以惡化該區段的競爭狀況。當焦點化策略廠商，面對經營較大規模區段的競爭者時，必須面對的風險是，競爭者的廣宣開銷和其他行銷手段，可能改變客戶的態度，引導客戶離開焦點化策略廠商經營的目標區段。

陷阱和機會

　　無論是運用焦點化策略、或是多目標經營的企業，以上的分析都凸顯了幾個重要的課題：

　　成功的焦點化策略必須涉及競爭者的妥協成本：企業將焦點放在一個或一小群產業區段上，不等於它具備競爭優勢。它選擇的產業區段必須具有與其他區段不同需求的客戶，或需要一個與其他區段不同的價值鏈。正是由於焦點化策略廠商的目標區段與其他區段之間的差異，使得多目標經營的廠商無法完全因應這個區段需求將它的價值鏈最佳化。這種差異正是焦點化策略廠商持續競爭優勢的來源。

　　找出劃分產業區段的新方法，可能會帶來重大機會：一個妥善建構的產業區段矩陣通常會揭露出，現有競爭者尚未經

營的區段。當企業找出劃分產業區段的新方法時，常常可以根據產品、客戶群、通路、或更精確的次級地理區域，找出目前尚未被發覺、但具有結構或價值鏈差異的新區段，並據以設計焦點化策略。比起目前認定的產業區段，新區段的規模可能更小，也可能更大。它的差異性意味著這個新區段需要一個不同的策略和價值鏈，過去因為競爭者混淆了這些區段，而無法達到最佳的經營效果。

率先確認一個新而有意義產業區段的企業，通常能搶先形成持續的競爭優勢：以聯邦快遞為例，它注意到需要隔夜送達的小包裹，可以形成同業未曾察覺的新區段，並根據這個區段擬訂策略，重新設計價值鏈。比起那些仍將這個區段納入更大規模區段之中的同業，聯邦快遞獲得了強大的優勢。同樣地，在房地產仲介業，二十一世紀公司（Century 21）搶先認識到更大的全國性產業區段。

當產業有很多區段時，多目標經營策略未必能帶來競爭優勢：業者必須在經營多重區段中獲得持續的競爭優勢，才能夠獲得高於業界平均的利潤。這種競爭優勢通常來自於產業區段間的交互關係。成本領導策略是靠企業累積許多區段的規模和其他優勢，達到低成本的地位。差異化策略則在於，它的獨特性能夠普遍滿足許多區段的使用條件或訊號條件。如果廠商拉開戰線，卻缺乏明確的競爭優勢，產業區段的結構性差異，常會使它陷於進退兩難的尷尬處境。

多目標廠商通常經營過多的產業區段：企業經營過多區段的時候，會有無法面面俱到的風險，並使它面對焦點化策略廠商時更為脆弱。企業減少經營的產業區段數目，可能降低本身的脆弱性，也可能因為淘汰比較缺乏吸引力的產業區段而提高獲利能力。多目標經營的廠商應考慮放棄以下幾種區段：

❑ 這個區段與其他區段發展交互關係時，幾乎無法形成優勢。

❑ 企業的策略必須全盤修正，才能夠經營這個區段。

❑ 缺乏結構上的吸引力。

❑ 業務與成長潛力有限。

❑ 基於防禦考慮，不需要以經營這個區段來阻絕競爭者。

相關的產業區段和目標的廣度必須持續檢查。有策略意義的產業區段會因客戶行為的改變、新客戶群崛起、影響區段間交互關係的技術出現等因素而改變。因此，企業選擇的競爭範疇必須一再重複檢查。儘管傳統的產業區段劃分很難從經理人的腦海中消失，但是企業不能想當然爾地接受傳統區段。將選擇產業區段視為一個永不改變的決策，必然帶來策略上的災難。

新技術正在改變種種關於產業區段的舊假設：新的科技、尤其是微電子（micro-electronics）和資訊系統，正在為新的焦點化策略和多目標策略創造更多機會。製造、後勤和其他價值

活動的彈性，已使得多目標廠商在維持單一價值鏈的情況下，仍然能夠設計許多滿足不同產業區段需要的價值活動。這也減少了某些產業中持續焦點化策略的機會。但是，同樣的技術革命也使各種策略更能適應新的產業區段。比方說，電腦輔助設計技術降低了新產品的設計成本。企業必須特別注意，新科技可能推翻產業中對於焦點化策略或多目標策略的傳統思考。

產業區段與產業的定義

產業的疆界始終依定義鬆緊程度而異。產品與產品之間，以及客戶與客戶之間結構與價值鏈的差異、傾向於採取較窄的產業定義。因此，劃分產業區段是一個藉由發掘產業內各種結構差異性，探索狹窄產業定義的工具。產業區段和經營單位間的交互關係（第九章）則會創造範圍較大的產業定義。

一個有用的產業定義必須包含交互關係非常強的所有區段。從策略的觀點來看，與其他區段交互關係薄弱的區段，有時可以分開成為另一個產業。而由強勁交互關係牽連的相關產業，又可能再界定成一個單一產業。

當企業將產業區段和策略性交互關係納入結構性分析，產業界線就不再那麼重要。結構分析會揭露，從競爭範疇衍生出競爭優勢的所有關鍵要素。

國家圖書館出版品預行編目資料

競爭優勢／麥可‧波特（Michael E. Porter）著；李明軒、邱
如美譯. -- 第二版. -- 臺北市 : 遠見天下文化, 2010.03
　冊 ; 公分. -- （財經企管；CB190A-191A）

譯自 : Competitive advantage : creating and sustaining
　　　superior performance
　　　ISBN 978-986-216-515-7(上冊 : 精裝). --
　　　ISBN 978-986-216-516-4(下冊 : 精裝)

1. 企業競爭　　　2. 企業管理

494.1　　　　　　　　　　　　　　　　　99005322

財經企管 190C

競爭優勢（上）

作　者／麥可‧波特（Michael E. Porter）
譯　者／李明軒、邱如美
總編輯／吳佩穎
責任編輯／高文麒、許玉意
封面設計／張議文

出版者／遠見天下文化出版股份有限公司
創辦人／高希均、王力行
遠見‧天下文化 事業群榮譽董事長／高希均
遠見‧天下文化 事業群董事長／王力行
天下文化社長／王力行
天下文化總經理／鄧瑋羚
國際事務開發部兼版權中心總監／潘欣
法律顧問／理律法律事務所陳長文律師　　　著作權顧問／魏啟翔律師
地　址／台北市 104 松江路 93 巷 1 號 2 樓
讀者服務專線／(02) 2662-0012　　傳　真／(02)2662-0007；(02)2662-0009
電子郵件信箱／cwpc@cwgv.com.tw
直接郵撥帳號／1326703-6 號　遠見天下文化出版股份有限公司

電腦排版／極翔企業有限公司
製版廠／東豪印刷事業有限公司
印刷廠／柏晧彩色印刷有限公司
裝訂廠／台興印刷裝訂股份有限公司
登記證／局版台業字第 2517 號
總經銷／大和書報圖書股份有限公司　電話／(02) 8990-2588
出版日期／1999 年 1 月 25 日第一版第1次印行
　　　　　2024 年 3 月 15 日第四版第1次印行

定價／500元
原著書名／*Competitive Advantage: Creating and Sustaining Superior Performance* by Michael E. Porter
Copyright © 1985 by Michael E. Porter. All rights reserved including the right of reproduction in whole or in part in any form.
Introduction Copyright © 1998 by Michael E. Porter
Complex Chinese Edition Copyright © 1999, 2010 by Commonwealth Publishing Co., Ltd., a member of Commonwealth Publishing Group.
Published by arrangement with FREE PRESS (a division) of SIMON & SCHUSTER INC. through Andrew Nurnberg Associates International Ltd.
ALL RIGHTS RESERVED

4713510944400（英文版 ISBN-13: 978-0684841465）
書號：BCB190C
天下文化官網　bookzone.cwgv.com.tw

※本書如有缺頁、破損、裝訂錯誤，請寄回本公司調換。